クリニックの診断学

求められる
開業医のために

増補改訂第3版

舟津 敏朗

東京図書出版

はじめに

診察室の机に記憶の確認と思い出しのために一冊のメモを持っていると便利です。ご自分の診療で気づかれたことなどをメモしておいて、後で調べて書き、綴じておくとよいと思います。その一冊は自分の診療の助手となってくれると思います。

私は内科、循環器科、呼吸器科を標榜してきました。

開業に際しては専門性を高めた形で有床で始めたため、救急患者も多くて難儀しました。当時は睡眠もままならない状態が続いたものです。無床になってからは幅広く患者を診るようになり、めまいにも興味を持つようになりました。そうした中でクリニックの日常診療で使える事項について、自分が診療しながら気づいた事などをメモ形式で記述してみました。

日常診療は多忙ということもありますが、そのうちに悪い慣れのようなものがはびこってきます。慣れるにつれて鑑別すべき疾患の範囲が狭まっていい加減な診断になるのです。初心に帰る必要があります。

思い出しに都合がいいように目次と索引を細かめにしました。

それぞれの事項がなるべく連なりが良いように記述しました。

気になることに関してはこれを足掛かりにして成書、文献、昨今ではインターネット上の検索が動画を含めて豊富ですので、これ等を使ってお調べ願いたいと思います。

消化器系疾患、血液膠原病などは近くの信頼のおけるクリニックや病院に紹介して検査して頂いたりしていましたので、私の記述の範囲外とさせていただきました。

大学から今までの間に恩師としての先生方は勿論のこと、患者さんにも多くのことを教えていただきました。

参考書からの受け売りも多いのですが、自分が経験したことや考えたことなど実際のことを多く記述しました。

フローボリューム曲線と呼気相呼吸音の関係については経験をもとにして出てきたものです。

また、付録１「**立体的診察法**」は自身が実行してきたもので、患者を日常生活に近似させて診察したい思いから出たものです。

この書をできるだけ多くの方々に利用して頂けたらと思っております。

自宅にて　舟津敏朗

図録目次

図１　冠状動脈の名称と刺激伝導系の血流支配

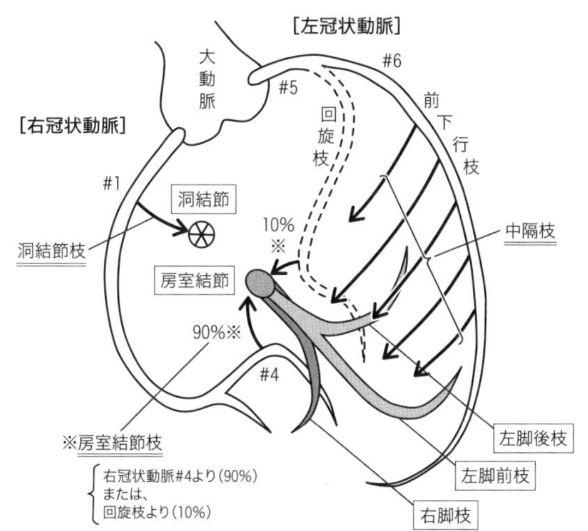

冠状動脈の主要血管及び、洞結節、房室結節、右脚枝、左脚枝（前枝、後枝）とその栄養血管をシェーマで表してあります。

図２　Ｊ波症候群、Brugada 症候群の心電図

正常心電図

（同一心電図のＪ波が出ていない誘導）

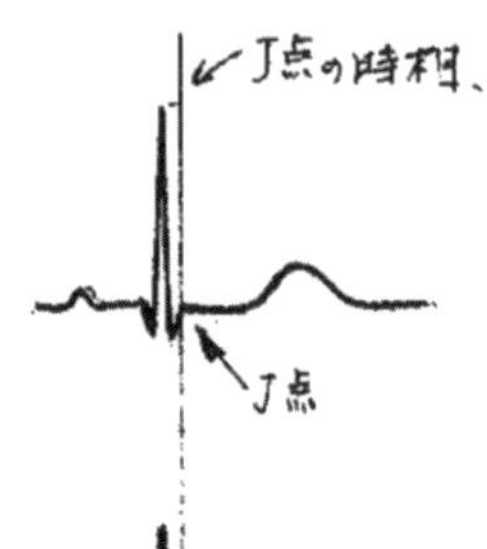

Ｊ波症候群

ST 上昇なし

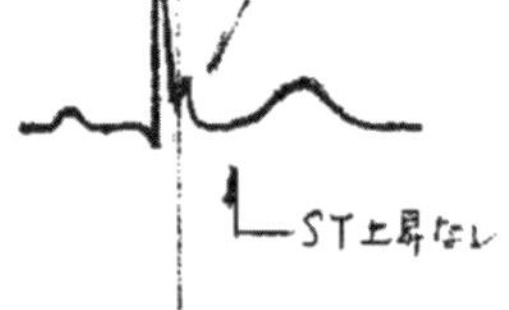

Ｊ波症候群

ST 上昇あり

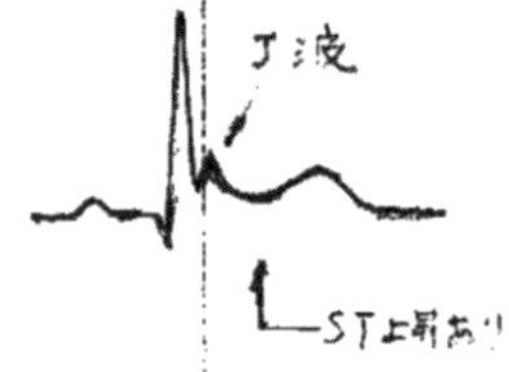

Brugada 症候群

coved 型（1 型）

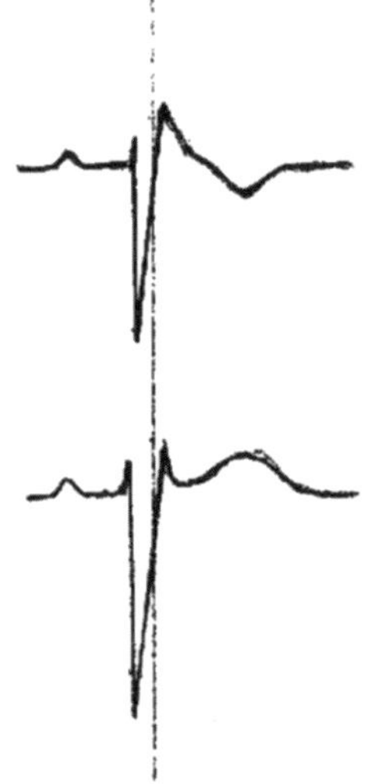

Brugada 症候群

saddle-back 型（2 型）

図３　QT延長症候群（LQT）の心電図

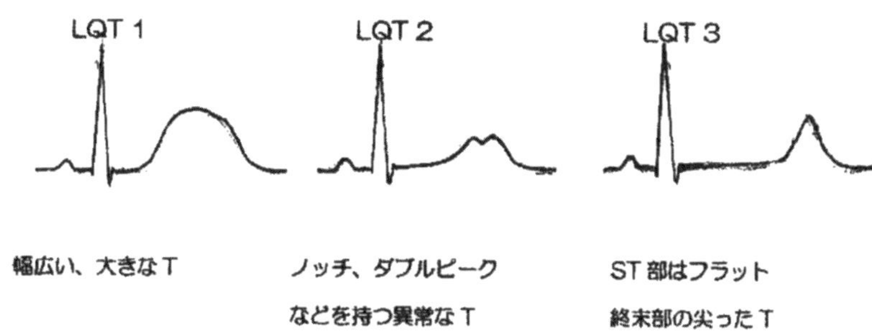

図４　心外膜炎の心電図（PQ segment降下）

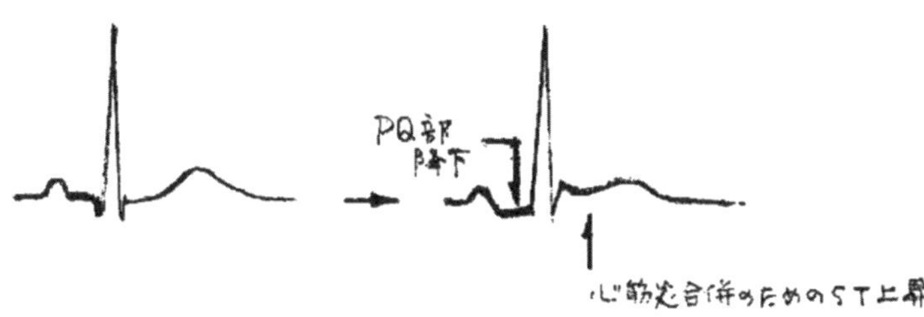

図５　Mobitz Ⅱ型とWenckebach型Ⅱ度房室ブロック（２：１）の心電図

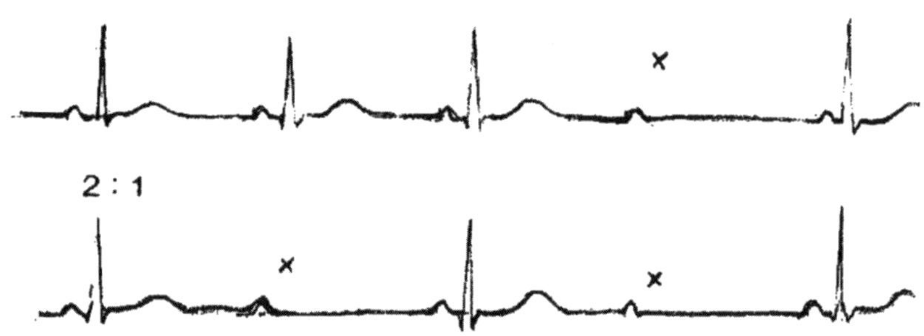

図６　尿沈渣　赤血球形態異常

コブ・ドーナツ状不均一赤血球（コブ状）

標的・ドーナツ状不均一赤血球（アイランド状）

ドーナツ状不均一赤血球（ドーナツ状）

図７　神経分布図（正面）

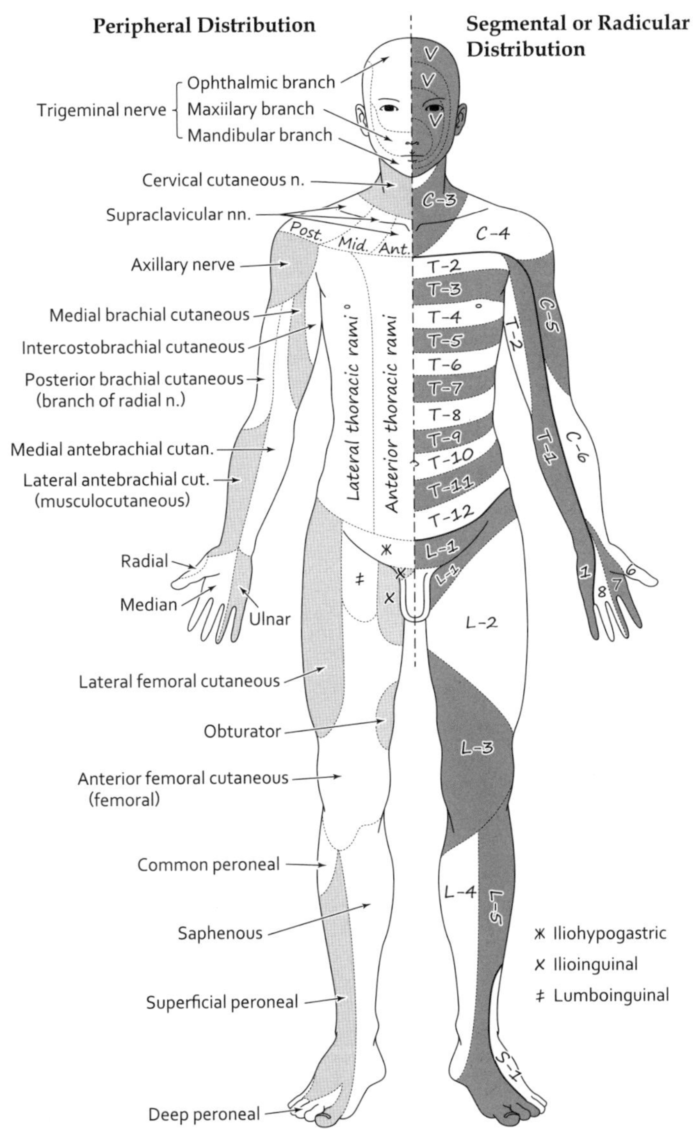

（Joseph G. Chusid et al. *CORRELATIVE NEUROANATOMY and FUNCTIONAL NEUROLOGY*. 1964を参考に再作成）

図8　神経分布図（背面）

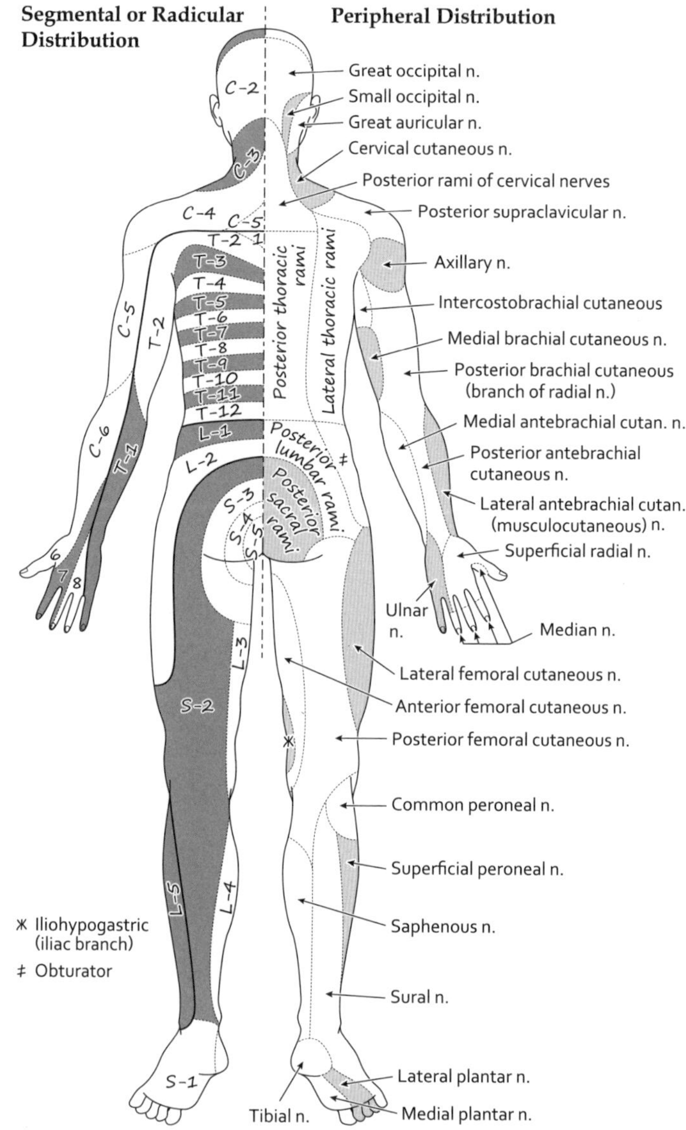
Segmental or Radicular Distribution
Peripheral Distribution
C-2
C-3
C-4
C-5
T-2
T-1
T-3
T-4
T-5
T-6
T-7
T-8
T-9
T-10
T-11
T-12
L-1
L-2
L-3
L-4
L-5
S-1
S-2
S-3
S-4
S-5
C-5
T-2
C-6
T-1
6
7
8
Posterior thoracic rami
Lateral thoracic rami
Posterior lumbar rami
Posterior sacral rami
Great occipital n.
Small occipital n.
Great auricular n.
Cervical cutaneous n.
Posterior rami of cervical nerves
Posterior supraclavicular n.
Axillary n.
Intercostobrachial cutaneous
Medial brachial cutaneous n.
Posterior brachial cutaneous (branch of radial n.)
Medial antebrachial cutan. n.
Posterior antebrachial cutaneous n.
Lateral antebrachial cutan. (musculocutaneous) n.
Superficial radial n.
Ulnar n.
Median n.
Lateral femoral cutaneous n.
Anterior femoral cutaneous n.
Posterior femoral cutaneous n.
Common peroneal n.
Superficial peroneal n.
Saphenous n.
Sural n.
Lateral plantar n.
Medial plantar n.
Tibial n.
⁎ Iliohypogastric (iliac branch)
‡ Obturator

（Joseph G. Chusid et al. *CORRELATIVE NEUROANATOMY and FUNCTIONAL NEUROLOGY*. 1964を参考に再作成）

図9　末梢性気道閉塞を有する場合のフローボリューム曲線とそれに相当する呼気相呼吸音

分類	フローボリューム曲線パターン	各パターンに相当する聴診所見
正常	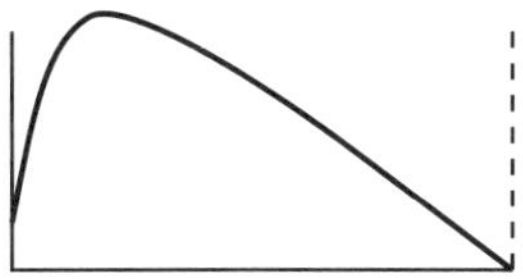	正常呼吸音
末梢性気道閉塞（軽症～重症の段階別）		1）、2）
	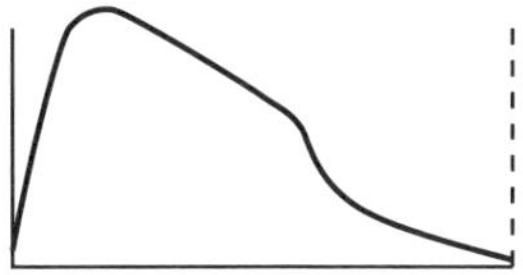	1）、2）、3）、4）
	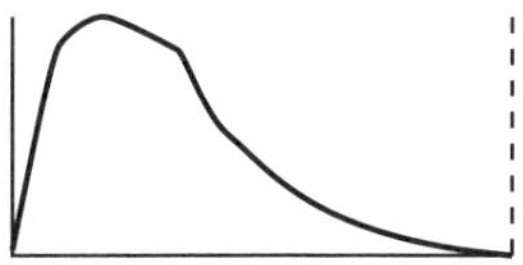	1）、3）、4）
	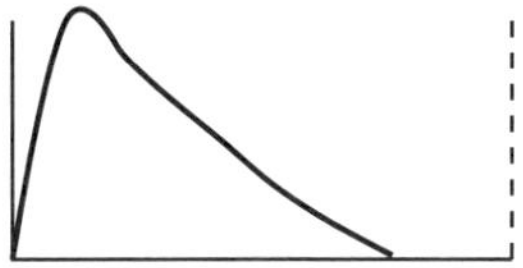	1）、5）、6）、7）
	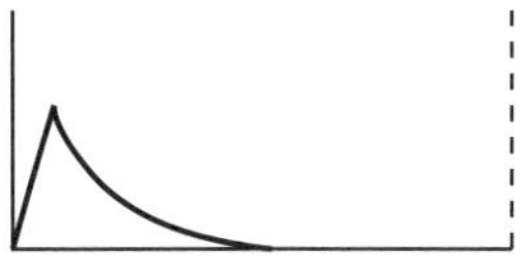	1）、5）、6）、7）、8）、9） 及び重症の喘息や肺気腫の場合
付記		各フローボリューム曲線パターンに相応する呼気相の聴診所見をp. 238～239の記事の番号に従って記してあります。

当書にある診断用数式

目次

クリニックにおいての日常の診療について

クリニックに来院する患者と対応する医師

日常の診療において、時には非常に重症の患者に出会うことがありますが、そう多くはありません。また、その時には救急車などで病院まで送って病院の先生にお願いする形になります。

ただ、その場合には救急の事態の時の早期の緊急処置がその場で必要になりますので常々の心づもりが必要です。

軽症ないしは中等症の場合は教科書通りの症状があって照らし合わせれば問題なく教科書の記述通りの形で診療することになります。

また、診療の範囲ということですが、**自分のカバーできる診療疾患範囲**というものが自然とあります。勿論オールマイティーになる努力は大切です。しかし機器とかスタッフとかも考えると、餅は餅屋で、**周りの信頼のおける専門の先生と連携**をとって行動する方が身軽です。その方がいろいろな問題も少ないと思います。

そこそこにオールマイティーであって、なおかつ得意な科とか領域を持っていれば大変いいことだと思います。できれば二つ三つの得意な疾患を持っていると最高です。患者はそのことを伝え聞いて集まって来てくれるのです。

疾患単位とその診断基準から外れた状態について

しかし、教科書は全面的に信用がおけるかというと、そういうわけにはまいりません。教科書は全部を尽くしているわけではないということです。

疾患が出来上がった段階のことを解説してある関係で、また、それぞれの疾患の範囲を規定しておかないことには学問も成り立っていかないこともあって、機能的にはこの数値以下だとか、症状はこれらの症状がそろっていなければならないとかということになってくるのです。いわゆる診断基準です。

学問する医師は診療中の患者に教科書とは異なった症状なり検査所見が出てくると、そのことについて文献を繰って調べを尽くすことになります。この時点で症状、所見や検査値に一部の違いがあれば、新しい疾患の発見へと繋がってくることにもなるのです。

こういった訓練を積んでいくことによって、診療所の診療もまた面白いものになってくるものです。

いろいろな疾患の診断基準が現在の形に至るまでには正確さを期すための多大な努力があったと思います。しかし正確さを期すために、形を整えるために軽症の、初期の疾患状態が切り捨てられたということもあるのです。この中には大きな病院では経験ができない診療所ゆえの未開の疾患症例が含まれていると思われます。しかし、通常の疾患であっても軽症が故に教科書を著す学者はこんな症例を見ていない可能性もあるのです。

全体、初期の頃の症状なり所見を学者は見ていないということで教科書には記載が上がってこないということが起こり得るのです。

そこに診療所の診療の面白みがあります。

それ故に、いわゆる教科書に記述してある症例は既に疾患が出来上がってしまった後の症例であって、それ以前の前駆的な状態の記載もなされるべきであります。

軽症のため教科書の診断基準にまで達していない前駆的なものも書き上げれば膨大になるでしょう。しかし、是非とも必要なことになるかと思っています。

はっきりした症状の出た状態の病気になってからでは素人にでも分かるともいえます。診療所においては、そのうちに診断基準に達するであろう、その前の微細な前駆的な症状、病院では無視されてしまうような微細な前駆的な症状の患者がやってくるのです。

ひょっとして自覚症状がまだ出ないうちに先手を打つことによって本症状に発展することを防止することが可能かもしれません。

遺伝する疾患のことも、その患者と家族の情報を前もって知っていれば、その先に来るはずの本症状を予防できます。診療所においては、その患者の家族も診療していることが多いので遺伝的繋がりも知る立場にありますからこの点好都合です。高血圧、低血圧、糖尿病、気管支喘息、内耳性めまい、甲状腺機能亢進症、甲状腺機能低下症、心疾患そのほか多数の疾患がその並びに挙げられます。

人によって遺伝的な疾患がいろいろな組み合わせで表現されてくる。例えば、その組み合わせいかんによって、ある時点で親子であったり兄弟であったりすることが分かった時に、その二人のカルテを並べ比べてみると、持っている疾患の遺伝的な組み合わせがそっくりであったり、風邪をひいたりする様子などがよく似た経過をたどったりして面白いと思うことが多々あります。診療していくと、そのうちにカルテの上で親子、兄弟が見えてくるのです。

その患者の病気は今診ている病気だけでは済まないということ

また大切なことで、これもまた常々観察し続けなければならないことですが、人の身体は金属などでできた機械のように常に一定の形を保っているのではなく、心臓や肺が常に動いて細胞や組織全体が活動しながら、そしてその構造自体が常に作り変えられていっているのですから、**患者の身体の状態は日ごと、そして瞬間ごとに変化しているものなのです**。

そして、診察医を無視して本人さえも無視して患者の体内では密かにいろいろな起爆剤としての疾患がいろいろな場所に仕掛けられてくるのです。

従って、診察の機会ごとに患者の身体全体を何か問題が仕掛けられていないかどうかを点検する必要が出てくるのです。

点検に使用する監視フィルターの網目はできるだけ細かい方が良いと思います。細かい方が引っ掛かりが多いからです。

引っ掛かりが多ければより早い時期に、病気が出始めたころにそれを見つけることに繋がります。しかし、受診ごとにPETとかMRとかCTとかを使用するわけにもいかないし、毎回採血するわけにもいかないわけですから、日常の診療において、問診に加え、理学的検査をできるだけ正確に所見をとって、その所見を病気の初期を捉えるアンテナとして使えるように、また実地に行えるように訓練しておく必要性がここに出てくるのです。

理学的検査を通して疑われたことに対しては、それを標的にした目標を持った採血とか機械を使った検査などが、その上に細かな追求をする手段としてなされるべきです。

この場面には病診連携という診療所から病院への詳細な検査や、その先の治療のための患者の紹介の必要性が生じてきます。高度な機器を使った診断です。こういった一連の診察過程において、患者がまだ症状を訴えていない病気も目の前にあぶり出されてくることになるのです。

患者の訴えについては、いい加減でない根拠のある回答を出してあげる

患者が慢性疾患であるならば、例えば高血圧で通院中の場合、血圧測定をして簡単な問診で診察を終えるなどは大変危険なことです。まったく別に身体のいずこかに例えば悪性腫瘍が発生してきているかもしれないのです。そういった状況が隠されながら既にそこにあるのではないか、敏感な観察眼をもって軽微な症状は勿論のこと、体重の連続した減少やヘモグロビン値の低下の進行、検尿や検便など、外から観察されるあらゆる現象をつかんで症状発現前にそれらを発見することが大切になるのです。

また、勿論、**来院時の患者のいくつかの訴えに関しては、**問診と理学的検査を行いそれに基づいて、血液その他の生化学的、細胞学的、免疫学的、微生物学的検査や画像検査それと負荷を加えたりもした機能検査などを適宜選択して施行して、それらの訴えに関して患者が納得できる答えを根拠を持った形で出してあげなければいけません。単なる推測や想像ではいけません。

その訴えてある症状や状態についての答えを聞くことこそが患者の受診の目的であるはずだからです。すれ違いのない、真っ当な答えがもらえなければ患者は納得がいきません。患者は納得がいかないどころか不満やストレスをなお一層抱え込むことになります。

胃の症状を訴えてきた患者に症状を無視して、胃癌がないからといって、「異常ありません」では医師の義務は果たされていないということです。

根拠を示して、「ここがこうなっているからこうですよ、こうすれば症状は

落ち着くと思います」ここまで説明して患者に納得してもらい、その症状に対しての対処方法を示すこと、必要であれば、処方なり処置なりを行うことで一件を落着させるべきです。

患者の訴えに関しての確かな解決の道をなるべく早く形にする

クリニックの診療では可能な診療範囲がおのずと限られてきます。その中での診療ですから、患者の訴えに対しての確かな答えを出すことには限界があるということです。

先延ばしにせずに、躊躇せずほかの先生に知恵を貸してもらうことです。

このことに関しては、周囲に自分の診療範囲外のことを解決してくれる確かな腕を持った別の専門のクリニックとか病院とかと連携を密にしておくことです。

相互に情報交換を行い、お互いに診療の質を高めていければ最高です。

この状態を常態にしておけば患者にも安心してもらえ、信頼してもらえると思います。

そして、**自分と別の専門のクリニックや病院とも連携して確かな答えを出して患者を少しでも早く治療の道に進めることです。**

カルテについての考え

カルテは患者の経過を見る際に、また今の状態がどんな疾患の状態なのか、これから先には患者の状態がどう変わっていくのかなどということを推測するためにも必要で欠くべからざるものです。その中でも表記する病名の記載は大切です。

長期にわたって繰り返す病気があったり、関連する病態が並行してあったりするものですから、診断した病名は正確なものでないといけません。

診断を付け、それをカルテに記載する時には正確な診断名を記載する必要があるのです。

tentativeのものであればその旨を記載することです。投薬のためとか、検査のためとかで病名をつける所謂レセプト病名は決して使用すべきではありません。tentativeの病名は何々病疑いとしておいて、結果が出れば、その時に疑い病名を除いたり、病名中止とするべきです。

レセプト病名は後からは自分でもレセプト病名であることを忘れることになり混乱し、また、ほかの医師もそのカルテを見て、以降の診断の補助に使えるどころか、間違えた判断に導かれてしまうということがあるからです。

正確な診断名は次に同じような症状なりが出現した場合、症状がまだ軽度のうちに先に付けてあったその診断名又は症状名を手掛かりとして、先行して手を打つことにより、その疾患の進行を絶つこともできるのです。

カルテを、医師が患者を診易いような形に工夫する

私は電子カルテではなく、まだ紙カルテを愛用しています（実はコンピューターに関しましては昭和45年頃より日本初のコンピューターハイタック10をフォートランでプログラミングしながら使っていたし、昭和55年よりレセコンを使用していました）。といいますのは、診療にスピードが必要な状況に置かれているものですから、いろいろなことを考え合わせると紙カルテの方が使い勝手がいいように思っていましたので、そうしていたということです。

紙カルテを私なりに工夫をして使ってはいます。私の紙カルテの使い方を電子カルテに応用して頂ければと思います。

その一つは、カルテの最上段を一寸広めに開けて印刷したものを用意しています。

そこに表紙の病名欄にまだ記載されない観察中の症状や所見、カルテの本文の内容のうちの経過を追わなければならない大事なものをピックアップして書き留めたり、検査内容で異常であって、これも経過を追いたいものを書き留めたり、今後の検査すべきものや検査の予定、治療薬の増量や減量の予定などをメモ形式に記入しておくようにしています。

これらの記載はそのうちに病名として挙がる事項であったりして重要なもの（総合プロブレム方式の変形）であることと、また、いろいろな事柄がここを

見れば一目瞭然ですので、診察時に見落としがないようにすることにも役立っていますし、現時点での患者の状態把握、これから先の診療の指針にもなりますのでどうしても必要なものになっています。

もう一つは、カルテの記載を本文に記入の際にはなるべく簡潔明瞭に記載するということです。時には記号を使用することもあります。再来時になるべく速くその患者の今までの状態をつかみたいということです。微に入り細に入りの長い文章では忙しい診療の最中には、かえって読み落としをしてしまったりするものです。しかし、何かの都合で審査を受けるときに記号ばかりでは審査は通りませんので、その点加減してということにはなります。

三つめは、患者の食事のこととか生活の状況のこととか頭痛、めまい、喘息そのほかの**細かい点についての質問用紙を用意しておいて、またCMIなどを割合頻回に患者に記入してもらって、その記入録をカルテに添付したりしています。**いちいちスキャンをしてコンピューターの中に落とし込むような手間を省くということも兼ねて紙カルテを使用しているわけです。

話は変わりますが、福井市内が洪水に見舞われたことがありました。この時私は当医院にも危険が迫っていることを聞いて、医療用のレセコンや紙カルテを急いで二階に運んだことがありました。後で、医院によっては全てが水に浸かって大変な目にあったのを目の当たりにしたものです。その後、大病院もコンピューターを二階に移したと聞きました。

このようなことも考えておく必要があります。

患者の訴えについての考え

患者の訴えは一つの真実です。これは決して無視してはいけません。

患者が訴えている症状の原因となる疾患は何かということですが、曖昧模糊とした訴えは、曖昧であっても、それは患者本人が患者の体感覚で感知した症状なのです。

これを大切にしながら、その本質を失わないようにしながら、本質をつかみ出す作業が問診です。上手に聞き出します。こちらで勝手に曲げてはなりません。

そして、その裏づけやその周りの状況をより確実なものとしてつかんでいく、その作業が理学的検査なのです。

患者を自分に置き換えて、自分が自分を診察するという思いで進めていくとよいと思います。

そしてもっと煮詰めて病気の本質に迫っていこうと、証拠固めのために血液検査、レントゲン検査、CT、MR 検査、内視鏡検査その他を行うことになるのです。

犯人逮捕です。

答えが出たならもう 1 回本人の訴えを見直して間違いないことを確認します。

そして、遂に確定された疾患に対しての治療がなされることになるのです。

そして大元としての患者の訴えはおろそかにはできません。

機器で診療する病院型の診療からクリニック型の診療への転換

近年機器による検査などが発達したあまり理学的検査が軽くみられる風潮があります。勿論、医の実践においては高度に進歩した検査技術や治療手技が重要なことは確かなことですが、**患者を診て正しい診断を目指すその第一歩としての手段である問診と理学的検査の大切さはもう一度見直しがなされるべきだと私は考えています。**

めくらめっぽうに、無暗な検査をすることなく、**まずは理学的検査でこれからの方向をとらえて、その方向に諸検査を進めていくことはむしろ診断の近道でもあるし、医療経済上も得策と考えます。**

理学的検査に習熟してこれを実行し、診断の道を作って、そののちに高度な危機による検査に進んでいくことを心掛けるべきです。

医師は決して尊大な態度をとってはなりません。患者は人間であり恐怖や希望を持ち、苦痛の除去、助力、安心を求めています。医師には機転、思い遣り、分別を備えている必要があります。医師と患者の関係は患者についての十分な知識、相互の信頼関係、コミュニケーション能力の上に成り立つものなのです。

診察室の在り方

医師―患者関係に深く関係する診察室の雰囲気について考えてみましょう。

診察室をどんな状態にしておくのが良いかということです。**診察室において患者が緊張感を持たないように、遠慮の感じを抱かさないように、気持ちを引っ込ませることのないような雰囲気にするにはどうしたら良いか**を考えてみたいと思います。

患者はもとより医師も看護師も思ったことを思ったように話せる状況を常々作っておくということが大切だと思います。こんなことを言っても大丈夫かな、あんなことは言うと悪いかなと思わせる環境はよくありません。患者は敏感です。周りの雰囲気によって訴えたいことも控えてしまうようでは正確な問診には全く至りません。思っていることをなんでも口に出せるような雰囲気づくりが大切です。

それには、医師と看護師、医師と検査技師、医師と事務職員、職種を問わず職員同士、それらの意思の疎通がいつもすっきりしている状態である必要があります。

そういう状態であれば、患者にも居心地が良く、職員も働きやすい。もちろん医師もより多くの情報を得ることになり診断能力も上がってくるというものです。

みんなが気持ちよく居られる状態であることが大切なのです。

決して威圧的な態度はよくありません。疑いすぎるのはよくありません。まして陰で疑うのは全くダメな行動です。**なんでも聞いて、なんでも話す。そのスタッフと患者との間にはわだかまるものは何もないのが良い診察室の状態であるべきです。**

そういった環境であってこそ本当の患者の訴えが聞けるのです。

ちょっと前から、多分お上のほうからのお達しで患者を「様」付けでお呼びしなさいと言われていますが、どうでしょうか。患者様。何々様。誰が考えたのか患者と医師、患者と看護師、患者と診療所の間に何かを挟む感じではないですか。患者を医師や看護師そのほかの職員からそんなに遠ざけるのはいけないことなのです。

診断力を上げるためにも診察室の雰囲気づくりに努力をするべきだと私は考えています。

患者の言動に対しては大様（おおよう）に対応する

患者は今感じている症状に対していろいろな不安感を持っています。そのために気が立っているかもしれません。また病気そのものが患者をいら立たせているかもしれません。

医師は忙しいからといって、また先にやらなければならないことがあるからといって、患者と一緒にイライラしてはいけません。

症状が大した症状でなくても裏に大きな病気がある場合もあるのです。イライラしてそれを見逃しては後が大変です。

自分の心のコントロールをしっかりできるようにしておきましょう。

慌てない、急がないということについて

上のことと同じように、会議などが予定されていたりする場合、診察の患者がまだ残っていてちょっと困る場合があったりするものです。

そういった場合には慌てたり、急いだりすることによって考えが浅くなったりしてとんでもない間違いをしてしまうことになりかねません。診察を優先して会議などは電話で遅れることの了承を得るべきです。**用事などで診察に慎重を欠くことがあっては、患者がそのあとで具合が悪くなったりした場合には弁解の余地がありません。**

病気を探す　患者に症状のある状態での発見

その症状から病名を決定するに至る過程については通常行われている診断過

程をたどって行われることになります。

なるべく病期の早い時期での発見を心がけ、診断して治療へと進めてあげることが必要です。

症状などの病状が明瞭になってからでは、素人でも診断をつけることが出来ます。それからでは治療は後手後手になってしまいます。

診断された後には、その疾患の成書に記載されている症状所見と当該患者の症状所見とのあいだに相違はないかということを考えてみることです。もし違うことがあれば、それは病院に勤務していた時には文献を繰って調べたものです。ひょっとして新しい疾患かもしれないからです。

症状がない場合、まだ症状の出ていない体内に既に潜んでいる状態でどのようにして病気を発見するのか

患者は何か違った症状なりが出てくると来院することになります。通院している患者であれば再来ということです。この際には、その症状に関しての問診や理学的検査がなされて上記の如く診療されるわけです。血液生化学的検査、そのほかの内視鏡、レントゲン、造影検査、諸機能検査、CT、MR、PETなどが必要になるかもしれません。

患者は内服薬がなくなりかけると新たな症状がなくても定期的な受診をすることになります。とりあえず薬をもらって帰りたいということです。大した会話がなければそのまま薬だけ投薬されて帰ることになります。しかし、**雰囲気や話しかけ次第で何か違った症状なりが顔を出すことになるのです。それを取り上げることが患者に新しい別の疾患が出始めていることに気づくきっかけになるかもしれないのです。**

または、**定期的な検査での微細な異常の変化を追跡することによって、新しい疾患につながることもあります。**

明瞭な症状が出てからでは素人でも診断がつけられます。

来院時、毎回の体重測定（正確な体重計での）とその記録は大変重要です。何回か連続で減少するなら原因を点検する必要があります。血液ヘモグロビン濃度もしかりです。その点をもとに詳細な質問もすることになりますし、そこ

を焦点とした検査をすることにもなります。次いで行った便潜血検査で異常を認め、消化器科で内視鏡検査を行った結果、まだ進行していない消化管癌が発見された経験が数多くあります。

慢性疾患で通院中の患者がいつの間にか進行癌になっていたというのでは主治医の面目が立ちません。

外来時、面倒でも毎回しっかりとした診察を行う

最初にも記した通りですが、患者の体は生身ですから時々刻々変化しています。来院するたびに違った状態でやってきます。大げさに言えば別人です。新患だと思って診ることで新しい何かを見つけてやろうという気持ちが出てくると思います。

患者のまだ気づかないうちに、がんを見つけたときなど大変うれしいものです。患者も同様だと思います。

慢性疾患患者の場合、きちんとした診察は元の疾患の合併症の監視にもなります。

また、毎回しっかりとした診察を行っていくと、同じ疾患でも患者によって違った経過をたどったり、違った合併症をきたしたりすることが分かり、それらの患者の先々の診療の指針にもなるのです。

同じ疾患を沢山、毎回しっかりと診ることによって、その疾患を得意とすることにもつながるのです。

家族を観察して出てくるかもしれない病気を予測し、予防する（遺伝的疾患に対する心構え）

何か遺伝的な疾患を持った患者がいたとします。最近、疾患のほとんどが遺伝と関係してきたような感があります。家族がある症状で来院したときに、その症状が次にどうなるのかを推測できることがあります。そういう場合、先回りができるのです。簡単には気管支喘息と風邪みたいなものです。

気管支喘息の素因のある患者は風邪を引いた場合風邪は長引きますし、むし

ろ治りかけになってから喘息様になってきたり、咳が長引くことになったりします。

また喘息などの遺伝的な情報を前もってつかむことができれば、そのことによって病気の少なくともそれ以上の進展を防止できます。遺伝的な情報というのは正確にその人の状態を見ていくことで浮かび上がってくるものです。

あるとき兄弟であることが分かったり、親子であることが分かったりしたときに、その二人のカルテを突き合わせるといかにも血縁者だと思わせるものがあるのです。**それが遺伝情報です。遺伝子を見る必要はありません。この情報をいろいろな場面で使ってあげるのです。**

一次予防、二次予防

成人病に対しての予防は重要な任務になります。生活の状態や食事の状態についての詳細内容の調査票を作っておいて、再来時の待合のときに記入してもらうことをやります。内容について看護師が指導し、次の調査で再指導することにもなります。そして、それが投薬内容にもかかわりが出てくるのです。

医師は患者に薬と一緒に、その薬についている毒を処方しているということ

再来してくる患者の訴えについては通常の診療中の疾患のほかに次の二つを考えの中に入れて判断する必要があります。一つは新たな病気の発症であり、もう一つは自分が処方している薬による副作用の症状です。このことは常に頭の中に入れておく必要があります。この謙虚さを失うと失敗します。

診察の方法

私は患者の再来時の診察は大まかに次の方法で行っています。

患者をまず仰臥位にしてベッドに寝かせ、仰臥位での血圧測定、診察は心音聴取、強制呼吸で呼吸音聴取（前胸部）、肝腫大の有無、腹部、顔、髪、皮膚、眼瞼結膜、上肢と下肢の診察、足肺動脈触知。

次いで、上体を起こして、背部の強制呼吸での呼吸音聴取。

その次には、立位になって、立位での血圧測定。

診察机で口腔内、頸部リンパ腺、甲状腺。

途中は問診をしながら診察を進めていくことになりますが、問診とか理学的所見に異常なことがあれば、その都度そのことについての詳細な診察を中に挟んで行っていきます。

これくらいのことは慣れれば短時間で全体を済ませることができます。

私はこの方法で１日80〜100人近くの患者を診てきました。臨床検査技師、看護師そのほかの職員とともにですが。

初診時には、例えば高血圧患者には頸動脈、腎動脈の聴診。橈骨動脈、下肢動脈の両側の触診を行う。そのほかそれぞれの患者のそれぞれの訴えや、それぞれの疾患に応じてそこに焦点を置いた診察を行っています。

診療に際しての機器の使用について

診療に際しての機器の使用に関しては、自院では運用できない大型や精密の機器については連携病院にお願いして検査していただくことになります。

最近は診療所で用意できる便利で精度の高い機器がたくさん出回っています。常にこれらの情報を探しつつ自分の診療範囲に必要な機器はしっかりそろえておくことも大切なことです。これらの機器を自分の手足として使って確かな診断を付けるということです。

問診や理学的所見をしっかりとって方向づけをし、それらの機器で確証を得る。**不足であれば病診連携を躊躇せず行うことが患者にとっても自分にとっても幸せな結果が得られることと思います。**

自身で診察も検査もとなると忙しさのために、ついつい省略してしまったりするものです。誤診の原因となるかもしれません。

臨床検査技師の助けがあれば手順通りに仕事が運べます。

スタッフの教育について

医師とスタッフは診療についての知識を共有する必要があります。

そのためには、医師の頭にあることをスタッフに話しておくことです。

種々の疾患についての詳細について、その疾患の治療法、患者自身の養生法、それらの疾患がどのような様子で症状が進行し、発作などがどのような時に起こってくるかということや、それらの急な変化に対しての処置、投薬などをその場その場でまたは別に時間をとって説明しておきます。

その成果があれば医師の分身が出来たということで医師の仕事の軽減が不安なく行えます。

種々の方向からの**患者説明用のパンフレット**を自院独特のものとして持っておくことも重要です。パンフレットは教育した後にスタッフに原案を作成してもらい医師が手直しするのが良いかと思います。

経済的なことについての考え

勿論自院の経済は大切なことです。職員の給与、設備等考えることは多いと思います。しかしお金を稼ごうとする表立った行動はかえって患者に嫌がられ患者は離れる方向となるでしょう。そのような考えは捨てたほうが良いかと思います。

精一杯確かな診療を行い、診療の力をつけるべきです。

そうすれば患者は集まってくれます。多くの患者を診ることで診療の質も上げられます。

お金は然る後からついてくるものです。

最後に

開業医を続けていると、どうしても頭の中に出てくる鑑別すべき疾患が少な

くなってきがちです。視野が狭くなってくると誤診が付きまといます。医師会の勉強会に出たり、『日本内科学会雑誌』や市販の医学雑誌を読んだり、インターネットを使って情報を集めることに努める必要があります。必要性のあることや、興味のあるテーマの情報を集めて一時に読むのも深い知識を得たりできてよいかと思います。できればその成果を職員にばらまくことです。

季節的な注意、流行し始めた疾患のこと、進歩した治療のことなど自院のホームページに月1回更新で院外に発信してもよいかと思います。

私もやっていましたが、来訪者をカウンターで表示しておくと自分の励みにもなると思います。

胸痛と腹痛について

胸痛についての診断手順

胸壁由来の胸痛について

肋骨の痛みについて

- 骨折
- 悪性腫瘍の原発ないしは転移

外傷など現病のことで推測してレントゲン検査をして診断します。

障害のある肋骨を順次押さえていく、ないしは叩いていくと、骨折または転移した主要の部位に限局した圧痛又は叩打痛が認められます。

肋間筋、大胸筋、広背筋の筋痛について

筋肉の使用の後などに筋肉痛として胸痛が出ます。

各筋の圧痛や筋を緊張させる状態を作ってみることにより筋肉痛を誘発できることで診断します。それぞれの筋肉を摑んで痛みをみることも有用です。

肋間神経痛、胸椎過敏症（胸椎椎骨症）について

肋間神経痛は肋骨の下部に沿って走る肋間神経が何らかの刺激によって、多くは椎体に関係する、例えば椎体過敏症刺激によって起きる痛みです。

痛みのある場所を押さえるとそこに圧痛があります。その圧痛は肋間に沿っての広がりがあります。

その痛みのある肋間を遡って、肋間神経の根部である椎体に行きつきます。

そしてその椎体を観察します。

胸椎の棘突起を上から順に触診していくと、肋間**神経痛のある神経根と関係の深い椎体の棘突起が凹んでいるか、ないしは突出していることがあります。**

この棘突起に叩打痛があれば、この椎体が原因している肋間神経ということが確かめられます。

時として、内臓のがんの転移が椎体にあったりするので注意を要します。

帯状疱疹の痛みについて

潜伏感染している水痘帯状疱疹ウイルスの再活性化が原因となる疾患です。

三叉神経の場合は第１～３枝のうちの１枝左右どちらか、脊髄神経の場合は当該分節のうちの１節左右どちらかが、その神経領域内の範囲でまず神経痛様の痛みが発生します。

ここは胸痛の話ですが、勿論全身どこにでも出現します。三叉神経、後頭神経、頸部、上肢、腹背部、臀部、下肢等々どこに出始めても皮神経の節を想定してどの神経が関係したのかを判断して対処することが大切です。

その後１～数日後になって発疹が出現することになるので注意を要します。

痛みだけの時点では単なる神経痛のみか帯状疱疹の初期の痛みなのか判断できません。

この経過で注意すべきは初期の状態で患者に**帯状疱疹の可能性があることを予告しておくことです**。

特に三叉神経第Ⅰ枝の場合、眼に関係するので要注意です。

もし出なくてもそれでよしとします。

もし発疹が出始めるようなことがあればすぐ来院しなさいと指示しておくことです。予告によって早期に治療を始めることが出来るのです。

この疾患は早期治療が必要で、早期に治療を始めれば非常に軽症で終息します。

時期を失うと治療に難儀するばかりか後遺症が何年も続くことになるので問題です。

帯状疱疹が判明した時点でゾビラックス、ファムビル、バルトレックスなどの抗ウイルス薬を使用開始します。

水疱が出てくればイソジン消毒液の塗布が、効果があると考えています。

乳房

乳房の**疼痛は発赤、腫脹、皮膚の硬化、くぼみ、ひきつれ等の変形、腫瘤**などを伴うときには病的であります。乳腺炎、乳腺症、乳腺線維腺腫、葉状腫瘍、乳癌などの可能性で専門医に紹介してください。

乳汁に**血性の分泌**があれば同様です。

内臓関連痛としての胸痛について

内臓疾患では、その**患部内臓と同一神経節の疼痛**として表現されます。

表皮の神経痛の場合、一応考慮しておくべきです。

上腹部の臓器の疾患が関連した内臓関連痛が認められたりします。

内臓由来の胸痛について

狭心症による胸痛について

狭心症の痛みは痛みというより、「圧迫感」、「心臓をつかまれる感じ」、「胸を締め付けられる感じ」、「えぐられる感じ」などと表現されるように曖昧な痛みです。

しかし、ひょっとしたら死ぬかもしれない、と感じさせるような強烈なものを持った痛みでもあります。

狭心症の症状は病変のある血管が、**右冠状動脈か左冠状動脈の前下行枝かまたは回旋枝**であるかで症状は異なるし、**その狭窄部位が血管の中枢部か中程か、より末梢か**ということでも症状は異なります。

狭心症の痛みは**左冠状動脈の主幹部やそれに準じた部位に狭窄がある場合**に

は、最も症状は重く、胸痛は強く、発作と同時に広範囲の左室心筋が虚血に陥るため、心拍出量が減少することになります。

血圧も低下して、そのために全身の血流量が減少し、脳血流量も減少します。全体生命に関わることが起こることになります。

脳及び全身の内臓、神経、筋肉に至るまで、その働きに支障が出ます。

そのために意識も低下したり、全身の血流量の減少のために思うように身体を動かすことが難しくなったりすることも起こってくることにもなります。

ショック状態に陥ることさえ起こります。

より**末梢の冠動脈が原因した狭心症発作は一時的な胸痛発作で経過するためにその後忘れ去られて病院に行かないことも多いかもしれません。**

労作性狭心症においては、発作は労作時ということになります。

日中重いものを持ったり、急に強い運動をしたりした時に発作が起こることになります。

しかし、そう単純ではなく、心臓の酸素消費を促進させる状態のあらゆる条件で発作が誘発されることになります。

その上に、冠動脈の攣縮を起こす要素が入ることが日本人では多いようですから複雑になってきます。

冠攣縮性狭心症は**飲酒や喫煙、過呼吸、過労状態など**が発作発現に関連します。飲酒の場合には飲酒後時間を経てアセトアルデヒドが出来るころに発作が出ます。逆流性食道炎と部位症状が似通ってもいますので間違えるかも知れません。実際に逆流性食道炎として治療されていたり、合併したりしていることがあります。狭心症は命にかかわりますから見逃せません。

また、**安静時狭心症**といわれるように安静時しかも朝覚醒するころや、夜就眠してから１～２時間後の頃発生します。**自律神経の不安定な時間帯**です。この時間帯は心血管疾患（脳血管も含めて）では注意すべき時間帯です。

冠攣縮性狭心症は冠状動脈に大なり小なりの動脈硬化がある部位に血管の攣縮が起こるといわれます。

そして攣縮によって動脈硬化が更に進展するともいわれます。

また、動作などと関連して、精神的なものとして、心配ごとや、精神的な刺激を受けたとき、疲れが溜まってそのために血圧が上がるなどの変動があったとき等々、いろいろな条件のときに狭心症発作は起こり得ます。

胆嚢結石症がある場合、狭心症発作が出やすいといわれます。

これは攣縮性狭心症として関係していると考えられるのですが、胆嚢と心臓の自律神経のつながりが関係しているのかもしれません。胆石症の痛みと間違えることもあります。

腹部内臓と関連した注意すべき痛みはどのようなものがあるか狭心症との鑑別上重要です。

胸部と腹部の境界領域の痛みには注意が必要です。

胃の疾患、胆嚢の疾患、膵臓の疾患でも胸痛として現れることがあるし、狭心症が上腹部痛として訴えられることがあります。

狭心痛は次のような特徴を持っています。

数十秒から数分、５～10分間程度の持続で次のような症状が出る。

- 15分以上になると心筋梗塞に移行した可能性を考えに入れる
- 治まるときには潮が引くようにスウーッと症状が消える
  (試験的に亜硝酸剤を使用することも行われます)

ズキンズキンやヒリヒリするとかチクチクするとかの痛みではなく、また、指で指せるような点とか狭い範囲ではなく、手のひらで表現される広い範囲の痛みです。苦しい、辛い、死ぬかもしれないと思うような痛みにもなります。

患者が狭心痛を訴えるときには次のような訴えをします。

- 胸が圧迫される
- 胸が狭くなる
- 胸がつらい

- 突然胸から背中にかけて辛くなる（痛くなる）
- 胸からみぞおちにかけて、胸全体に広い範囲で
- 胸の辺りだけど場所がはっきりしない
- 胸を押し付けられるように痛む
- 胸の奥が痛い
- 焼け火箸を突っ込まれたような
- 胸がしめつけられる
- 胸が重い感じ
- 胸やけのような
- 胸が焼けつくような
- 胃から背中にかけての
- 喉が詰まる
- 喉が痛む、顎が痛む、歯が痛む
- 喉がしめつけられる、顎がしめつけられる
- 顎や喉がしめつけられるようになってから胸がしめつけられる痛みになる
- 左肩から上腕がぬけるようだ
- 胸の痛みから始まって首や左の肩、左腕の内側から左手小指にかけて痛んだり、しびれたりする
- 左の肩や左の腕の痛みやしびれだけのこともある
- 動悸がする、息が切れる
- 冷や汗や吐き気を伴う
- 意識が遠くなる感じがする
- 死ぬかもしれないと思う

また、**狭心症発作は次のようなことで誘発されます**。

- 階段を駆け上がる
- 急に走る
- 坂道を急いで登る

- 急に激しく動く
- 重いものを持った時
- 急に寒い所に出る
- 冷たい風に向かって歩く
- 激しく興奮する
- 大小便の後
- 浴槽に入った時、出た時
- 体が冷えた時
- 精神的な緊張
- 過労状態
- 睡眠不足

冠攣縮性狭心症の場合には次のような時に症状が出やすいことが特徴としてあります。

- 就眠してから１～２時間の時間帯（交感神経から副交感神経への交代時間帯）
- 明け方から起床までの床の中（副交感神経から交感神経への交代時間帯）
- 朝食の後
- ちょっと多めに飲酒した晩（アセトアルデヒド、NO が関係）
- 過呼吸になった時、例えば笛を吹いた後など
- 喫煙のとき

心筋梗塞による胸痛について

狭心症と同様な症状ですが、一般には狭心症より症状が重篤になります。

胸痛の持続時間は長く、30分以上続きます。しかし30分も観察している暇はありません。全身状態も重篤です。

心電図で心筋梗塞の所見があれば、特に危険な不整脈や全身の状態でありま

すから、出来る処置があればやりながら緊急に専門医に転送します。

時に狭心症でも心筋梗塞でも全く胸痛の出ないことがあります。**無痛性虚血性心疾患**といいますが、心電図を撮ってみて初めて分かりびっくりします。糖尿病で多いといわれますが、そうばかりではないように思います。

心臓弁膜症による胸痛について

▫ 大動脈弁閉鎖不全症

重症度が増して逆流量が多くなると大動脈脈ひいては冠状動脈の拡張期圧が低下してきて機能的狭心症を起こすことになります。

このことは、心負荷にもなりますし**拡張期の冠状動脈の血流低下**もきたすことになります。行動によっては体循環の変化で心臓に急な負荷がかかったりすることで突然死に至ることにもなりますから、診断がついたら一旦心臓外科への紹介が必要です。

▫ 大動脈弁狭窄症

紛らわしいことに、狭心症の症状と似た胸痛があり、胸痛でこの弁膜症が発見されることもあります。

弁口狭窄のため心筋に負担がかかり心筋の酸素需要が大きくなっているので供給量とのバランスが悪くなり、狭心症類似の状態が起こると考えられています。外科的治療に入ります。

話は別ですが、大動脈弁狭窄症では弁口狭窄のための拍出量低下が脳血流低下に連なり失神を起こすこともあります。

解離性大動脈瘤の胸痛について

突発する激烈な胸背部痛です。何らの誘因となるものもなく起こることも多々あります。大動脈からの重要な分枝が影響を受けると、その分枝の関係する症状が次から次へと出ることになります。大動脈弁の逆流や心タンポナーデが起こったりもします。ショック状態に陥ります。

「胸部大動脈」の項の「解離性大動脈瘤」(p. 86)を参照してください。
緊急に専門医への紹介が必要です。

不整脈による胸痛について

不整脈も胸痛の原因として挙げられます。

動悸と言わずに、痛みという人が割合に多いようです。瞬間的な痛みということもあります。

単発の不整脈は瞬間の痛みとして、心房細動発作などは持続的な痛みとして訴えることがあります。

心電図、負荷心電図、ホルター心電図などによる確認が必要です。

心外膜炎、心筋炎による胸痛について

前胸部痛で、炎症した臓側と壁側の心外膜同士がこすれあって生じる疼痛です。呼吸時相で変動する痛みとなります。吸気で増強します。

胸膜炎と同様、発症初期の症状でもあります。心嚢液が貯留してくると、疾患は続いていますが、貯留液のため摩擦がなくなり心膜摩擦音や疼痛は消失していきます。

肺塞栓症による胸痛について

術後の臥床や長時間の椅子での座位にあったとき動き出したとたんに胸痛が出現します。胸痛とともに呼吸困難も訴え、血圧低下があり不安感、冷汗、失神も認めたりします。

発作前の普段の生活状態での長時間の同じ体位の持続の有無などの問診をします。

以前からの深部静脈血栓症などの静脈血栓症があったりしますので、**下肢静脈の観察**が重要です。

胸部レントゲンでは拘束部位での肺野が明るい状態があったりします。

血液ではガス分析で**$PaCO_2$の低下を伴ったPaO_2低下**がみられます。

心電図では特徴的所見としてMcGinn-White patternがあります。SIQIIITIII型ともいわれます。

そのほか**右室負荷所見、$V_{1\sim3}$のT逆転**などがあります。

- SIQIIITIIIについて：肢誘導IでSがみられること。ⅢでQがみられ、Tの逆転がみられること。

結局はCTや肺血管造影によっての診断ということになります。

自然気胸について

突然の胸痛です。気胸が起こった側の前胸部、肩、背中などに痛みが発生します。**同時に息苦しさ**を覚えます。

症状はブラの破裂によって起こる気胸の程度（肺が縮んだ程度）によります。

緊張性気胸は緊急を要する状態です。脱気を緊急に行う必要があります。

この場合は緊急ですから、50 cc注射器に18Gの注射針をつけて、胸部レントゲンで得た情報によって部位を選んで穿刺し、脱気します。

病院に転送する必要があります。

身長の伸びる中学から高校の男子に多いように思われます。基礎疾患として肺気腫、慢性閉塞性肺疾患、気管支喘息、ブラ性肺気腫、肺線維症、肺結核症など肺に慢性疾患を持っている患者はもちろんです。

胸膜炎について

胸膜炎の発症初期の症状として胸痛があります。

炎症のある側で、呼吸によって変化します。一般には吸気で増強する痛みです。

胸水が貯留し始めると疾患は続いていますが、胸痛は消失していくことになります。

胸膜摩擦音が聴取される時期と胸痛の時期がほぼ一致します。

胸水を採取したりして結核性、細菌性、がん性などの原因疾患の検査を行います。

肺気腫、慢性閉塞性肺疾患、気管支喘息の胸痛について

疾患の病態として、吸気量に対して呼気の量が少ないため胸腔内圧が上がることになり、胸壁を内側から圧迫、緊張させることになります。このことが胸痛の原因になります。

圧迫されるとか、締め付けられるなどと表現されることが多いようです。

詳しく聞かないと、患者は単に「胸が痛い」と訴えるため、また成書にはこの胸痛についてはあまり記述がないため心臓その他に思い違いしかねませんので要注意です。

呼吸音の注意深い聴取、フローボリュームカーブ等の検査で確認します。

肺癌の胸痛について

肺癌が胸膜に影響したりすると疼痛が発生します。

肋骨への転移や胸椎への転移においても同様に胸痛として訴えられることになります。

胸部レントゲンに始まって CT 検査、気管支鏡検査に進みます。

なるべく症状の発現する以前に発見してあげたいものです。

通常通院中の高血圧、心疾患、肺疾患等の場合には年 1 回は胸部レントゲン撮影を行って、この際にはなるべく丁寧にチェックするようにしてあげることです。小細胞癌の場合には進行が速く年 1 回では問題がありますが仕方有りません。

逆流性食道炎の胸痛について

通常、胸骨下端の辺りに焼けるような痛みを覚え、重症では、より上の方に痛みが達します。喉の辺りまで上がることもあり、咽頭痛や咳を伴うことがあ

ります。

狭心症の痛みと似ていたりするので要注意です。両者の合併も考えに入れることも必要です。

一時的には水分などで胃液を薄めることで症状は軽減します。

内視鏡検査が必要です。

腹部臓器による胸痛について

逆流性食道炎、肝膿瘍、そのほかの肝臓、膵臓などの疾患で胸背部に痛みを訴えたりします。特に胆石症などは狭心症様の症状を呈したり、狭心症を誘発したりします。逆に狭心症や心筋梗塞が上腹部の症状となることもあります。

腹痛についての診断手順

腹壁由来の腹痛について

腹筋の痛みについて

激しい咳や運動などで腹直筋、斜腹筋などが筋肉痛をきたしたりします。

仰臥位で頭を挙げさせれば腹直筋が緊張するので腹直筋の筋肉痛を誘発できます。

ほかの筋肉もその筋を緊張させる手法で痛みを誘発することが出来ます。

帯状疱疹の痛みについて

胸痛の「帯状疱疹の痛みについて」の項で既に記述したことと同じです。

胸痛の肋間神経痛と同じ考え方を腹部に適応してください。

胸髄ないし腰髄からの皮神経由来の腹壁の痛みについて（肋間神経痛）

皮神経の痛みか、それとも内臓の痛みか？　双方を頭の中に入れて診察し始めることが重要です。

表皮の痛みの診断法は次の「表皮に痛みがある場合の診察」を参照してください。

胸部の肋間神経痛と同様に、疼痛のある部位を皮節に沿って圧迫ないしはつまんだりして刺激します。そうした場合、もしその疼痛が皮節に一致した帯状の分布であれば腰髄からの皮神経由来の疼痛と考えられます。

下部胸椎から腰椎の棘突起を上の方から順次触診していくと棘突起が凹んでいたり、または突出していたりすれば、その椎体が原因椎体である可能性があります。

叩打痛があれば、なお一層可能性大です。

肋間神経痛同様割合多いもので、消化器科で内視鏡までやって異常を認めないために胃腸薬の投薬とか再検査とかがなされたりしています。

内臓関連痛について

例えば胆嚢の疾患の場合、胆嚢と同レベルの神経節に関連痛が出現することがあります。

狭心症、心筋梗塞、肺の下部の疾患なども気にして診察するようにします。

表皮に痛みがある場合の診察

痛みのある部位の皮膚をつまんだ痛みとほかの部位の皮膚をつまんだ痛みの違いを比べてみます。同じ皮節の左右差や、高さの違った部位との比較をします。

痛みのある部位の方がつまんだ皮膚の知覚過敏あるいは痛みが強ければ、それは表皮の痛みです。

その神経節と同じ高さにある内臓の疾患も念頭に置く必要があります。

内臓由来の腹痛について

腹痛の原因別種類分け

腹痛の原因別種類分けとして次のようなものがあります。

A. 腹部臓器からの疼痛

1. 壁側腹膜の炎症
   細菌による汚染　(穿孔性虫垂炎、骨盤内炎症性疾患など)
   化学的刺激　(穿孔性潰瘍、膵炎、排卵中間痛など)
2. 腹部管腔臓器の機械的閉塞
   小腸及び大腸の閉塞　(大腸癌、腸捻転による腸閉塞症など)
   肝疾患　(うっ血肝、急性肝炎、肝膿瘍など)
   膵疾患　(急性膵炎、膵臓癌など)
   胆管系の閉塞、炎症　(胆嚢や胆管の結石症、胆嚢炎、胆管炎など)
   尿路系の閉塞、炎症　(尿管結石症、腎盂腎炎など)
3. 血管の障害
   塞栓または血栓症　(腸間膜動脈、腹部狭心症、腎動脈など)
   血管破裂　(腹部大動脈瘤など)
   圧迫または捻転による閉塞　(腸捻転が関係した血流障害など)
   鎌状赤血球貧血
4. 臓側面の膨張　(肝嚢胞もしくは腎嚢胞など)

B. 腹部以外の臓器からの痛み

1. 胸部　(肺炎や冠動脈閉塞からの関連痛など)
2. 性器　(卵巣捻転、子宮内膜症など)

C. 代謝性の原因

1. 外因性　(鉛中毒など)
2. 内因性　(尿毒症、糖尿病性ケトアシドーシス、ポ

ルフィリン症、アレルギー因子など）

ハリソン内科学には腹痛を上のように記述しています。診断の参考にしてください。

ここで、いくつかの疾患を見てみたいと思います。

悪寒戦慄を伴う発熱と腹痛について

急激に高熱が発生するときには悪寒戦慄を伴いますが、**通常は肺炎、腎盂腎炎や、胆嚢炎、胆管炎、肝膿瘍などを真っ先に考え**て診察を行います。

▫ 腹部では、**右季肋部の筋性防御の有無**

左と右の手指（第２～４指）を患者の右と左の季肋部を右左右左と軽く瞬間的に圧迫し、比較することで**割合軽度の筋性防御も見つけることができます**。右季肋部に筋性防御があれば**胆嚢炎**、**胆管炎**を疑います。

血液生化学検査や超音波検査で裏付けします。

▫ 背部では、**背部の殴打痛の有無**

左と右の腎臓の位置に左右の手を握りこぶしにして軽くトントンと叩いてやることです。**叩打痛**があれば、そちら側の腎臓に**腎盂腎炎**があることを疑います。検尿によってほぼ裏付けされます。

穿孔性胃、十二指腸潰瘍について

穿孔では時にショックを起こすことさえあります。

NSAIDsをいろいろな疾患に使用します。血栓予防にも用いています。NSAIDsでの胃潰瘍で穿孔に至ることがあります。

穿孔していても症状が軽いことがあり、びっくりします。以前定期の胸部レントゲン撮影で（本人は全く無症状で定期の外来に来て）横隔膜下に空気が貯留していて穿孔が判明することがありました。

胆石症

結石が嵌頓したり、炎症を伴ったりして症状が出ます。

嵌頓の場合は疝痛です。最近は胆石を保有していることを本人が既に知っていることが多いようです。

自律神経が相互に関係があるのか胆石症が攣縮性狭心症を誘発することも言われています。

尿管結石症について

尿管が結石によってせき止められるため、行き所のない尿が尿管や腎盂を拡張させるために起こる痛みで、**激痛（疝痛）です。痛みは腰の上の部位からやがて石が下がるのに応じて横腹から腹部前面に回って下がってきます。**

検尿で**血尿（泌尿器科的血尿）**であれば、ほぼ確定です。

出てくれば石の成分を調べます。

尿酸やシュウ酸などの食事の指導なども必要です。

尿閉

尿道の疾患特に前立腺肥大症などで尿閉を起こすことがあります。恥骨上部の膨隆した状態があります。兎に角その時は排尿してあげることが第一ですので導尿かできなければ正中での膀胱穿刺です。原因疾患検査は泌尿器科に依頼してください。

婦人科的疾患

卵巣嚢腫、卵巣捻転、卵管炎、卵管妊娠その他の婦人科的疾患を考慮しなければならないことがあります。

超音波検査を行います。

疑いがあれば婦人科に紹介です。

虫垂炎

この腹痛に関しては経過的に心窩部から始まって右下腹部に痛みが収束していく過程がありますが、はっきりしないことも多いようです。一応問診して、触診をしますが、腹部が柔らかければ子供の小指状の炎症を起こした虫垂が触知されることがあります。私は外科にいたとき虫垂炎の手術を５例経験しましたが麻酔後に触診すると体格によりますが、はっきりと触知されます。

▫ 急性及び慢性虫垂炎については特有の腹部所見

McBurney's point

Lanz

Psoas sign

▫ 腹膜刺激徴候

Blumberg's sign

Rovsing's sign

で所見を得ることと、血液検査（白血球数、CRP）での炎症反応の確認。

また、超音波検査を併用して疑い、ないし確診で外科に診療の依頼をします。

穿孔する場合もありますので手遅れにならないよう手配してください。

結腸炎

感染性胃腸炎などでＳ字状結腸に炎症が及ぶとＳ字状結腸が索状に触知されることがあります。ここには圧痛を伴います。

結腸憩室炎について

腹痛を訴えますが発熱は軽度のことがあります。以前から憩室を持っていることが分かっていればよいのですが、そうでないと診断は困難です。

消化器科に内視鏡をお願いして初めて診断がつく次第です。

虫垂炎と同じようなものですが、場所が不定ですから問題です。

憩室の**出血**、**穿孔**なども合併します。

虚血性大腸炎について

高齢の人が**便秘続き**になると発症するようで、**大量に下血**するのがなんとも恐ろしい感じですが、絶食安静で治まるようでちょっと安心できます。

抗凝結療法を行うことが多い循環器科としては問題です。

患者に常に便秘しないようにする指導が必要です。

腸閉塞について

症状としては腹痛、腹部膨満感、吐き気、嘔吐、排ガスや排便の停止があります。また、摂食できないことや嘔吐することで脱水、電解質異常が招来されます。

機械的イレウス（**単純イレウス**＝異物、悪性腫瘍、癒着など）
（**複雑イレウス**＝血流障害を伴うイレウス＝腸捻転、ヘルニア嵌頓など）

機能的イレウス（**麻痺性イレウス**＝薬剤、消耗性疾患などによる）
（**痙攣性イレウス**〈腸管の痙攣によるイレウス〉）

などに、原因や状態によって分類される。

腹部聴診でグル音の低下ないし消失。ないし高調の共鳴する音。

KUB（立位、もし立位困難の場合は左側臥位）で**小腸内ガス貯留**、**小腸ケルクリング**、**ニボー形成**を認める。

高齢の患者では結腸癌をまず疑っておく必要があります。

平生から体重の変化や血液ヘモグロビンの動き、そして排便の状態を把握しておくことが大切です。

急性膵炎

大量の飲酒や膵石などを原因、契機として大抵が上腹部の激しい痛み、悪心嘔吐と、急性腹症の形で発症します。生死にかかわることも多い疾患ですから、疑ったら緊急に病院へ紹介です。

緊急検査としてはアミラーゼ、リパーゼ、白血球数、CRP、Caなどで、腹部単純レントゲンでcolon cut off sign, sentinel loop sign（麻痺性イレウス像）をみます。

その他超音波検査で膵臓の腫大、腹水などを認めます。

膵臓癌などについて

症状のない状態です。病気が進行して発見された時には末期であったということのないようにしたいものです。

膵臓、肝臓（ウイルス性肝炎がない場合など）、胆嚢、胃、大腸などのがんを患者が症状を自覚する前に発見するには、やはり**体重測定、血液ヘモグロビン濃度**を観察します。体重減少のことを聞くと、患者は何かと別の理由を述べるかもしれませんが、それを半分は信用せずに**状況を見て血液や検便、超音波検査、内視鏡検査などの検査に及ぶことが必要**です。

糖尿病で通院中のところ、血糖のコントロールがしにくくなった場合には膵臓癌を一応疑ってかかるべきです。

胆石症や胆のう腺筋症の経過を見る場合、胆のう癌が隠れていることがあるので更なるMRなどの検査も考慮の必要が出てきます。

腎臓癌も血尿のないときは発見が遅れます。血尿があればここまで追求するべきです。私は抗凝血薬療法開始後に出現した血尿を機に腎臓癌を発見した経験があります。

膀胱癌はほとんど血尿で分かります。**高齢での新たな血尿は尿路系の悪性腫瘍を疑って検査**するべきです。

検便に関しては、**胃**は潜血反応、**大腸**は便中ヘモグロビンで検査する必要があります。

腹部大動脈瘤

p. 88を参照してください。

痛みが出てきた段階では多分即手術の状態でしょう。症状の出る前に発見するべきです。

触診では拍動性の縦長ないしは蛇行した腫瘤として触知されます。

腹部狭心症について

腸間膜動脈に狭窄が起こった場合に出る症状です。

冠状動脈では狭心症、下肢動脈では間欠性跛行症と同じようなものです。

腸管の壊死を伴うことになりますので緊急を要します。

一時的な腹痛が繰り返します。

私がインターンの時にある患者でこの病気を疑って外科の先生に頼んで手術をしてもらったことがありました。そのころはCTとか血管造影とかの進歩した検査がなかったものですから、開腹で確かめたというわけです。虚血部の腸管の切除で治まりました。

肝臓の腫大について

肝臓はいろいろな肝臓の疾患（肝炎、肝内腫瘍など）で大きくなります。

しかしながら、肝臓以外の疾患でも腫大することがあります。腫大すると圧痛があります。急な腫大では自発痛になります。

肝臓の触診（打診でもよい。ちょっと強めに打診して）で肝臓が大きい時には循環器の場合、**心不全**による**うっ血肝**を頭に置きます。また**肝臓が下垂している場合も肝臓が触れる**のですが、この場合は**閉塞性の肺疾患**に関する疾患群を念頭に置きます。

この時**下縁の触診とともに上縁を打診で診ておく**ことにより下垂か腫大かの判別がつきます。

この理由で診察では毎回、肝臓の触診を欠かしません。

肛門周囲の疾患について

肛門からの出血や肛門または肛門周囲の疼痛に関しては必ず視診と直腸指診を行うべきです。

省略して疾患を見逃してはならないと考えています。その上で問題があれば専門医への紹介を考えます。

胸部内臓由来の腹痛

例えば心不全でうっ血肝を伴ったりしますと、このうっ血肝の肝腫大で肝の被膜が緊張して腹痛が出現しますし腹部膨満感が認められます。肺炎でも下肺野の病変では腹部、肺腹部に影響します。狭心症、心筋梗塞も上腹部に症状をきたすことがあります。

循環器疾患

循環器疾患の中心となるのは、どうしても心臓ということになります。

心臓病の診断は疾患名が分かっただけでは不十分であります。どういう原因が基になっていて、心臓のどの部屋がどういうふうに侵されているのかが調べられるべきです。またそれで電気生理的に、あるいは心筋の収縮状態がどうなっているのかに言及されるべきです。

心臓にとって最も大切なことは心臓のポンプ機能であるので機能的にはどの程度落ち込んでいるのかを判定する必要があります。

それらの考えをもとにNYHAが示したのが以下の診断分類です。

NYHAによる心臓病の診断

心臓病の完全な診断のためにはNYHAが示した以下の要素の検討が必要です。

1）**原因**となる病気はなにか？
先天性か、感染によるものか、高血圧あるいは虚血が原因であるのか？

2）**解剖学的異常**はどのようなものか？
どの心腔が異常か？
肥大しているか、拡張しているか、あるいは両者の共存か？
どの弁膜が障害されているのか？
それは逆流性か、狭窄か、あるいは両方か？
心膜は関与しないか？
心筋梗塞があったかどうか？

3）**生理学的障害**
不整脈はあるか？

うっ血性心不全あるいは心筋梗塞の証拠があるか？

4）機能的障害

NYHA心臓機能分類

NYHA分類では、身体所見に基づいて慢性心不全をⅠ度～Ⅳ度に分けます。

Ⅰ度　心疾患はあるが、身体活動に制限はない。
日常的な身体活動では、著しい疲労、動悸、呼吸困難或いは狭心痛を感じない。

Ⅱ度　軽度ないし中程度の身体活動の制限があるが、安静時に症状は出ない。
日常的な身体活動で披露、動悸、呼吸困難或いは狭心痛を生じる。

Ⅲ度　高度な身体活動の制限があるが、安静時には症状は出ない。
通常以下の身体活動で疲労、動悸、呼吸困難或いは狭心痛を生じる。

Ⅳ度　心疾患のためいかなる身体活動も制限される。
安静時にも心不全症状や狭心痛があり、わずかな労作でこれらの症状が増悪する。

心臓病の診断にあたって、私が大学を卒業した頃は診断手段が限られていて三種の神器と言われていた心音聴診、胸部レントゲン、心電図のみでした。

その後間もなく心臓カテーテル検査がアメリカから入ってきましたが、レントゲンはテレビではなく暗室の中での蛍光版での観察であったために手元に明かりがつけられず難儀をしたものです。その後脈波を記録する機器、心拍出量を測定する機器が出たりしているうちに心臓超音波検査が出てきました。それぞれが最初は幼稚なものでありましたが次第に機器が進歩発展して、それにCTやMRが加わってきたというわけです。

循環器の学問の進歩はまさに機器が先行し機器が牽引して進んできたといえ

ます。最近においては生化学検査や遺伝子検査にまで及んできている状態です。

循環器疾患の診断に関しては患者の症状を基にして入っていく方法、理学的検査や機器による検査を基にして入っていく方法などがありますが、問診によるのが最初かと思われますので、この辺から始めます。

同じような症状を訴える疾患が循環器疾患以外にもありますのでそれらとの鑑別を要しますし、循環器疾患の中でも鑑別を要します。要は、患者を診察するたびごとに同様の症状を呈する疾患を頭の中に集めて中を点検しながら、その患者に当てはまる診断名を探す手法をとることになります。

そのためにはできるだけ多くの疾患を知っておく必要があります。先ずは教科書から、そして実地に経験を積んで、その上に文献を検索していろいろな知識を頭の中に集積していくわけです。その集積された知識を疾患の鑑別作業に使っていくことで効率の良いスピードのある確かな診断がなされることになります。

問診および視診についてはどのようなことを、どのように行っていくかということですが、

症状所見から疾患を診る

胸部不快感、胸痛

まず、急性冠疾患を、そして大動脈解離、肺梗塞、自然気胸ではないかの確認から入ります。

次いで狭心症、弁膜症、肺高血圧症ではないかの確認、その後肺炎、胸膜炎、心膜炎等々の検索に移ります。

1. 部位：場所を示してくれるように指示する（指で指すようには言わないことです。狭心症であれば手のひらやこぶしで示したりなでたりす

るでしょう)。

放散痛はありますか。胸部の何カ所かの痛みですか。

2. 特徴：絞扼感と圧迫感を伴った痛みですか。(どんな種類の痛みでも狭心症の可能性はある)

持続時間はどのくらいですか。(数分間、不安定化で10〜20分と長くなる)。

誘因と再現性の有無はどうですか。(労作性狭心症と冠攣縮性狭心症では異なった条件にはなるが)

前記の「胸痛についての診断手順」(pp. 39–50) の胸部痛の項も参照してください。

3. 狭心症でない場合：1本の指で部位を指す？　痛みは5秒も持続しないか、または30分を超えますか。

吸気、局部の圧迫、腕の動きや胸のひねりなどで増強しますか。

臥床で直ちに寛解しますか。

循環器疾患での胸痛は次のようなものが挙げられます。

- 虚血性心疾患（心筋梗塞、不安定狭心症、冠攣縮性狭心症、安定狭心症)
- 心臓弁膜症、心筋症
- 心筋炎、心外膜炎
- 不整脈
- 高血圧
- 解離性胸部大動脈瘤
- 肺梗塞

循環器以外で頭の中に置いておくべき胸痛の原因としては次のようなものがあります。

- 胸膜炎、気胸、肺梗塞、肺炎、肺気腫、慢性閉塞性肺疾患、気管支喘息、肺高血圧症、肺癌
- 食道の逆流、食道潰瘍、消化性潰瘍、胆嚢疾患

- 帯状疱疹、肋間神経痛、筋肉痛

胸痛に関しては、その中には**いずれも生命に関わりの出る緊急の疾患が含まれているので重症度の高いものから除外していく必要があります。**

胸背部痛の重症度

急性　致死的	慢性かつ重篤な基礎疾患	急性かつ非致死的	慢性かつ非致死的
急性心筋梗塞	安定狭心症	心筋炎	逆流性食道炎
不安定狭心症	大動脈狭窄	肺炎	食道痙攣
急性大動脈解離	大動脈弁閉鎖不全症	ヘルペス	消化性潰瘍
大動脈破裂	肺高血圧症		胆嚢炎、胆石症
肺血栓塞栓症			頸椎症
緊張性気胸			脊椎関節炎
食道破裂			心因性

胸痛については、それぞれの項を成書でも確認していただきたいと思います。

急性大動脈症候群

突然の引き裂かれるような激烈な移動性の胸背部痛と表現される疼痛です。「移動性の」とは解離の進んでいくに従っての疼痛の移動をいいます。**移動に従って大動脈から分枝する上肢や頭部へ行く動脈が狭窄したり閉塞したりしますし、大動脈弁を傷害して弁の逆流を生じさせたりすることなどが多彩な症状を生む**ことになります。

痛みばかりではないのです。

このようにして、多様な状態が一時に出現するため非常に分かりづらい症状になってくるのです。**複雑な症状の塊になるため診断も難解**になります。

身体所見	病態
胸痛、心筋梗塞	冠動脈解離、狭窄
急性心不全、拡張期心雑音	大動脈弁閉鎖不全症
血圧高値	大動脈解離に伴うカテコラミン上昇
ショック、脈圧低下	心タンポナーデ、破裂
嗄声、嚥下障害	大動脈拡張による圧迫
意識障害、失神	頸部分枝狭窄、虚血
上肢血圧差	腕頭動脈、鎖骨下動脈虚血
対麻痺	肋間動脈閉塞、狭窄による脊髄障害
腹痛、心窩部痛	腹部動脈分枝閉塞、狭窄
腰痛	瘤破裂、解離の進行
乏尿、急性腎不全	腎動脈閉塞、狭窄
下肢チアノーゼ、下肢痛	下肢動脈閉塞、狭窄

狭心症、心筋梗塞

このことに関しては「狭心症による胸痛について」、「心筋梗塞による胸痛について」の項にも記載してありますので話は二重になっていますが、戻って再見してください。

また、次の「急性冠症候群」の項より下に冠状動脈疾患のことが記されていますが、狭心症を形で分けた話であります。

冠状動脈疾患の話はもう一つ、どの枝のどの部分の狭窄で心筋の虚血が生じたらどのような障害や変化が起こるかということです。

先ずは心機能についてです。

心機能に関してはもちろん左心室が体循環の主たるものを担っていますから左心室を栄養している左冠状動脈の狭窄や閉塞は直接心拍出量に影響します。

左冠状動脈 #5（図１参照）と言えば左冠状動脈の入口部で、ここに病変が

あると前下行枝と回旋枝、即ち左冠状動脈全体の血行が影響される病変であるということになるのです。心臓の機能に置き換えて言うのであれば、左心室自由壁と心室中隔が影響を受けて、左心室が機能しなくなってしまう、つまり急激な左不全に陥ってしまう病変であるといえます。

言い直せば、全身の血液循環が不全状態になってしまうのです。脳の血流も低下してくることになり、脳の働きは一時的にでも低下して、ことによれば失神することにもなります。前下行枝から分枝する中隔枝の血流低下は心臓の刺激伝導系を侵して伝導ブロックを起こすことになります。全体生命に関わってくるのです。

#6は前下行枝の入り口になりますが（図1参照）、**ここの病変でさえも**狭窄が進行してくると大変です。#5や#6などに病変のある狭心症は、その発作時に血圧は低下してしまいます（より末梢の狭心症では発作時に血圧が上昇することもあるのですが）。心源生ショックです。

冠状動脈病変も末梢に行けばそれだけ心機能低下やそれに伴う身体的状態に対して影響が少なくなってきます。しかし狭心症は狭心症です。不整脈という別の顔も持っていますから危険は付きまといます。

これらのことから、狭心症を見た場合には、どの冠状動脈のどこにどれだけの狭窄があって、これはどのくらいの重さのどういった症状を呈してくるのかということを考えてほしいのです。脳血管の局所症状の推測と同じ考え方です。

二つ目は刺激伝導系ということです（p. 3、図1参照）。

例えば冠状動脈について刺激伝導系を中心に考えると次のようです。

洞結節の血流は右冠状動脈の#4から分枝する**洞結節枝**によって栄養されています。この枝に虚血が生じると洞房ブロックや洞停止などの状態をきたします。

房室結節に関してはこれも90％の人が右冠状動脈の**房室結節枝**によって栄養されています。残りの人は左冠状動脈の回旋枝から出る房室結節枝によります。この房室結節枝の虚血で房室伝導障害が起こります。

従って右冠状動脈の梗塞や虚血では洞性ないし房室結節性の徐脈性の不整脈が

出現することが考えられます。洞性の徐脈に対してはアトロピンやペースメーカーなどを使います。

脚枝の方はどうかといいますと、これは左冠状動脈前下行枝から複数分岐する**心室中隔枝**が栄養しています。この分枝の梗塞（＝左冠状動脈前下行枝ないしは心室中隔枝）や虚血の場合に左脚枝ブロック、両脚枝ブロックその間には心停止、心室調律などが生じることになるのです。**Adams-Stokes 症候群**を伴うこともあるでしょう。

もう一つは特に突然死と関連が深い心室性不整脈についてです。

正常の心室筋と虚血下心室筋（電気生理学的に異なる心筋細胞が）隣り合っている場合にはその間で電気的なギャップ（不均一性）が出来てきます。このことが期外収縮の発生につながります。リエントリー不整脈と考えられます。この事は肥大心、心筋症（心筋の肥大や繊維化）などでも同じことです。ここでは期外収縮が多発します。この期外収縮が心室興奮の受攻期に落ちると（R on T）心室細動になってしまいます。
突然死の原因です。

最後に狭心症の進行のことです。

冠動脈の狭窄度が徐々にしか進行しない場合もあれば、非常に速く進行する場合もあります。

粥状硬化症の成長の速さです。**コレステロール値とか中性脂肪値**とかが関連するかもしれませんが、別に原因があるように思えます。

冠状動脈の攣縮や炎症とかが動脈硬化の進展に関連するともいわれています。進行の速さには気を配っておく必要があります。

勿論**粥状硬化のプラークが柔らかい場合、破裂する**場合がありますからこの状態の観察は大切です。

心筋梗塞発症時に関しては冠動脈にできた血栓が経過によって成長していきますので、転医するときには事前にヘパリンの静注なども考えるべきです。心室性期外収縮の出現の仕方によってはキシロカインの持続点滴も必要かもしれません。

□ **急性冠症候群**

急性心筋梗塞、**切迫心筋梗塞**や**不安定狭心症**を起こす状態をいいますが、その病理的な状態はプラークの不安定さ、ないし破綻です。不安定プラークの特徴は**易破綻性プラーク**、**びらん性プラーク**、**亀裂の入ったプラーク**、**プラーク内出血**、**重篤な高度狭窄**です。これに炎症が関係するといわれています。スタチンが不安定化の防止に役立つといわれますが、予防的なことであって、この段階では問題にするには遅すぎるのです。狭窄に対するステント挿入などの処置か、閉塞ならステント留置術または冠動脈バイパス形成術などでの再灌流ということになります。

症状と心電図所見、生化学的所見からの診断で至急に専門病院への紹介、転送が必要です。

特に注意すべき、即刻対応すべき狭心症をまとめてみますと次のようなものです。

これらの状態にある狭心症は**不安定狭心症**と呼ばれます。**心筋梗塞に至らないように、先ずは専門病院への緊急の紹介です。とにかく心筋梗塞は防ぎたいのです。**

1）初めて狭心症発作を見た場合や労作時安定狭心症が安静時にも発作が出るようになった場合（新規発症型労作時および安静時狭心症）。

2）労作時狭心症が今までより軽い動作でも発作が出てくるようになった場合（増悪型狭心症）。

3）狭心症の頻度が急に増えてきた場合（増悪型狭心症）。

4）狭心症の持続時間がいつもより長くなった場合（増悪型狭心症）。

5）狭心症の症状が強くなったり、副症状として不整脈や冷汗、吐き気などを伴うようになった場合（増悪型狭心症）。

6）発作時血圧が下がったり、意識が遠のいたり、心電図で虚血部位が広汎であったりする場合（冠動脈主管部の狭窄を疑う場合）。

7）心電図でST上昇や危険な不整脈が認められる場合。

がそれらに相当します。

初回の狭心症で心筋梗塞になることもありますし、**心臓突然死**ということも起こりえます。**とにかく心筋梗塞を未然に防止することは生命とか、後の心機能のことを考えると必須のことですから適切な対応をよろしくお願いします。**
なるべくしかるべきいい機会を見て**冠動脈 CT 検査などで状態を診ておく**ことが得策です。

▫ **労作性狭心症**（p. 41〜45を参照してください）
▫ **安静時狭心症**（上に同じ）

▫ **慢性安定狭心症**
病歴より胸痛の項で記したような症状を有していること。そのことを心電図にて確かめたいのですが、胸痛の出現の仕方が不安定狭心症の部類に入っていないかを確かめる必要があります。**ここしばらくの間に発作回数が増えているとか、狭心症症状が強くなってきているとかということがあれば不安定狭心症に移行したということで問題**です。即ち狭心症が不安定化してきているということです。不安定狭心症とは近々心筋梗塞に移行する可能性の高い狭心症ということです。
このようであれば前記の如くの急性冠症候群の取り扱いになります。
それ以外であれば少し検査をしてということで、Holter 心電図とか負荷心電図とかを調べて、また心機能も観察してどう対処しようかということになるのです。状況で、単に内服で経過を見ることとするか、**冠動脈 CT 検査**、**心筋シンチグラフィー**、**冠動脈造影検査**などの検査予定を組むことになります。

▫ **冠攣縮性狭心症（異形狭心症）**
一般には安静時に発生する狭心症発作で、**冠状動脈の攣縮**によるものです。
単に攣縮が単独で起こることより狭窄が多少なり合併していることが多く、いずれにしても冠攣縮が主となって狭心症の発作が出現します。確認するには冠動脈造影時にアセチルコリンで誘発するテストがあります。

飲酒、喫煙、過呼吸、過労状態などが引き金になります。
血管平滑筋の収縮力は通常は細胞内の Ca^{2+} 濃度に依存していますが、冠状動脈の攣縮などでは別の状態が考えられています。
攣縮の機序については血管内皮から放出される血管拡張機能を有す NO の放出が低下してしまうことや Rho キナーゼの活性化が関係するといわれます。Rho キナーゼと NO との関連も研究されています。
またこの Rho キナーゼは高血圧の原因としても推測されています。
飲酒の場合にはアルコール摂取によりそれが肝臓で分解されてアセトアルデヒドとなり、またそれを分解するアセトアルデヒドデハイドロゲナーゼが Rho キナーゼを介して Ca^{2+} の感受性を高めて平滑筋の攣縮をきたすといわれます。そのことから攣縮性の狭心症発作は、飲酒直後ではなく飲酒後時間がたっての出来事となります。
喫煙の場合は、白血球 Rho キナーゼが血管内皮に作用して血管内皮細胞の eNOS 産生低下により NO 放出低下が起こることで攣縮につながるといわれます（血管内皮機能）。
過呼吸の場合は、呼吸性アルカローシスのために Rho キナーゼ、Rho/ROCK を介する現象で血管の攣縮を惹起すると考えられています。
Rho キナーゼ阻害剤が出てきていますし、予防的にはこの NO 放出低下を改善する効果が**スタチン**にあるといわれています。**カルシウム拮抗薬**は攣縮を予防でき、また改善をします。β遮断剤は攣縮を誘発する可能性があり、使用しないのが無難です。
攣縮性狭心症ではステント挿入が必要の場合攣縮の増強などが問題になります。
勿論亜硝酸剤も効果があります。亜硝酸剤については狭心症一般に対して長期連用での慣れ（次第に効果が薄れる）の問題があります。
これも内皮細胞の NO 放出低下が関連しています。
内服で経過を見るかどうかは合併している冠動脈の動脈硬化の程度にもよりますが、対応は単純ではないため冠状動脈の造影の結果によっての判断になります。

▫ 切迫心筋梗塞、不安定狭心症、中間型狭心症、梗塞前狭心症

心筋梗塞に達する過程の一断面といえます。今まであった狭心症発作が、回数が増えてきたり、狭心症の程度が強くなってきたりした場合のことをいいます。そのままでは心筋梗塞に至ってしまう状態であって、緊急の処置が必要です。

「急性冠症候群」を参照してください。

▫ ST上昇型狭心症

狭心症発作の際の心電図においてSTの上昇を認める場合をいいます。

冠状動脈の狭窄によって起こった心筋の虚血が貫壁性であるということで、STの降下する狭心症よりも重症の狭心症であるということです。

▫ 無痛性虚血性心疾患

これは狭心症や心筋梗塞の際に痛みの症状を認めない狭心症や、心筋梗塞のことをいいます。

状態がおかしいので心電図を撮ったら狭心症の所見があったり、心筋梗塞の所見があったりしたということです。糖尿病そのほかで求心神経の麻痺があるためと考えられますが、このようなことがままあります。付記しておきます。

狭心症の時点で胸痛を感じないということは、警報機が故障しているみたいなもので非常に危険です。

虚血性心不全

虚血になった心筋は収縮力が低下します。体動その他で心負荷が増えると耐えられなくなり心不全状態に至ります。心不全の原因の多くの割合を占めます。左心カテーテル中にハンドグリップ負荷を行うと左室拡張終末気圧が簡単に上昇するのがみられ、**虚血範囲が大きいほど反応が顕著です**。

心室瘤

心筋梗塞などで心室の一部の収縮力が低下すると、正常の心臓部分が収縮したときに菲薄化した弱い部分は拡張してしまうという逆の動きをすることになります（paradoxical movement）。この部分が心室瘤です。心拍出量の低下につながり心不全の原因です。

心破裂

上記の心室瘤が器質化するまでに破裂してしまうことがあります。

これが心破裂です。破裂で血液が心膜腔内に出血して**心タンポナーデ**状態になります。私は1例その経験があります。

動悸

動悸とは心臓の鼓動を意識したときに感じられます。

「動悸がする」、「脈が飛ぶ」、「心臓がトクトクする」、「早鐘を打つようだ」、「強くどんどん打つ」、「走った後のような」、「胸騒ぎがするような」、「バタバタするようだ」、「時々どくっとくる」というような表現で患者は話します。

心臓のリズムの変化、心拍数の変化、心臓の収縮力の変化（例えば血圧の上昇、あるいは下降）のときに感じるようです。

あらゆる不整脈、あらゆる心臓の状態、あるいは呼吸器疾患、不安等の精神状態など心臓以外の病変や状態でも生じたりします。

動悸の19％が精神的疾患によるともいわれています。

しかしまずは、生命に関連する悪性の不整脈を除外することが大切ですので、鑑別の方法をルーチン化しておいてください。

不整脈

間欠的にも持続的にも起こり得る。突然に始まって突然止むこともあれば、いつ始まったのか分からないこともあります。

次のようなことを問診します。

発現時期の特徴はありますか。最短及び最長持続時間と発作間の期間はどうですか。

どんな不整脈ですか。

ａ．動悸は持続性または、ほんの一時的に強くなりますか。規則的あるいは不規則ですか。（患者に手でリズムを示してもらう）
動悸のある時に自分の脈をとったことがありますか。
心電図異常はありますか。

ｂ．異所性頻拍と洞性頻拍の対比：
頻拍は突然起こり突然止みますか。
発症は安静時か、それとも必ず労作時に起こりますか。
何らかの手技で止まりますか。（頸動脈マッサージなど）

何か原因しているものがありますか。

大量の紅茶、コーヒー、コーラ、アルコールを飲みますか。
ジギタリス、利尿剤、抗コリン作動薬、コカインなどの中毒はありますか。
甲状腺疾患または褐色細胞腫（紅潮、頭痛、発汗）がありますか。
徐脈 ── 頻脈を伴う洞不全症候群：失神状態、失神、徐脈がありますか。

不整脈を疑った時に考えることは、まず第一に**致死的な不整脈**の可能性はないかということに目を向けることです。

心電図検査、Holter 心電図を撮ったりするのですが、疾患の状態によっては時間的余裕がない場合もあります。致死的な不整脈である場合には時間との競争になります。

Holter心電図を付けてまた明日来てくださいでは済まない。そこそこの目安をすぐにでもつけるべきです。

器質的心疾患があれば最も起きやすいので、そういう疾患（冠動脈疾患、心不全、構造上の異常を持った器質的心疾患など）はないか調べます。

失神、ふらつき、めまい、息切れなどを伴っていないかどうか、あれば問題です。

もし内服中であれば、不整脈を誘発する薬剤等は中止しておくことです。

できればその場で30分なりモニターするとか、歩行や、状況が許せば運動負荷で不整脈の種類や状態を確認する方がよいかと思います。

不明熱

不明熱の診断をする場合、一般的には次のような項目をチェックします。

1）**感染症**
　細菌性（結核菌、非結核性好酸菌を含む）ウィルス性、マイコプラスマ、クラミジア、リケッチア、真菌、寄生虫、スピロヘータ

2）**悪性腫瘍**
　悪性腫瘍一般
　悪性リンパ腫、白血病、婦人科や泌尿器科、整形外科領域の悪性腫瘍にも留意する

3）**膠原病**
　膠原病一般、リウマチ熱
　大動脈炎症候群、結節性多発動脈炎、ANCA関連血管炎に留意する

4）**その他**
　薬剤、脱水、サルコイドーシス、亜急性甲状腺炎、自己炎症症候群など

循環器系では細菌性心内膜炎、上記の血管炎、ウィルス性心筋炎などが挙げ

られる。

▫ **細菌性心内膜炎**、菌血症、敗血症

新しい心雑音は出ていないか。今までの心雑音とは変化して、違った雑音になっているということはないか。

Osler 結節、Janeway lesion、splinter hemorrage（爪下の線上出血）、conjunctival petechiae（球結膜の点状出血）、眼底の Roth 斑などはないかを観察します。

また、太鼓ばち指はないかを観察します。血液培養を薬剤使用前に念入りに行います。

失神、失神前状態、めまいについて

発現時期、持続時間と頻度、患者の言うめまい感の詳細についてを問診します。

原因疾患としては次のようなものがあります。

A不整脈

徐脈や頻脈による動悸の既往はないか確かめます。

a）徐脈性不整脈

洞不全症候群、房室ブロック

（極端な徐脈による心駆出量の低下からくる脳循環の低下）

b）頻脈性不整脈

上室性頻脈（発作性上室性頻拍、心房粗動、心房細動）

心室性頻拍（単形性心室頻拍、多形性心室頻拍、心室細動）

（いずれも極端な頻拍による心臓内への還流量の低下と、それに伴う駆出量の低下がある）

B器質的心疾患、心肺疾患

a）狭窄性弁膜症

大動脈弁狭窄症、僧帽弁狭窄症

（大動脈弁弁口の狭窄による心駆出量の減少が関わる）

b）急性心筋虚血、梗塞

急性冠症候群（の約５％）、攣縮性狭心症（の４～33％）

（心筋の収縮力低下による脳血流低下と不整脈などが関係）

c）心筋症

肥大性閉塞性心筋症（HOCM）、そのほか肥大型心筋症、拡張型心筋症

（HOCMでは運動や薬物などで心収縮が強度になると流出部が狭窄状態になり駆出量が極端に減る）

d）心房粘液腫

左房粘液腫（心臓粘液腫の75％）、右房粘液腫（18％）

（粘液腫が流出路に嵌頓して血流が止まったりする）

e）大動脈疾患：解離性、大動脈炎症候群

大動脈解離、大動脈炎症候群

（解離や炎症のために頸動脈、椎骨動脈に狭窄が起こって脳血流が低下する）

f）心タンポナーデ

（心臓が拡張できないため心臓内への血液還流が減少して駆出量が低下する）

g）肺梗塞、肺高血圧症

肺塞栓症、肺高血圧症

C起立性低血圧

（起立による血圧低下が原因する一時的脳血流低下による）

a）自律神経障害

特発性（純粋自律神経失調症、多系統萎縮症自律神経障害を伴うパーキンソン症候群）

二次性（糖尿病、アミロイドーシス）

b）薬剤性（前立腺肥大、高血圧症等の内服中）、アルコール性

c）循環血液量低下（出血、下痢、アジソン病）

D神経調節性失神症候群

（vasovagal reflex による血管拡張での血圧低下が関連する）

a）神経調節性失神

b）迷走神経反射

c）頸動脈洞過敏症候群

d）状況失神（排尿後失神など、咳嗽、嚥下、排便、排尿、食後）

e）舌咽神経痛、三叉神経痛

E脳血管性

（脳への血流が狭窄あるいは steal によって低下するため）

a）頸動脈不全症、椎骨動脈不全症

b）盗血症候群

c）過呼吸

F意識消失、低下を起こす病態

a）代謝性疾患（低血糖、低酸素血症）

b）てんかん、ヒステリー

c）中毒

G意識消失を伴わない、失神によく似た病態

a）転倒

b）脱力発作症候群（cataplexy syndrome）

c）転倒発作（drop attack）

d）心因反応

内耳性のめまいでも失神様に感じることがありますが、これに関しては「めまい、ふらつきについて」の章に別記してあるので参考にしてください。

発作性夜間呼吸困難、心臓喘息、肺水腫

これは急性左心不全の症状です。

運動時息切れ、安静時息切れ、発作性夜間呼吸困難、起座呼吸、心臓喘息が次のような形で現れます。

▫ **労作時呼吸困難**のある場合

患者は普通の活動をいつ頃まで快適にこなしていましたか。平地や階段をどのくらい歩いたら呼吸困難が現れますか。歩く速度が遅くなりましたか。歩きながら話せますか。過去数カ月間で最も激しい活動はどんなものですか。などを問診して、

1．心不全
2．狭心症相当
3．不整脈
4．精神不安
5．肺機能障害
6．高度な貧血
7．肺動脈あるいは気管支の圧迫症状

などを鑑別します。

▫ **発作性夜間呼吸困難**（PND）のある場合

PND の発現時期や、どのくらいの頻度で繰り返されるのかを問診します。

▪ 左心不全によるものでは次のような特徴があります。

a．就寝後の呼吸困難出現時間はどうか。（左房圧が亢進するに足るだけの体液の再分布に２～４時間かかるので、その時間帯に症状が出現する）

b．寛解を得るためにベッドから足をぶら下げたり、起座位になったりするか。

c．持続時間はどうか。（体液が組織に再分布するのに10～30分を要する）

d．咳や喘鳴、泡沫状でピンクの痰などを伴うかどうか。

左心不全による発作性夜間呼吸困難は、心機能がある程度低下している状態でちょっと無理をした日などに**夜間就眠してから２時間余りたった時間帯に急に呼吸困難**を覚えて覚醒するものです。その時は30分くらい起座位（**起座呼吸**）でいると軽快してしまい、**そしてあくる日はまた普通に仕事ができてしまう**ので病院に行かなかったりしてしまうことが多いのです。これは**発作性夜間呼吸困難の繰り返し**です。

少なくともこの状態まででで止まるようにすべきです。

この時点で症状の原因が急性左心不全であることに気が付いて治療を開始すべきです。

▫ **心臓喘息**

しかし、この夜間の呼吸困難の発作はまた繰り返すことになります。翌日であったり、または数日後であったりしますが繰り返すのです。そして何回か繰り返しているうちに、とんでもない死に至ってしまうことが多い**心臓喘息の発作**になってしまうのです。**泡沫状のピンク色の痰が肺や気管にいっぱいになってしまい、肺に空気が入らなくなってしまう致死的な発作**です。

その泡沫状の痰は本当に始末に負えない代物で、気道いっぱいになって換気を不可能にしてしまいます。私の経験例では、その表面張力を抑えるためにアルコールを吸入して消すことをしたものです。麻薬を使い一命をとりとめましたが、ちょっと苦い思い出です。

肺高血圧症

p. 102を参照してください。

低酸素症、チアノーゼ

血液酸化ヘモグロビン濃度が５g/dl 以下にまで減少するとチアノーゼが現

れます。酸素化されていないヘモグロビンが増えるということですので、**貧血がある場合にはチアノーゼは出現しにくい**ということにもなります。

末梢血流がうっ滞していて、うっ滞している領域にチアノーゼが出てくる状態を**末梢性チアノーゼ**といいます。肺から酸素を血液内に取り入れられない状態があったり、心臓内で静脈血が動脈血に混ざりこんだり、酸素と結合できないヘモグロビンを持っていたりする場合などを**中枢性チアノーゼ**といいます。

1．中枢性チアノーゼ

動脈血酸素飽和度の低下によります

高地等の大気圧の低下

肺機能の低下（急性または慢性の呼吸不全）

動静脈シャントなど（先天性心疾患、肺動静脈瘻など）

ヘモグロビンの異常

メトヘモグロビン血症

2．末梢性チアノーゼ

心拍出量低下（心不全など）

寒冷暴露

動脈または静脈の血管の閉塞

（呼吸器疾患「チアノーゼ」の項参照）

太鼓ばち指

思っているよりも**多くの疾患で太鼓ばち指が生じてきます**。次に列挙すると、

- チアノーゼを伴う先天性心疾患
- 感染性心内膜炎
- 肺疾患（原発性肺癌、転移性肺癌、気管支拡張症、肺膿瘍、嚢胞性肺線維症、胸膜中皮腫）
- 消化器疾患（炎症性腸疾患、肝硬変症）

- 甲状腺機能亢進症

などがあります。

肺癌、気管支拡張症、胸膜中皮腫、肝硬変症に合併する太鼓ばち指は肥厚性骨関節症を伴うことがあります。

(呼吸器疾患「太鼓ばち指」の項参照)

浮腫、体重増加

外来においては毎回**正確な体重計を用いて体重測定を行い記録**しておく必要があります。増加すれば心不全などが原因の浮腫や過食などが推測されますし、毎回徐々に減少していく状態はがんを疑うきっかけにもなります。

増加は以下のような体液貯留のことが分かることにつながります。

浮腫の原因となるのは主として血管内（静脈圧）外の静水圧と膠質浸透圧（血中アルブミン濃度）それにリンパ流です（Starling 力）。

これに腎血流量の減少からレニン–アンギオテンシン–アルドステロン系などが関連して Na や水分の貯留が起こり、浮腫が招来します。

1．心臓性

肺内血管圧、大循環の静脈圧上昇および心拍出量減少による腎循環の低下で生じるレニン–アンギオテンシン–アルドステロン系の活性化が浮腫の原因となります。

昼間は尿を生成する余裕がなく、夜間に尿を生成するようになり、夜間尿が多くなります。

2．肝性

肝硬変では肝静脈流出部の閉塞、低アルブミン血症ひいてはレニン–アンギオテンシン–アルドステロン系が関連する浮腫が起こります。

3．腎性

ネフローゼ症候群では低アルブミンが浮腫の最大の原因となりますが、腎血流量の減少によってレニン–アンギオテンシン–アルドステロン系が活性化されることが、ほかの腎疾患のNa貯留水分貯留の浮腫の原因となります。

4．うっ滞性または閉塞性浮腫

血栓性静脈炎、リンパ節郭清術後、慢性リンパ管炎、フィラリア症などの局所的静脈圧ないしリンパ管圧の上昇による浮腫。

5．栄養障害性

低たんぱく食が続くと低アルブミン血症（3.0 g/dl）となり浮腫を生じます。

その状態では急に食事を増やすとNaが一気に増えることになり一時的に浮腫が増強します。

6．内分泌性

7．女性の発作性間欠性の浮腫

8．薬剤誘発性

NSAIDsカルシウム拮抗薬などの血管拡張剤、偽アルドステロン症を惹起する甘草やグリチルリチンなど、ステロイド剤など。

9．心膜拘束

静脈還流が不十分となりうっ血が生じて浮腫が起こります。

10．気管支喘息、慢性閉塞性肺疾患、肺気腫

胸腔内圧の上昇のために静脈還流が妨げられて浮腫が起こります。

朝の時間帯に、主に顔や手が腫れぼったくなり、強度になると下肢など

にも及びます。

血管に関する疾患について

動脈、静脈、肺循環に関しての血管疾患には大まかに次のようなものが挙げられます。

動脈の疾患

先天性……大動脈縮窄症、ボタロー氏管開存、動静脈シャント

後天性……動脈硬化症（粥状硬化症、メンケベルグ型動脈硬化症、細動脈硬化症）、血栓栓塞症

炎症性……大動脈炎症候群（高安病）、バージャー病（TAO）、そのほかの膠原病による血管炎、ANCA 関連血管炎

その他……線維筋性異形成

静脈の疾患

深部静脈血栓症、表在静脈血栓症、静脈瘤、血栓性静脈炎

肺血管の疾患

肺動脈血栓栓塞症、特発性肺高血圧症

血管の触診、聴診

▫ 拍動、脈の性状

脈拍数、遅脈、速脈、軟脈、硬脈。

左右の同部位までの脈の伝わる速さの差（遅い方の動脈狭窄の存在）。

左と右の手指でそれぞれ患者の右と左の、例えば橈骨動脈の脈の到達する時間差を観察する。

▫ 血管壁の硬さ

動脈の上流側を中指で強く押さえて末梢側を示指で触診します。

□ Bruitを触知する

□ Bruitを聴診する

血管の狭窄がある場合その下流で、例えば大動脈弁狭窄症の雑音が頸動脈に伝播して bruit として聴診、また触診もされます。

甲状腺機能亢進症により速くなった甲状腺内の血流が表面で bruit として聴取されます。

□ 動脈の触診の方法

側頭動脈、総頸動脈、鎖骨下動脈、腋窩動脈、腕頭動脈、橈骨動脈、尺骨動脈、鼠径動脈、膝窩動脈、後脛骨動脈、足背動脈などの動脈は触知できるようにしておくことが大切です。触診の際の血管の圧迫は強すぎるとかえって触知できなくなったり、血管壁の性状をとらえにくくしたりします。

特に後脛骨動脈、足背動脈は時折確認が必要です。

下肢動脈に狭窄が認められる場合には脳血管や冠状動脈の動脈硬化病変を持っている可能性が高いといわれています。

血管系の超音波検査

1）動脈系について

a）**大動脈**について

胸部大動脈に関しては肺そのほかが邪魔していて観察しにくい。疑われたなら CT などで検査した方が確実だと思います。

分岐する**腕頭動脈、鎖骨下動脈、総頸動脈**の観察は超音波でも行えます。

特に高安病、動脈硬化疾患、解離性大動脈瘤のときにはその動脈の分枝の血流に影響を受けますので**分枝の血流速度も測定する**必要があります。

腹部大動脈は観察されやすいので動脈瘤についての検査がなされます。

動脈の走行状態、動脈の直径、動脈瘤の形状（紡錘形、嚢状)、動脈壁の解離の有無などを観察します。

分岐する**腎動脈**もできればその状態を観察します。

b）**頸動脈、椎骨動脈**

頸動脈、特に内頸動脈は椎骨動脈とともに脳の血流に直結しますので観察が重要です。

内膜（IMT）の肥厚

部分的肥厚かびまん性肥厚か

内膜厚の測定

プラーク

単発か連続しているか

性状は等エコーか低エコーか高エコーか

狭窄の程度はどうか

について観察します。

椎骨動脈もできれば状態の観察。

また両動脈の血流速度の測定をします。これはその先の動脈の狭窄の推定などで重要です。

c）**下肢動脈**

間欠性歩行などの症状があったり、血管の触診上の異常があったりする場合は超音波で下肢の動脈を観察します。

血管内腔の径、血流速度の測定です。

2）静脈系について

a）**下肢静脈**

深部静脈血栓症などが疑われれば下肢静脈の超音波検査を行います。

静脈に血液を溜めて行う方が観察しやすいので立位で行います。

胸部大動脈

解離性大動脈瘤、真性動脈瘤が問題になります。胸部レントゲン写真（正面像で縦隔拡張所見、double contour などがあります。側面ないし斜位像で動脈径が測定できるかもしれません）で分かることもありますがちょっと難しいです。大動脈の太さを側面や斜位で撮影したレントゲン写真を参考に計測する方法を試みてよいかと思います。超音波検査（大動脈弁逆流、直上の解離など）でも困難のことがほとんどです。

前兆としての症状がほとんどなく、「沈黙の疾患」ともいわれるくらいです。

大動脈の動脈硬化の程度も重度よりむしろ軽ないし中程度の頻度が多いようです。

組織学的には中膜の壊死とか線維の断裂などによるものです。

解離性の場合、症状が始まったら急速に進むためお手上げのことが多いのです。

そういうわけで、疑ったら CT 検査の依頼ということになります。

検査によって手術適応になったり経過観察になったりということです。

経過観察となれば厳密な（収縮期圧105～120 mmHg）血圧管理が必要です。

勿論、所見に気づかずに、全く不意に胸痛などの症状で始まった場合には救急車で病院に運ばれることになります。急性大動脈症候群といわれます。

急性大動脈症候群の症状

突然の引き裂かれるような激烈な移動性の胸背部痛。

多様な状態が一時に出現するため非常に分かりづらい症状になります。

侵された血管の分枝が複雑に関連するからです。急性大動脈症候群の症状については「症状所見から疾患を診る」→「胸部不快感、胸痛」→「急性大動脈症候群」(p. 64）を参照してください。

大動脈解離の分類

▫ 解離範囲による分類

Stanford分類

Stanford A型：上行大動脈に解離があるもの。
(下行大動脈に広がりのあるものも含む)

Stanford B型：下行大動脈にのみ解離があるもの。

ほかにもっと細分化してある**DeBarkey分類**がある。

大動脈瘤の分類

存在部位　：胸部、胸腹部、腹部

瘤の形　：嚢状、紡錘状

動脈壁の形態：真性、解離性、仮性

真性　：動脈壁が紡錘状に広がっている状態

解離性：動脈壁に潰瘍ができて中膜を越えたところで中膜と外膜の間を引き裂き、ここに血液が入り込んでいる状態

仮性　：潰瘍から中膜と外膜を貫通する孔ができて血管外に血液が流出したが周囲の組織で覆われて、とどまっている状態

腹部大動脈、腎動脈、腹腔動脈

高血圧症では腹部の動脈を聴診するようにしておく。特に**血圧が急に常態的な上昇をするようなことがあれば動脈硬化による腎動脈の狭窄も考えに入れておきます**。この場合はレニン活性が上昇します。

腎動脈狭窄は高齢者に見られる**動脈硬化症**（90%）のもの、比較的若年に見られる**線維筋性異形成**（10%）、そのほかは大動脈炎症候群、動脈瘤関連などです。

私は線維筋性異形成の腎動脈狭窄症を姉妹２例に診たことがあります。

また、腸間膜動脈の狭窄によっていわゆる**腹部狭心症**が起こります。腸管の

壊死などを起こしますので、早めの診断治療が重要です。私は卒後の研修病院でこの疾患を疑い外科に手術を依頼したことがあります。

腹部動脈は**腹部大動脈瘤**のこともあるので触診し、必要なら超音波で調べておくことです。

触診では拍動性の管状の腫瘤として触れます。

腹部大動脈は超音波で観察しやすい位置にありますので、この検査でほとんどの情報を得ることができます。超音波検査所見にて鑑別します。

紡錘状のものは正常径の1.5倍になった時点で動脈瘤の診断がつきます。

胸部で4.5cm、腹部で３cmあれば動脈瘤です。

次に動脈瘤の直径の計測を行います。紡錘状のもので直径40mmを超えるものなら一旦外科に紹介する必要があります。それ以下であれば血圧を厳重に（SBP110mmHg程度）コントロールしながら動脈瘤の経過を超音波で追跡することになります。

嚢状動脈瘤や**解離性大動脈瘤**の場合は危険性が高いため大きさに関係なく紹介する必要があります。

腹部大動脈瘤の破裂の危険性を示すと、以下のようです。

すでに腹痛のある状態は緊急の状態です。救急車で搬送です。

腹部大動脈の破裂率

腹部大動脈径（cm）	破裂率（%/年）
4.0以下	0
4～5	0.5～5
5～6	3～15
6～7	10～20
7～	20～40
8以上	30～50

下肢動脈

▫ 閉塞性動脈硬化症（ASO）、閉塞性血栓血管炎（TAO）

足背動脈、後脛骨動脈の触知をして、もし異常があれば遡っての上流の動脈を調べることです。

検査は超音波で検査します。

下肢動脈狭窄による症状としては腰部疾患に原因しない**間欠跛行**（歩行によってふくらはぎや大腿、臀部の疼痛が出るために歩行中に休息が必要になる）、足趾、足底のしびれ、冷感、疼痛などです。症状は運動によって増強します。整形外科的疾患（坐骨神経痛など）との鑑別が必要です。進行すると足趾など末梢の壊死や潰瘍が出現することになります。

下肢動脈の狭窄を起こす疾患には、動脈硬化による**閉塞性動脈硬化症（ASO）**とBuerger病の**閉塞性血栓血管炎（TAO）**があります。それぞれ、下肢動脈狭窄の90%、15%を占めます。

ASOを有している患者はほとんどが冠状動脈ないしは脳血管に狭窄があるといわれます。この点においても足背動脈や後脛骨動脈の触診は大切な意味を持っています。

特に脂質異常症、糖尿病においてはなおのことです。

また別に、TAOがありますが、**喫煙と関連深いこの疾患**は50歳以前で発症してきます。

TAOには末梢型があることも念頭に置いておかないと失敗します。足背動脈が正常に触知されても、その先に病変が認められたりする可能性があるということです。私もこれで1回失敗しています。足背動脈が触知されても足趾、足底に症状があるときには特に注意です。

TAOは膠原病と合併することがあります。周囲を見渡しながら診ていく必要があります。

▫ メンケベルグ型動脈硬化症（中膜石灰化硬化症）

加齢に伴う中膜変性が巣状の石灰化と共に生じ、さらに動脈壁の骨形成を伴うこともあります。内腔の狭窄は生じません。従って血流障害は起きないということです。X線検査で石灰化した動脈が認められます。

▫ 種々の部位の**動静脈シャント**
聴診している途中に偶然シャントの音が聴取されることがあります。
疑われる場所があれば聴診してみます。
そして、血管造影で確かめます。

下肢静脈

静脈血栓塞栓症

▫ 表在静脈血栓症、静脈瘤、血栓性静脈炎、深部静脈血栓症、肺塞栓症
長時間にわたる下肢を垂らした座位状態、長時間の立ち仕事などで下肢にうっ血をきたす状態が表在静脈血栓症、静脈瘤、深部静脈血栓症の原因となります。
罹患静脈の近くの皮膚感染や静脈注射などが炎症の原因になります。
所謂**エコノミークラス症候群**といわれるのは、腓腹筋内の静脈洞にできた血栓が血流に流されて肺動脈に塞栓を作ったものです（**肺塞栓症**）。

肺塞栓症は息苦しさ、吸気時の胸痛、失神、ショックなど急激で重症の疾患です。胸部レントゲンでは肺動脈拡張や肺野の透過性亢進、胸水、無気肺などの所見が出ることもあるようです。心電図では右室負荷所見、洞性頻脈、SIQIIITIII。心エコー図では右心室は拡張していること、血液ガス分析では過換気による一酸化炭素分圧の低下を伴う酸素分圧の低下が特徴です。血液検査ではD-dimer、FDP、血小板数に異常が出ます。肺シンチグラフィー、肺動脈造影検査で診断は確定します。

血栓性静脈炎の原因は明確でないが通常細菌は関係しないとされていますが、時には細菌の感染を伴うこともあるといいます。先行した静脈注射や近辺の皮膚の細菌感染があれば疑います。
深部静脈の血栓症は重症であり、肺塞栓症を惹起すると生命への危険性が

出てくることになります。
長期臥床、長時間の座位、水分不足、肥満、経口避妊薬使用などが原因になったりしますので解消するようにしてください。
抗凝血薬や弾力ストッキングの使用が必要です。
細菌感染があるようなら抗生物質も使用されます。
炎症部分は発赤して圧痛があります。
全体、診断には患者を立位にして超音波で静脈の観察を行うのが良いです。血栓の状態によっては血栓除去や血栓が飛ばないような手段を講じる必要があります。

- うっ滞性皮膚炎

  上記のような場合、下腿等にうっ血によっての皮膚炎が発生します。また進行すれば**皮膚潰瘍**の状態になったりしますので、立ったままや座ったままではなく、合間の歩行の励行やストッキング着用を勧めることです。

静脈の血栓に関しての検査は超音波検査で行います。立位の状態で静脈内に血液を溜めた状態にして行います。
血液検査では、D-dimer、FDP、CRP、血小板数などに異常が出ます。

心臓に関する疾患について

病的な心音と心雑音

- 心音

Ⅰ音（僧帽弁成分、三尖弁成分、Ⅰ音亢進、Ⅰ音の分裂）
Ⅱ音（大動脈弁成分、肺動脈弁成分、Ⅱ音亢進、Ⅱ音の分裂）
Ⅲ音（拡張早期）
Ⅳ音（心房音）
Extrasound
Ejection sound（ejection click）
Systolic click（systolic click syndrome 僧帽弁逸脱症候群）

Opening snap（僧帽弁狭窄症）

▫心雑音

収縮期心雑音

拡張期心雑音

機能性心雑音

先天性心疾患、心臓弁膜症、高血圧性心疾患、肥大型心筋症などに生じる心雑音は成書から、またインターネットなどから情報を得て習得してください。

心膜摩擦音（心膜心筋炎など）

僧帽弁逸脱症候群の心音、心雑音

僧帽弁が閉鎖する際にはそれを支えている腱索や乳頭筋が僧帽弁の動きを制御するための大切な役目を果たしています。左心室の収縮期に左室内圧によって僧帽弁閉鎖が起こりますが、左室内圧によって僧帽弁が定位置に止まるように制御しているのです。それが、止まりきれずに左心房側に行き過ぎれば僧帽弁で逆流が発生することになるのです。この状態を僧帽弁の逸脱（**僧房弁逸脱症候群**）といいます。

乳頭筋の機能不全（虚血性心疾患による乳頭筋への血流異常、心筋症などによる形態異常など）そして腱索異常などが原因します。軽症の時期は僧帽弁逆流を呈せず僧帽弁の軽度の逸脱だけで経過しますが、逆流が始まると腱索などの負担が大きくなり、この負担のために**乳頭筋や腱索が断裂に進むと急性僧帽弁逆流症となって急激に進行する左心不全を招来することになります**。緊急手術になる前に手を打つ必要があります。

胸郭の異常などでごく軽症の逸脱がみられることがありますが、この場合は予後良好のようです。

収縮期クリックがあれば心エコー図で確かめることによって確定診断（僧帽弁のbuckling）ができます。

細菌性心内膜炎の心雑音

心雑音の変化という形で出てきます。大動脈弁や僧帽弁が破壊されれば新しい弁膜症としての心雑音となって出てきます。今まであった雑音が変化するか、新しい雑音が生まれるかということです。

心房粘液腫の心雑音

右心房では三尖弁の、左心房では僧帽弁の狭窄のようなことが起きるため三尖弁あるいは僧帽弁の狭窄症様の雑音を呈します。常時同じ雑音ではないということです。

粘液腫は割合もろい構造を持っています。

心臓超音波検査で診断できます。経食道での検査になります。

心膜摩擦音

収縮期と拡張期にわたる耳に近く聞こえる心雑音です。いかにも二つの膜がこすれあっているという音です。吸気の時に胸壁に圧迫されるためか音量が大きくなります。

心囊液が貯留すると摩擦音は消失していきます。

心音による心機能の評価

頻拍

▫ III音聴取

大動脈弁が閉鎖してから左心室が等容拡張期に入り左心房から急速に血液が流入してくる際に出る音（拡張早期）です。30歳前の循環の良い人には聴取されるが年齢がいくと聴取されません。

コンプライアンスの低下した左心室であったり、駆出率の低下した大きな左心室を持った人（心筋症、虚血性心疾患）、収縮性心膜炎で聴取されます。

Ⅲ音が聴取されたら上記などの心疾患がないか点検をしましょう。

僧帽弁開放音とは時間的に似ているが、開放音は音の性質が高調な音であり低音のⅢ音とは違います。

▫ Ⅳ音聴取

Ⅰ、Ⅱ音とⅣ音とでできる奔馬調律を心房性奔馬調律といいます。病的です。

左房圧が高くなっている（左心機能低下）ときに出現します。

心室の進展性がないときに出ます。陳旧性心筋梗塞、肥大型心筋症、高血圧性心疾患などのときです。

僧帽弁逆流症で聴取されます。

収縮性心膜炎、心タンポナーデでは聴取されません。

▫ 奔馬調律（ギャロップリズム）

Ⅰ音、Ⅱ音と拡張期にのみ生じる過剰音（Ⅲ音 and/or Ⅳ音）３～４つの音による心音の組み合わせです。

いずれにしても、心機能の低下した状態で聴取されると考えてよく、心機能低下の指標でもあります。

心不全を推測させる所見は、**息切れ、易疲労感、全身倦怠感、体重増加、下肢浮腫、頻拍、うっ血肝、呼吸音や心音所見（ギャロップリズムなど）、心拡大など**です。

心不全について

心不全症状、理学的所見及び諸検査

心不全症状としては、心不全の状態の把握（p. 98～）の Stage A～ D に記してあるように、心予備力の低下に伴って次のようなことが起こってきます。

- 動悸

- 息切れ、労作時息切れ〜呼吸困難
  夜間の咳嗽、起座呼吸、発作性夜間呼吸困難
  安静時の息切れ〜呼吸困難
- 体重増加、下肢の浮腫、全身の浮腫
- 易疲労感、全身倦怠
- 食欲不振、悪心
- 不眠、不安、集中力低下

などが認められます。

理学的検査では、頻脈、心音でのギャロップリズム、呼吸音での吸気のrales、肝腫大（うっ血肝）体重増加、浮腫などが出現します。

まとめると以下のようです。

- **意識**　清明〜意識障害、不穏状態
- **皮膚、粘膜の状態**　冷たく湿った状態、チアノーゼ（p. 79、p. 234参照）
- **浮腫**　心不全の浮腫はいわゆる圧痕をつくる（pitting edema）です。通常、足背や下腿に出現します。臥位になっている患者では背部で認められます。眼瞼も浮腫が出やすい部位です。（p. 81参照）
- **血圧**　ショック状態〜正常に近い状態
- **頻拍**　心不全では一回拍出量の減少があり心拍数が増加します。心拍出量は減少です。不整脈を伴うことも多くなります。
- **呼吸**　頻呼吸　起座呼吸
- **心音**　Ⅲ音、Ⅳ音、ギャロップリズムの聴取（p. 93〜94参照）
- **呼吸音**　rales（p. 240参照）喘鳴
- **SpO_2**　血液循環の悪化、うっ血による肺機能の低下などによりSpO_2の低下をきたします。（p. 244参照）
- **肝腫大**　静脈還流の低下で静脈のうっ血が生じて、うっ血肝になります。（p. 58参照）

- **頸静脈怒張、肝頸静脈逆流**　座位ないしギャッジアップの状態で頸静脈が鎖骨上部より上方での怒張が観察され、腫大した肝臓を圧迫することによってその怒張が増高します。
- **体重の増加**　静脈のうっ血とアルドステロン系や腎臓が関連して体内に水分が貯留します。これによって結果体重の増加を起こします。外来では心不全の有無にかかわらず、悪性腫瘍の出現の検知のためや肥満、糖尿病のコントロールそのほかのためにも信頼できる精密な体重計を設置しておいて、すべての患者に来院ごとに体重を測定して記録することが必要です。特に心不全の恐れのある患者では記録用紙（グラフ付き）を渡して家庭での毎日の体重の記録をしてもらいます。増加が続くなら再来してもらうという事です。(p. 81参照)

胸部レントゲンでは、**心拡大**がみられます。循環器内科では胸部レントゲン撮影の際に必ず心胸郭比（CTR）を測定します。私は心臓径を測定します。個人の経過観察ではこの方が簡単で感度が良いと思っています。

ただし、**肺に閉塞性の病変がある場合には心拡大は表れにくい**ため問題があります。次のBNPが頼りになります。

また、**肺野の血管影**が肺のうっ血のため太く濃く見え、辺縁がぼやけます。上肺野では肺静脈陰影の増加（cephalization)、**Kerley A線B線C線**そして、**胸水貯留**や**Butterfly shadow**を見るに至ります。

血液検査ではBNPの測定があります。

血液一般、各種電解質（特にNa,K)、各種酵素（特にGOT〈AST〉、LDH、CK-MB)、心筋トロポニンtなどがあります。

そのほかに、心不全の原因となる基礎疾患の有無を調べる検査は言うに及びません。

挙げれば、貧血や低たんぱく血症、心筋虚血、心筋症、心筋炎、心臓弁膜症、肺疾患、腎臓病、高血圧症、甲状腺疾患、感染症、薬剤性などです。

また、心不全による合併症に関した検査もあるでしょう。

それらについての必要なものに対しての検査がなされます。

左心不全について

左心室の心筋の収縮力が低下していくと、心室を大きくすることで対応しようとすることになります。これをFrank-Starling機序といいます。こうなると左心室の拡張末期圧が上昇することになり、肺毛細管圧の上昇につながって呼吸困難を引き起こすことになるのです。

一方、右室前負荷の増大は体静脈圧を上昇させ、浮腫を出現させます。

また、運動に対しての反応として、心不全ではノルアドレナリンの枯渇、β受容体のダウンレギュレーションによって心筋の収縮力を増加させることができなくなってしまっているのです。

心不全は、

- 症状の発現状態によって
  急性左心不全（発作性夜間呼吸困難、起座呼吸、心臓喘息）
  慢性左心不全（基礎になる心疾患）
- 心筋の収縮や拡張の能力によって
  収縮不全
  拡張不全

に分類されます。

収縮不全、拡張不全の区別は、心臓超音波検査においての僧帽弁からの血流をドップラーで観察して診断評価します。

▫参考

心不全の評価

1）**慢性心不全の評価**

NYHA心機能分類（p. 61を参照してください。）

2）**急性左心不全の重症度評価**

キリップ（Killip）分類

身体所見により４つのクラスに分類するもので、予後の予測にも役立ちます。

クラスⅠ　心不全の兆候はない。

クラスⅡ　軽度から中程度の心不全。ラ音（肺からの異常な呼吸音）を聴取する領域が全肺野の50％未満。

クラスⅢ　重症の心不全。肺水腫が認められる。ラ音聴取の領域が50％以上。

クラスⅣ　心源生ショックの状態。血圧が90 mmHg 未満。尿量の減少、チアノーゼ（皮膚や粘膜が青紫になる状態）、冷たく湿った皮膚、意識障害を伴う。

左心不全の状態の把握

心不全の状態について軽症から順に見てみると次のようにまとめられます。

▫心不全のリスク

Stage A

（心臓の予備力が残っていて、通常の生活活動のほかに運動を行っても心不全は顕性化しないが、心予備力は十分でなく心不全のリスクがある状態です）

心不全のリスクは高いが、器質的心疾患や心不全症状を伴わない

高血圧、アテローム性動脈硬化症、糖尿病、メタボリック症候群

心毒性のある薬剤使用歴、心筋症の家族歴がある

治療

目標

心臓に良い生活習慣

血管疾患、冠動脈疾患の予防

左室の構造的の予防

薬剤

血管疾患または糖尿病を有する適応患者に対してACE阻害薬剤あるいはARBを使用

必要に応じてスタチンを使用

▫ 器質的心疾患

Stage B

（心臓の予備力が残っていて通常の生活活動はその予備力の範囲内にある。しかし活動が過多になると心不全症状が出てきます）

心不全の徴候や症状を伴わない器質的心疾患

心筋梗塞既往歴

左室肥大および駆出率低下を含む左室リモデリング

無徴候性弁膜症

治療

目標

心不全症状の予防

心臓リモデリングの予防

薬剤

必要に応じてACE阻害薬剤あるいはARBを使用

必要に応じてβ遮断薬を使用

特定の疾患において

ICD

血行再建術または弁膜手術

▫ 心不全症状の発現

Stage C

（心臓の予備力が十分でなく、通常の生活活動をカバーできなくなってきている状態です）

以前または現在、心不全症状がある器質的心疾患

器質的心疾患の診断が確定

心不全の徴候、症状

HFpEF—heart failure with preserved ejection fraction

治療

目標

症状のコントロール

健康関連 QOL の改善

入院および死亡の予防

治療戦略

合併症の同定

治療

うっ血症状緩和のために利尿剤を使用

高血圧、心房細動、冠動脈疾患、糖尿病などの合併症について

ガイドラインの指示に従う

(HFmrEF)—heart failure with mild-range ejection fraction

HFrEF——heart failure with reduced ejection fraction

治療

目標

症状のコントロール

患者教育

入院および死亡の予防

ルーチンで使用する薬剤

体液貯留に対する利尿剤

ACE 阻害薬剤または ARB

β遮断薬

アルドステロン拮抗薬

特定の患者において

CRT（cardiac resynchronization therapy）

ICD（implantable cardioverter-defibrillator）

血行再建術または弁膜手術

▫ 心不全の難治性症状がある

Stage D

(心臓の予備力が不足しており、安静時状態をカバーできない状態にあります)

難治性心不全

安静時に心不全症状がある

Guideline-directed medical therapy にもかかわらず入院を繰り返す

治療

目標

症状のコントロール

健康関連 QOL の改善

再入院を減らす

患者の終末期の目標を設定する

選択肢

高度医療

心臓移植

強心薬の長期使用

一時的なまたは恒久的な機械的循環補助

実験的手術または薬剤

緩和ケアとホスピス

ICD の非作動化

非薬物療法

▫ 心臓再同期療法

左脚枝ブロックなど心室同期不全を有する HFrEF 患者の治療

▫ 陽圧呼吸療法 (ASV: adaptive servo ventilation)

睡眠時無呼吸症候群 ── ASV を用いた陽圧呼吸療法

▫ 心臓移植、人工心臓

右心不全について

▫ **右室形成不全（不整脈源性右室形成不全症）**（p. 115、p. 130参照）

殆ど右室心筋だけが脂肪変性する先天性心疾患。

右室起源の心室性期外収縮が多発して、致死的である。ε 波、J 波、右室ストレイン。

右室拡張。

▫ **右室梗塞**

低心拍出量状態やショック、頸静脈怒張（吸気時増強）、うっ血肝などの右心不全徴候。

右冠状動脈 #1（下壁梗塞に合併が多い）の閉塞病変のことが多い。

右胸部誘導での ST 上昇、下壁梗塞所見。

右室収縮不全による右室拍出量の低下。右室拡張不全。左室前負荷の減少による心拍出量の減少。

右室 EDP（拡張末期圧）の上昇。

▫ **肺梗塞による急性肺性心**

下肢静脈の血栓性静脈炎など塞栓の原因となる疾患あり。

呼吸困難、吸気時の胸痛、顔面蒼白、発汗、血圧低下、速くて弱い脈、肝腫大、低酸素血症。

肺動脈幹部、肺門部、下行右肺動脈の血管拡大。

肺性 P 、洞性不整脈、心房細動、心房粗動、その他の頻脈性不整脈。

右室ストレイン（SIQIIITIII）I で S、III で Q、T の逆転。

$V_{1\sim3}$T 波逆転。

やや明るい肺野、肺血流スキャン所見。肺動脈造影所見 .

▫ **肺高血圧症**

特発性肺高血圧症などの肺動脈性肺高血圧症がある。労作時呼吸困難、倦怠感、胸痛、失神などの症状を引き起こします。このため、患者は常日頃より症状が出ないように運動を控えた生活をしていることが多いのです。
右心室や右心房に負荷がかかって肥大や拡張があり、上肺野の血管影が減少しています。
閉塞性肺疾患、肺気腫、間質性肺炎、肺梗塞後、肺切除術後などにおいても同様に肺高血圧症が惹起されます。
僧帽弁狭窄症、左心室の収縮及び拡張不全を呈する左心室の疾患先天性心疾患などでは左心室の後負荷が肺静脈ひいては肺動脈圧を上昇させることになります。

▫ **慢性肺性心**

慢性の肺疾患によって生じる右心不全の状態です。
上記のように肺高血圧をきたし、右室負荷、肺性P、右房負荷による心房性不整脈や心房細動などが出現したりします。

NSAIDsと心不全、高血圧の関係について

発熱や痛覚伝達にはプロスタグランジン（PG）が関与しています。PGの合成に関係するCOXを阻害してPGの合成を抑制させるのがNSAIDsです。PGの産生が抑制されると血管の収縮が起こり血圧は上昇しますし、腎血管が収縮すると腎血流量が減少します。そして、ヘンレループでNaの再吸収が増加、抗利尿ホルモン作用亢進も起こり、これらのことで尿量が減少することになります。その結果、体内の水分貯留、腎不全が条件によっては招来されるのです。

体内の水分貯留は心不全にもつながります。整形外科通院中の患者の場合によくある事象です。心不全にまで至った患者を診たことがあります。

不整脈と、不整脈に関連する心疾患

洞機能不全

p. 119〜を参照してください。

心房細動

心房負荷が長期に続いた場合、結果として**心房壁に構造的、電気的リモデリング**が起こります。肺静脈内のトリガー機構の異常興奮がこのリモデリングされた心房壁を刺激して無数に生じる**機能的ミクロリエントリー**となったのが心房細動です。

心房細動においては**心房が350以上/minの速さで収縮**しています。

不規則に心室に繋がるために絶対性不整脈（まったく規則性がない）となります。

心拍数が多いと拡張期が短くなるために左心室への還流血液量が少なくなり駆出量が減ることになります。

ひとつ前の心拍との間が短いと、拡張期が短いため左室への還流量が減るので駆出量も少なくなり時には脈として触れないことになります。

心臓の収縮（心拍）があっても脈が触知されないことを**脈拍欠損**といいます。

心房細動の際には脈拍欠損が多いほど心機能が低下しているということになります。

心房細動は直接的には左または右の心房の負荷が原因です。その負荷が電気的な異常へと発展していくものと考えられます。

原因となる状態を挙げてみると、

▫ **右心房負荷（肺機能の異常？）**

右心房の負荷の原因疾患としては先天性心疾患や慢性閉塞性肺疾患、肺気腫、気管支喘息などがあります。慢性に負荷が続いていると、心房壁のリモデリングがなされて心房壁で電気的にリエントリー回路が出来上がって心房細動が発生することになります。
心房細動になる手前の心電図ではその右心房負荷所見が古典的な基準には達していなくても所謂右心房負荷がみられたりします。

▫ 左心房負荷（左心室機能の異常？）

左心房負荷の代表的な疾患は僧帽弁狭窄症です。肥大型心筋症、拡張型心筋症、虚血性心疾患によるものなどがあります。
慢性に左心房に負担がかかっていると右心房負荷の時と同じようにリモデリングが起こり、心房細動に至ります。この場合も心房細動の起こる前には左心房の負荷所見が心電図でみられます。

心房細動の分類

初発心房細動　：初めて心電図上で心房細動が確認されたもの。
　　　　　　　　心房細動の持続時間は問わない。
発作性心房細動：発作後７日以内に洞調律に復したもの。
持続性心房細動：発作後７日以上心房細動が持続しているもの。
永続性心房細動：電気的あるいは薬理学的に除細動不能のもの。

上記のように分類されています。

▫ 左房内血栓の有無

心房細動では塞栓症を最も警戒しなければなりません。脳塞栓症、腎塞栓症、下肢動脈塞栓症などです。
その原因は心房細動ではその血行動態上、左心房の心耳内で血栓が形成されやすいということです。
慢性で、特にうっ血性心不全が伴っている場合には頻度が高くなります。
発作性の心房細動でも可能性はあります。

僧帽弁狭窄症では左房内血栓が更にできやすいため、抗凝血薬療法が必要になります。
形を成している左房内血栓は**心エコー図検査**で判明します。**経食道的**に行います。

▫ 左心負荷疾患と心房細動

既に左心室に負荷状態がある患者が心房細動になった場合、心房が本来持っている駆出力（atrial kick）が減少するために心房細動の起こる前に比べて心機能のさらなる低下が起こります。

▫ 先天性心疾患や弁膜症と心房細動

いずれにしても、左心房あるいは右心房への負荷を伴う状態を持っている場合は心房細動を持つに至ると考えてよいでしょう。

▫ 心筋症と心房細動

肥大型心筋症の経過を診ていくと、その内に心房細動を起こすようになってくる例が数多くみられます。収縮期或いは拡張期の心機能が低下してきてその結果心房への負担が増して心房細動に至るものと考えられます。
拡張型はなおさらのことです。

▫ 閉塞性肺疾患と心房細動

前記したように、慢性の肺疾患であって肺血流に抵抗が生じるような疾患では右心房への負担が生じるため心房細動を起こし得ると考えてよいでしょう。

▫ バセドウ病と心房細動

甲状腺ホルモンの過剰による影響と、交感神経系の興奮状態が心房細動発現に関与していると考えられています。
甲状腺ホルモンが正常化すると心房細動も治まることが多いようです。
心不全も含めてバセドウ心と呼ばれます。

▫ **原発性アルドステロン症と心房細動**

アンギオテンシンⅡは心臓で線維芽細胞のAT1受容体を刺激して心臓のリモデリングに関与します。このことが心房細動を起こすもとになるのです。

心房細動があって、その原因疾患が不明であれば原発性アルドステロン症も疑ってみるべきです。

また、最近は心房細動の起こる前にアップストリーム治療ということで、**ACE阻害薬、ARB、抗アルドステロン薬**が使用されます。

同様のことがカテコラミン、酸化ストレス、炎症（サイトカイン）でも言われています。

活性酸素の生成の抑制に関係するHMG-CoA還元酵素阻害薬（**スタチン**）も使用されます。

心房細動治療の考え方ですが、**薬物治療について**は、

1）アップストリーム治療

カテコラミン、レニン–アンギオテンシン–アルドステロン系、酸化ストレス、炎症（サイトカイン）などがあります。

心房の線維芽細胞のAT1受容体を刺激することにより心房の構造的リモデリングが増強されて心房細動が発生することになります。

この**発生要因を抑えようとする治療をアップストリーム治療**といいます。

2）ダウンストリーム治療

従来からの**リズムコントロール治療、レートコントロール治療、抗凝固療法をダウンストリーム治療**といいます。

抗凝血薬療法はもちろん行うわけです。

CHADS2 scoreなどの基準に従って使用すればよいのですが、**ワルファリン**を用いるか新しい経口抗凝固薬（**DOAC**）を使うかは、それぞれの長所短

所を考慮して選択すればよいと思います。

CHADS2 score

C..................Congestive Heart Failure..............1

H..................Hypertension(>140/90 mmHg).......1

A..................Age>75...1

D..................Diabetes Mellitus..............................1

S2................Prior TIA or Stroke..........................2

合計点数……脳塞栓症のリスク　0……低、1……低〜中、2……中、3……高、4〜6……非常に高い

ワルファリンはINRが2.0を少々超えるくらいでコントロールします。患者が1日内服を忘れても急激に効果が落ちることはなく、効果（内服の服用状況を含めて）はINRで判定できます。

炎症性疾患の合併や事故による出血などの不安定な時もINRを用いて日々のコントロールができます。新しい抗凝固薬（DOAC）は内服を忘れると急激に効果が落ちること、服用途中の効果の判定ができないこと、感染や事故などの時の細かな調節ができないことが不安材料です。ワルファリンはINR 2.0くらいであれば問題ありません。最近の論文では出血事故に関して両薬剤（ワルファリンとDOAC）に差は認めないとのことのようです。

抗凝血薬療法に関して一つ付け加えておきますと、患者が例えば肺炎とか腎盂腎炎、胆道炎などの**感染症に罹患した場合、体内では凝固能が高まってきます**。

このような場合にその時々の効果を見ながら薬剤の増減で対処できるのはワルファリンの方かとは考えています。

DOACの方は随時の時点での効果の判定が出来ないこと、そのことから患者が薬を処方通りに内服しているかチェック出来ないこと、半減期が短いため内服を忘れることによって効果のない時間帯が出来てくるなどの不都合がある。また薬価が高価であることなどが難点です。

アブレーション治療に関しても年齢や心房細動の持続期間、成功率、事故率、本人の判断などを判断材料にして決めます。

心房細動が出たり入ったりするものでなければ（慢性的なものであれば）

レートコントロールと抗凝血薬療法でも十分だとは思っています。

心房粗動

三尖弁周囲をリエントリー回路とする**マクロリエントリー不整脈**です。

250〜350/minの**心房興奮**です。１：１で連結すると心室は250〜350/min、２：１で連結すると125〜175/min、３：１で連結すると83〜117/minの速さで拍動することになります。

心房粗動のリエントリーは三尖弁弁輪を回転する回路ができますが、通常型は反時計回りでありＦ波は前半の下り坂が緩やかであり、これを**陰性のＦ波**といいます。一方で時計回転の、下り坂が急峻である**陽性のＦ波**を持つものを逆方向性通常型といいます。

発作性上室性頻拍症

不整脈発生のメカニズムとして、１）**異常自動能**、２）**triggered activity**、３）**リエントリー**の三つの機序があります。

発作性上室性頻拍症はこのうちのリエントリーによって起こります。リエントリーの場所は90％が房室結節にあります。

従って**房室結節リエントリー性頻拍**です。

心房が100〜240/minで拍動している状態です。

頻発するものであれば**アブレーションは、ほぼ100％効果**があります。

WPW症候群

房室リエントリー性頻拍の一種です。

Kent束（心房と心室の連絡）やMahaim束（His束、脚基部と心室の連絡）、James束（心房とHis束、脚基部の連絡）がリエントリーの回路になります。

これによって、リエントリー性頻拍が生じますが、心房細動を起こすことがあります。

Kent 束の WPW 症候群の場合、**心房細動を起こすと f 波が全部そのまま心室の興奮となるため、あたかも多型性心室頻拍のようになります。**これを**偽性心室頻拍**といいます。心室細動に移行することもあるので危険な不整脈として取り扱います。

この際には決して**ジギタリス製剤を用いてはいけません。**

多源性心房頻拍

多種の形態のＰ波が３連発以上で認められ、心拍数としては100 /min 以上で出現するものをいいます。

テオフィリンを服用している場合に出ることがあります。

この不整脈の場合、心房細動を起こすことが多いようです（50～70％）。

上室性期外収縮

通常は無害性で良性ですが、**基質を有する患者では発作性上室性頻拍症や心房細動の起こる前に出ることがあります。**

洞性Ｐ波とは異なる形態のＰ波が予定より早く出現します。

右心房負荷由来では……心電図で右心房負荷所見
左心房負荷由来では……心電図で左心房負荷所見

を認めることが多いようです。

この不整脈を起こすもととなった疾患の推定の根拠になるので点検しておくとよいと思います。

頻度によって分類すると、

単発…………頻度が少ない
多発性………頻度が多い
連発する……３連発以上の連発

などと呼びます。
心房細動を中間に合併するものがあります。

▫ 左心房負荷による上室性期外収縮
虚血性心疾患、肥大型や拡張型心筋症、心不全、僧帽弁狭窄症などの弁膜症などが左心房に負荷がかかりやすい心疾患です。

▫ 右心房負荷による上室性期外収縮
慢性閉塞性肺疾患、肺気腫、気管支喘息、肺高血圧症などが右心房に負荷がかかりやすい疾患です。

房室接合部性期外収縮

His 束起源の不整脈です。
基礎疾患がある場合、ジギタリス製剤服用中などに出ることがあります。
先行性 P 波のない正常 QRS を呈し、逆行性 P 波がみられることがあります。

心室性期外収縮

心室性期外収縮についてはそのまま観察だけで十分のものから緊急に対処が必要な致死的なものまであり、多彩です。状況によっては**運動負荷や Holter 心電図検査**を行うことも必要になってきます。できれば期外収縮が発生する**基となる原因疾患を見つける**ことが必要です。
原因としては心筋虚血、心筋炎、心筋症などの心筋の変性や線維化などが挙げられますが不明のことが多いのが現状です。

LOWN 分類

Grade	所見
0	心室性期外収縮なし

1	散発性、単源性
2	多発性（1個/分または30個/時）
3	多源性
4a	２連発
4b	３連発以上
5	R on T

頻度とか期外収縮の出方によって次のように呼ばれます。

散発性 ……………… 孤立性に1拍のみで出る。数も1個/分、30個 /時間以下です。

多発性 ……………… 期外収縮の数が多い場合（1個/分以上または30個 /時間以上）。危険度が増します。

代償性 ……………… 正常心拍Aの後期外収縮があり次に正常心拍Bが来るとすると、AとBの時間間隔が正常調律の２倍となります。

嵌入性 ……………… 正常の調律の間に嵌入的に期外収縮の入ったものです。代償性より危険度が増します。

固定連結性 ………… 直前の正常心拍と期外収縮の時間的間隔が一定している期外収縮。非固定性の方が危険度が増します。

二段脈、三段脈 …… 正常心拍と期外収縮が塊になって繰り返される状態。

一源性 ……………… 出てくる心室性期外収縮の形が同じの期外収縮。

多源性 ……………… 出てくる心室性期外収縮がいくつかの違った形です。発生源が多いほど危険度が増します。

連発 ………………… 期外収縮が続けて出現する状態。２個続けば２連発、３個続けば３連発です。３連発以上は特に危険です。

心室頻拍 …………… ３連発以上を心室頻拍といいます。短い場合はいわゆるショートランです。

心室頻拍

幅広いQRS（右脚枝ブロックパターンは0.14秒以上、左脚枝ブロックパターンでは0.16秒以上）**がほぼ規則正しく連続して出現**します。

房室解離がある。PとQRSが別行動で、心室拍動が心房拍動より速い場合。

心室補足がある。幅の広いQRS調律の中に幅の狭いQRS波形が入り込むことがある場合（心室の不応期が消失した瞬間に上室からの伝導が心室に伝わったもの）がそれです。

右脚枝ブロックパターン、左軸偏位、または全胸部誘導でQRSの極が一致する場合は上記のものと並んで心室頻拍としてよいでしょう。

30秒以上続く150/分以上の心拍の心室頻拍は危険です。

▫ R on T

先行心拍のT波の頂上近くに心室性期外収縮が生じる状態のことをいいます。この時間帯は電気的に不安定であるため（**受攻期**）**心室細動に移行する可能性大**であり注意を要します。

心室粗動、心室細動

心室粗動や心室細動が始まると、心拍出量がほとんどなくなって全身の血流低下（血圧低下）をきたすために短時間のうちに意識が消失して死亡に至るので、**即刻心臓マッサージや、AEDなどの電気ショックでの緊急の治療**を要します。

冠状動脈疾患（虚血性心疾患、狭心症発作、心筋梗塞）、QT延長症候群（先天性、薬物による）心不全、心筋症、心筋炎、高カリウム血症、低酸素血症、WPW症候群、胸部（心臓部）の打撲、感電事故などで起こります。

QT延長症候群で起こったものは特別の形のもので、**torsades de pointes**という心室頻拍の形から心室細動に移行します。**除細動型のペースメーカー**の適応になります。

▫ 左室起源の心室性期外収縮

QRS の形が右脚枝ブロック型です。

▫ 右室起源の心室性期外収縮

QRS の形が左脚枝ブロック型です。不整脈源性右室形成不全症の不整脈はこれが多い。

虚血性心疾患（無痛性虚血性心疾患、狭心症、心筋梗塞）と心室性期外収縮

冠動脈閉塞後10分以内（Ia 相）においては梗塞心筋から K が流出して Na チャンネルが不活性化することと、心筋虚血の時間帯から細胞内 Ca 濃度が上昇していることで、**梗塞巣でリエントリー不整脈**が生じる。その後一時は小康状態になるが15〜30分後（Ib 相）には正常心筋と梗塞巣の脱分極の時間的相違が triggered activity による心室性不整脈や**隣り合った正常と異常心筋の間にリエントリー不整脈**を誘発することになります。

致死的なものに発展しやすいので注意してのコントロールが必要です。

心筋症と心室性期外収縮

肥大心心筋においては活動電位 0 層と次の活動電位 0 層の間に不完全な脱分極があることを後脱分極といいますが、そのうちの**完全に再分極した後に起こる遅延後脱分極の機序で心室性期外収縮が発生**するといわれます。右室流出路も発生学的にも不整脈の多発地帯です。不整脈源性右室形成不全症ではここが関連しています。Purkinje 繊維も不整脈の多発地帯です。次の J 波もこの疾患に関係する場合があります。

J 波（早期再分極）症候群と心室性期外収縮

J 波（早期再分極）症候群の診断基準として次のように提案されています。

下壁誘導（II、III、aVF）、左側壁誘導（I、aVL、V4〜6）において、２誘導以上で0.1 mV 以上のＪ点上昇を示す場合を早期再分極という。Ｊ波の波形としてはQRS 終末部のノッチやスラー、明らかにQRS と区別できる波形（Ｊ波）を示す例やＪ波とST-T 部広くが融合している場合などがあります。**Ｊ波出現の範囲が広いほど、Ｊ波の高さが高いほど（高さは同一人でも置かれた状態で変化する）、また、それに続くST の上昇があれば、なお危険性が高いといわれます。**

心臓突然死の例も多く、Brugada 症候群や右室形成不全もこの範疇に入ります。

- p. 4、図録の図２を参照してください。

Brugada症候群と心室性期外収縮

この疾患は心電図で**疑われたら１肋間上での心電図記録**をすべきです。

V1 と V6を QRS 幅で比べてみると、V6の QRS が終了した時点で V1ではまだ R’ が残っています。この残った部分がいわゆるＪ波に相当する部分です。このＪ波が致死的な不整脈の原因となっているのです。

不整脈は電気生理学的に異なる性質を持った心筋細胞同士が隣り合った時に起きやすいです。

心室筋は心外膜側より再分極する。心外膜側と内膜側ではKチャンネルの密度が違います。このことが Brugada 症候群を生じる元となっています。

coved 型と saddle-back 型がありますが両方の移行もあるようです。**coved型の方が心事故を起こしやすい**のです。

- p. 4、図録の図２を参照してください。

右心室形成不全症と心室性期外収縮

1977 年 Fontaine らが**「不整脈源性右室形成不全症」**を発表して話題になりましたが、私もそれ以前の1974年に邦文ではありますが**「特発性右室拡張症」**と病名をつけて詳細に発表しています。

（舟津敏朗ほか「著明な右心室拡張を呈する５例」『心臓』6（8）：1176–1184、1974）

https://www.jstage.jst.go.jp/article/shinzo1969/6/8/6_1176/_pdf

その際にQRSにノッチのあることも記載していますが、心電図所見だけで電気生理学的な意味合いは不明でありました。現在このノッチは後脱分極と説明されています。この疾患の期外収縮は右室流出路も関連があります。

QT延長症候群と心室性期外収縮

この疾患は**先天的**にはRomano-Ward症候群、Jervell and Lange-Nielsen症候群に合併します。

後天的には心不全、心筋症、電解質異常（低カルシウム血症など）、薬物誘発性のものがあります。

主にLQT1〜3の型が多いようです。

QT延長症候群の型と特徴

それぞれ心電図のT波の波形とか発作の誘発因子に特徴があります。

LQT1　**幅広い大きなT波。**
水泳などの運動をしている最中に心事故を起こしやすい型です。

LQT2　**ノッチのある２ピークのあるT波。**
朝の目覚まし時計などの音などが聴覚刺激になって不整脈を誘発する特徴があります。目覚まし時計は禁止です。

LQT3　**ST部分は平坦で、Tは終末時にとがっている。**
徐脈になることがQT延長をきたす増悪因子です。
徐脈回避のためにペースメーカーを入れます。

- p. 5、図録の図３を参照してください。

（中谷晴昭、古川哲史、山根禎一『そうだったのか！　臨床に役立

つ不整脈の基礎』メディカル・サイエンス・インターナショナル、2012より）

心室肥大（右室肥大）

右心室の圧負荷による右室肥大（僧房弁狭窄症、肺動脈狭窄症、ファロー四徴症など）ではいわゆる右室肥大所見の以下１～３を呈する。

１．右側胸部誘導で R/S ≧２、かつ RV1 ≧５mm。

２．+110度を超える著しい右軸偏位。

３．V6の R/S ＜１。

右心室の容量負荷（心房中隔欠損症、肺動脈弁閉鎖不全症、急性肺塞栓症など）では不完全右脚枝ブロック型を呈する。

心室肥大（左室肥大）

左心室の収縮期負荷による肥大（高血圧症、大動脈弁狭窄症、肥大型心筋症など）では、

１．Ⅰ、aVL、V5、6の高電圧。

２．左室ストレインパターンで、ST の下降型の降下とそれに続く陰性T波が見られる。V1の r、V5、6の q は減高する。

左心室の容量負荷による肥大（大動脈弁閉鎖不全症、僧帽弁閉鎖不全症、心室中隔欠損症など）では、

１．Ⅰ、aVL、V5、6の高電圧。

２．T 波は陽性である。

３．V1の r、V5、6の q は増高する。

４．VAT の延長が著明である。

がみられる。

右心房負荷

肺気腫や肺線維症などの肺疾患、心房中隔欠損症などの先天性心疾患、原発性肺高血圧症などの肺高血圧では右房負荷がかかり心電図に表現される。

1．Ⅱ、Ⅲ、aVF でＰの波高の増高、尖鋭化。2.5 mm 以上。

2．V1、2のＰの波高の増高、尖鋭化。陽性相が2.0 mm 以上。

3．Ｐ波の右軸偏位。

左心房負荷

僧房弁狭窄症や僧帽弁閉鎖不全症、左心室に収縮期負荷（高血圧症、大動脈弁狭窄症など）、拡張期の負荷（大動脈弁閉鎖不全症、心室中隔欠損症など）、左心不全の場合などでは左心房に負荷がかかる。この時の心電図は、

1．Ｐ波の幅の延長。0.12秒以上。

2．Ｐ波の V1、V2での二相性。

がみられる。

心室中隔の肥厚がある場合、線維化などがある場合

心室中隔が肥厚している場合 V4〜6の septal q が増高しているのがみられます。

逆に、心室中隔の線維化、細胞浸潤などでは V4〜6の septal q が消失します。

肥大型心筋症

左室肥大の部位によって心電図所見が異なりますが、一般には、

1．QRS 高の増高

2．QRS 幅の広さ拡大

3．移行帯の急変

4．T波の逆転
5．ST降下
6．V4〜6の septal q の増高**（心室中隔の肥厚）**
7．V4〜6の septal q の消失**（心室中隔の繊維化、細胞浸潤など）**
8．notch（単〜複数）のある QRS
9．Intraventricular conduction disturbance
10．**J波の出現**

などがあります。

洞機能不全

特発的で、洞結節の変性か薬物による二次的なものが大半を占めます。

洞結節の血流障害も原因することがあります。**洞結節の血流（洞結節枝）は右冠状動脈#1**から供給されています（p. 3、図1参照）。そのために、洞停止や洞房ブロックは虚血、例えば右冠状動脈の心筋梗塞などで発生することがあります。

▫ **洞停止**

洞結節で電気的な興奮が起きない状態です。

▫ **洞房ブロック**

洞結節の興奮が周囲の心房組織に伝搬しない状態です。

これらの時には房室伝導障害も合併していることがあるため、下位のペースメーカーが機能しないため**3秒以上の心房停止で補充調律なしの場合には失神**することになります。

▫ **洞不全症候群**

上記のような洞機能不全を呈してめまい、失神、うっ血性心不全などの症状を呈する病態をいいます。

▫ 徐脈頻脈症候群

同機能不全の状態の心臓では心房細動や発作性上室性頻拍などが起こると、**それらの頻拍が終わった後に長い洞停止を認めたりします**。頻脈性上室性不整脈のために洞結節の自動能が抑制され、洞調律の回復が遅れることによります。

頻脈と徐脈が重なり合うためこの名がついています。

房室伝導障害

迷走神経の活動の亢進、高血圧、狭心症、僧房弁狭窄症、心筋炎、各種心筋症などの疾患、ジギタリス製剤、β遮断薬、カルシウム拮抗薬などの薬物が原因であったりします。

血流障害では、

房室結節は血流が右冠状動脈 #4からの房室結節枝から（90%）の支配で残りは左冠状動脈の回旋枝からの場合があります（p. 3、図1参照）。

いずれかの血流障害で房室伝導障害が起こりえます。

ほかに心筋炎や各種心筋症による房室結節の変性や線維化も原因になりえます。

房室伝導障害を認めた場合には原因疾患の検査と以下の障害の部位等の検査を合わせて行う必要があります。

1．**伝導障害の部位**はどこか。
2．**完全房室ブロックに進展する危険性**はないか。
3．ブロックにより**末梢の自動能による補充調律が安定的に出現してくれるかどうか**。

の検査の結果以下の診断に至り対処することになります。

▫ Wenckebach型房室ブロック

a）Ⅰ度房室ブロック

房室結節あるいはHis束上部の機能的障害で房室間の電気伝導が遅延する（PQ延長）だけの状態です。

b）**Ⅱ度房室ブロック**

上と同様の原因で房室結節での電気的興奮が一拍ごとに伝導しにくくなり（PQ 間隔が次第に延長してきて）ついには伝導しない（心室の興奮が起こらない）一拍ができる。この現象を繰り返すのが Wenckebach 型のⅡ度房室ブロックです。

房室結節での電気的興奮が次第にではなくて、ある時突然に伝導しなくなることが起こったりすることもあるのですがこれは別の状態で Mobitz Ⅱ型Ⅱ度房室ブロックと呼ばれるものです。

Ⅱ度房室ブロックの**２：１伝導では次の Mobitz Ⅱ型のⅡ度房室ブロックと体表心電図では見分けがつきません**。このため鑑別に His 束心電図が必要になります。

▫ **Mobitz Ⅱ型Ⅱ度房室ブロック**

これは上二つとは違って正常の房室伝導の状態から突然に完全房室ブロックに移行することが問題になります。**His-Purkinje 系の病変によるもので、QRS 幅が延長しているものが多い。QRS 幅の正常のものは His 束内の病変によるものです。**

もう一つの問題は Mobitz Ⅱ型は下位の補充調律が十分でない形の完全房室ブロックになる可能性が高いということです。

失神発作を起こしたりします。

ペースメーカーの適応になります。

- p. 6、図録の図５を参照してください。

c）**Ⅲ度房室ブロック（完全房室ブロック）**

全ての心房興奮が心室に伝導されない状態です。

伝導障害の部位が房室結節と His-Purkinje 系が考えられますが、**40〜55 個/分で QRS 幅の正常な補充調律があれば房室結節原因**と考えてよいでしょう。**補充調律が QRS 幅の広いもので、40 個/分以下の場合は His 束以下**です。

His 束以下のものであれば補充調律は期待できずペースメーカーの適

応となります。

His 束心電図での検討を要する状態は次のようなものです。

1. 房室ブロックの証拠はないが、失神、脚枝ブロック、二枝ブロックのあるもの。
2. 2：1房室伝導を呈するもの。
3. 脚枝ブロックを伴う Wenckebach 型房室ブロック。
4. 無症候性Ⅲ度房室ブロック。

脚枝ブロック

脚枝ブロックは二枝ブロック、三枝ブロックに進展することになれば危険ですので房室の伝導時間も加えた観察をしてください。

先々これに対する電気生理学的検査やペースメーカー埋め込みなどの処置が必要になりますので大切です。脚枝ブロックに至らせた原因疾患の推測も大切です。**脚枝の炎症や変性、血流障害などが原因**となります。

血流は左冠状動脈の前下行枝から分枝の心室中隔枝が主となります（p. 3、図1参照）。

A）右脚枝ブロック（完全右脚枝ブロック、不完全右脚枝ブロック）

心室内の刺激伝導路のうち右脚の伝導が障害されたものをいいます。QRS が0.12秒以上のものを完全右脚枝ブロック、0.10秒以上0.12秒以内の場合を不完全右脚枝ブロックといいます。

V1、V2の QRS は rsR’ 型を示す。Ⅰ、aVL、V5、V6に幅広いSがあります。

右心室に負荷のかかる先天性や後天性の心疾患それに気管支喘息や慢性閉塞性肺疾患などに見られます。

B）左脚枝ブロック（完全左脚枝ブロック、不完全左脚枝ブロック）

心室内の伝導路のうち左脚の伝導が障害されたものをいいます。QRS 幅が

0.12秒以上でV5、V6のQRSは結節、分裂、スラーを伴ったR波を認めます。V1、V2に幅広いSが示されQS型またはrS型となります。

不完全と完全の両方が行き来することもあります。また正常に戻ることも時に見られます。時に突然死の報告もありますので注意する必要があります。心筋虚血（前下行枝 ── 中隔枝）心筋症、肥大心などでみられます。

C）左脚分枝ブロック（hemiblock）

▫ 左脚前枝ブロック（left anterior hemiblock）

著しい左軸偏位を示す。

1．前面QRS軸：−45〜−90度の左軸偏位。
2．QRS間隔＜0.12秒。
3．aVLがqR型。
4．aVLのR-peak time≧45 msec。

▫ 左脚後枝ブロック（left posterior hemiblock）

著しい右軸偏位を示す。

右室肥大、垂直位心、WPW症候群、側壁心筋梗塞などの著しい右軸偏位を起こす基礎疾患を除外できる場合に適応します。

1．QRS軸が+120度以上の右軸偏位を示す。
2．Ⅰ誘導　aVLのrs型。
3．Ⅲ誘導　aVFのqR型。
4．QRS間隔＜120 msec。

▫ 左脚中隔枝ブロック

右室肥大、完全右脚枝ブロック、WPW症候群（A型）、高位後壁梗塞、肥大型心筋症、心臓長軸周りの著しい反時計式回転を起こし得る異常を除外できる例において、

1．V1のR/S＞2、かつRV1≧5 mm。
2．V2のR/S＞2、かつRV2≧15 mmまたはSV2＜5 mm。

D）右脚枝ブロック、＋左脚前枝ブロック

この状態より先に進展すると、三枝ブロックとなり失神や下位調律が成立しても極端な徐脈であったりするため注意深い経過観察と次への対処が必要です。

1．QRS 間隔≧0.12秒。

2．右脚枝ブロック、所見を示す。
V1で QRS 波が rsR’型、Ⅰ、V5、V6で S 波の幅が広く、スラーを伴う。aVR で幅広い late R を示す。

3．左脚前枝ブロック所見を示す。
QRS 軸が著明な左軸偏位を示す（−45度以上)。

E）右脚枝ブロック、＋左脚後枝ブロック

この状態より先に進展すると、三枝ブロックとなり失神や下位調律が成立しても極端な徐脈であったりするため注意深い観察と次への対処が必要です。

1．QRS 間隔≧0.12秒。

2．完全右脚枝ブロック、所見を示す。

3．左脚後枝ブロックの所見を示す。

4．垂直位心、右室肥大、WPW 症候群、高位後壁梗塞などの著明な右軸偏位を呈する基礎疾患がない。

F）三枝ブロック（trifascicular block）

完全房室ブロックの形を呈する。His 束心電図で H-V 延長を認めます。ペースメーカー治療となります。

呼吸器疾患と心電図

- **完全右脚枝ブロック、不完全右脚枝ブロック**
- **肺性Ｐ波**
- 上室性期外収縮（肺性Ｐを持ったもの）

- 心房細動（肺性Ｐを持った心房性期外収縮が元になっている心房細動）

  先の尖ったＰ波は右房負荷がある証左です。

  診断基準には波高が示されているが、こだわらなくてよいと思います。

  勿論波高が高ければ確かにはなりますが程度の問題なので右房負荷の徴候があればよいということです。

上の所見が一つでもあれば気管支喘息や慢性閉塞性肺疾患、肺気腫が疑われます。

上室性期外収縮、心房細動（肺性Ｐ＞上室性期外収縮＞心房細動）の経過を辿って出来上がった心房細動であれば、その心房細動は肺疾患が関連したものと疑うべきです。

心室負荷ということについてはなかなか右室肥大の所見を有するまでには至らないものです。

逆に心性肺ということでは先天性心疾患などで肺高血圧になったような場合には右室負荷と肺疾患という組み合わせが出来上がります。

こういう関係ではちょっと違いますが僧帽弁の弁膜症も肺高血圧と関連します。

先天性心疾患

先天性心疾患のほとんどが幼児期から小児期にかけて発見されて、経過観察とされたり手術がなされたりして、治癒ないしはそれに近い状態で経過しているものと考えられます。中には見逃されたり、経過観察中、成人になって症状が顕著になる場合があります。

心房中隔欠損症や先天性の弁膜症などです。手術例でもファロー四徴症など肺動脈の狭窄が進行して再手術を要する場合なども見られます。これらに対応が必要になります。

弁膜の異常による心疾患

心臓弁膜症

a）**先天性の弁膜症**

大動脈弁が二尖弁であったりして、そのために大動脈弁逆流症が発生したりします。

b）**リウマチ性弁膜症**

扁桃炎などが抗生物質により治療され、リウマチ熱の発生がほとんどなくなったためにリウマチ性弁膜症の数は年々減少しています。

c）**加齢に伴う弁膜症**

急速に高齢化が進み、加齢による動脈硬化に関連した大動脈弁狭窄症や大動脈弁閉鎖不全症が増えつつあります。これらは心不全や失神、特に大動脈閉鎖不全症では大動脈基部の拡張期血圧低下のため機能的狭心症や突然死が問題になりますので心音の聴取も重要です。

最近では手術侵襲を軽くしたNAVIが行われています。

d）**機能性僧房弁閉鎖不全症**

慢性心不全を基礎として左心室の拡張によって僧房弁弁輪の拡大が起きて、僧房弁の閉鎖不全が惹起されます。または、心筋症のために同様のことが惹起され機能性僧房弁閉鎖不全症が生じます。

e）**腱索断裂や乳頭筋断裂による弁膜症**

虚血性心疾患などで左心室内の乳頭筋や腱索の断裂が起こったりします。その前段階として乳頭筋の収縮不全がありこの段階では左心室の収縮期に僧房弁が左心房側に逸脱して僧房弁逆流が生じるのですが、乳頭筋断裂によってその逆流は急激に増えることになり急性左心不全を呈するに至ります。実際この際の心不全の進行は急激ですので、できる限り僧房弁逸脱の段階での手術が必要です。

心臓弁膜症の心電図

心臓弁膜症では障害された弁膜の位置、狭窄か逆流かということにより決まってきます。つまりどの部屋に負担がかかるかということです。

大動脈弁では狭窄と逆流ともに左心室に負担をかけ左心室心筋を肥大させます。

狭窄は**収縮期の負担**であり、逆流は**拡張期の負担**になります。それぞれが心電図に違った形として表現されることになります。逆流ではストレインタイプという形で表現されます。

僧房弁逆流でも左心室の拡張期負担があります。**僧房弁の弁膜症では逆流、狭窄ともに左心房に負担**を多くかけることになります。このため特に僧房弁狭窄では心電図上の左心房の肥大所見が著明に現れます。その挙句に心房細動をきたすことになります。肺高血圧を介して**右心系の負担**も増してきます。

このように弁膜症にかかわらず、**心電図を読むときにはどの部屋にどのような負荷がかかっているのか、どの部屋が肥大しているのかということを読んで、それを資料にして心臓の病態を推測するという作業をします。**

その結果と心音や胸部レントゲンの資料とあわせ、心エコー検査も加えて疾患を診断していくことになるのです。

炎症性心疾患

細菌性心内膜炎

心臓の弁、心内膜、大血管内膜に細菌の集簇を見る贅腫を見る疾患です。歯科、耳鼻咽喉科、婦人科、泌尿器科などでの処置による感染その他で一過性の菌血症が起こると、特に弁膜症などを持っている場合、心内膜に病巣を形成することになります。

わたしはOsler結節をきっかけにしてSBEの診断に至ったことがあります。

眼瞼結膜、頬部粘膜、四肢に見られる**点状出血、爪下線上出血、Osler結**

節、**Janeway 発疹**、**太鼓ばち指**などをみます。

今までになかった心雑音が生じたり、今までの**心雑音が変化**したりします。

原因菌は血液培養によります。

心外膜心筋炎

原因は多彩で、細菌、ウイルス、真菌、結核性などがあります。また、リウマチ性、膠原病（関節リウマチ、全身性エリトマトーデス、結節性動脈周囲炎）などでも見られます。また、**Dressler 症候群**といわれる心筋梗塞後や開心術後の心膜炎もあります。急性のものは胸痛があり（この頃は心膜摩擦音が聴取される）そのうち心嚢液が貯留することになって、心陰影の拡大、心エコー図検査での心嚢液の確認ができます。貯留液が大量になると心タンポナーデを起こして心機能が制限されてしまうことになります。慢性に経過する状態では、心膜が炎症で硬くなり**収縮性心膜炎（装甲心、鎧心）**といわれる状態になります。急性期の心外膜心筋炎では血液にてトロポニンTの上昇などがみられます。

慢性化したものでは心外膜が石灰化することがあります。心外膜の伸縮性がなくなるために心臓が拡張できず拡張不全の心不全が起こります。

私も医師になりたての頃、不思議な心不全だなと思いながら胸部レントゲンを観察していたら、心陰影の輪郭が濃い線状になっていることに気づき、このことがきっかけで収縮性心包炎の診断に至ったことがあります。

▫ 心外膜心筋炎の心電図所見

PQ segment 降下を病初期に認めることがあります。PQ segment 低下はP波（心房筋の）に関しての再分極過程での偏位であって、心室筋のT波上昇と同じ意味になります。

この所見は日本では初めての報告が私の報告になります。

舟津敏朗ほか「PQ 部降下を示したリウマトイド心包炎の一例」『日内会誌』63：1363、1974

リウマチ性心外膜炎例で心膜摩擦音が聴取された後の心電図においてPQ

segment の降下を認めたことを報告したものです。

- p. 5、図録の図４を参照してください。

同時に起こる心筋炎のため ST 上昇が心臓の全周囲にわたる心電図の誘導で見られます。その形状は ST 上昇、convex 型です。T 波は元の形から、その後は平定となり逆転することになります。

心筋炎

心筋炎に関しては通常まれな疾患と考えがちですが、風邪のウイルス感染時に同時に発症することが時に認められます。

軽症であると見過ごされてしまったりするのですが、後に難治性の心室性不整脈の元になったり、心筋炎が遷延して心筋症に移行するなどの報告もあります。

心疾患としての症状が前面に立っているときはもちろん、動悸とか風邪の治りが遅いなど気になる場合には心電図での観察も必要かと考えます。

心筋炎では心機能の低下が著しくて、いわゆる劇症型心筋炎の形になることがあります。軽症でも一旦入院して経過を見ることにしたいものです。

▫ ウイルス性心筋炎

風邪などのウイルスが原因で起こる心筋炎です。心外膜炎も同時に起こったりします（**心外膜心筋炎**）。症状は元の風邪症状が先行して、しかる後に心筋炎の症状が出てきます。心筋炎の症状ははっきりと胸痛や動悸などがある場合もありますが、単に全身倦怠とか息切れや動悸で特徴がない場合があります。この疾患が頭の中にあって、胸部レントゲン検査、心電図検査、血液生化学検査を行えば難なく見つけることができますが、そこに至らないと診断が困難です。**不審な時には心電図や胸部レントゲン検査を行うべきです。**心拡大、エコー検査での多少の心嚢液貯留などが見られます。

劇症型心筋炎という状態も時に見られるので要注意です。

心不全、不整脈、特に致死性の不整脈のことがありますので要注意です。

心筋から流出するCK、LDHなどの酵素の上昇があります。

▫ **好酸球性心筋炎**

アレルギー疾患、薬剤過敏、寄生虫などが原因することがありますが、約半数が原因不明の特発性です。末梢血に**好酸球が増加**しています。

風邪症状が先行したりします。喘息などが認められることもあります。発熱、不整脈、心不全、心外膜炎などの症状、所見が出現します。

Loffler心内膜炎を考えに入れておくことも必要です。

続けて２例の好酸球心筋炎患者（中学生）を診たことがあります。２例とも感冒様の症状から始まって２週間程度で自然治癒し、退院となりました。

▫ **巨細胞性心筋炎**

多核巨細胞が浸潤してできる心筋炎です。劇症型心筋炎の形をとることが多く、心サルコイドーシスと類似の組織像のことがあります。重症感があり、血圧低下、頻脈、不整脈（房室ブロック等)、心電図はST上昇など、そして血液検査でCPK、LDH、GOTなどの異常値があります。

心筋症

心筋症はAHAでは以下のように分類されています。

心筋症の分類（AHA分類　2006）

A）原発性心筋症（主な病変が心臓にあるもの）

1）遺伝性

a）肥大型心筋症

b）不整脈源性右室心筋症（＊特発性右室拡張症）

c）左室緻密化障害

d）グリコーゲン蓄積症

e）心伝導障害

f）ミトコンドリア心筋症

g）チャンネル異常症

あ）QT 延長症候群

い）Brugada 症候群

う）QT 短縮症候群

え）カテコラミン誘発性多形性心室頻拍

お）ポックリ病（asian SUNDS）

2）混合性

a）拡張型心筋症

b）拘束型心筋症

3）後天性

a）炎症性（心筋炎）

b）ストレス誘発性（たこつぼ型心筋症）

c）産褥性心筋症

d）頻脈誘発性心筋症

e）インスリン依存性母体から出生した幼児

＊アルコール性心筋症

B）二次性心筋症（全身疾患の心筋病変）

＊心アミロイドーシス

＊心サルコイドーシス

＊糖尿病性心筋症

（＊＝著者が追加）

私は産褥性心筋症、心アミロイドーシスを学会発表していますし、アルコール性心筋症も経験しています。産褥性は安静、アルコール性は禁酒、アミロイドーシスはコルヒチンで治療しました。

肥大型心筋症（HCM）

肥大型心筋症は心室筋の肥大を認める状態です。

割合高頻度の疾患であり、遺伝性に出る場合と孤立性に出る場合があります。

肥大の部位は左心室のことが多いのですが、右心室のことも両心室のこともあります。**肥大は自由壁と心室中隔とが対照的に肥大すること、自由壁に肥大が強いこと、心室中隔に強いこと、心尖部に強いこと、左心室流出部に肥大が強いことなどがあります。**

左心室流出部に肥大が強い場合を**肥大性閉塞性心筋症（HOCM）**といいます。

いずれにしても心筋は伸展が制限される方で拡張期コンプライアンスの低下がみられることになります。

致死性の**心室性不整脈**や閉塞性の血行状態などによる**突然死**、拡張不全による**心不全**や**心房細動**の出現、**塞栓症**などが合併するため、これらの管理が大切です。

次第に心室が拡張してくる場合があり、これを**拡張性肥大型心筋症**といいます。

β遮断薬を治療に用いたりします。

気管支喘息を合併している場合などに使いたい**β刺激薬は特に閉塞性のもの（HOCM）では禁忌**です。

拡張型心筋症（DCM）

左心室あるいは両心室の心筋収縮不全と心室内腔の拡張を認める病態です。

類似の病態はほかの心筋症でもあることから除外診断になってきます。

重症の心室性不整脈による突然死が問題になります。もちろん**ポンプ失調**があります。

僧帽弁逆流が僧帽弁弁輪拡大や乳頭筋の異常、腱索の異常などで出現してきます。

人工心臓の装着の適応となります。

たこつぼ型心筋症

以前から脳卒中や褐色細胞腫の時に巨大陰性T波を認めることがありました。それは、内容は分かっていませんでしたが、巨大陰性T波を認めた脳出血（前頭葉）例などの症例報告がなされていたものです。そのことがたこつぼ型心筋症と結びついてびっくりしたものです。

左心室の中間あたりがバンド状に過度の収縮が起こり、心尖部では無収縮になります。結果、左心室がたこつぼのような形状になるのです。心エコー図検査で判明します。

心不全を呈したり、流出路狭窄になったりするため、その辺の観察が必要です。胸痛、呼吸困難、動悸、全身倦怠感などの症状で始まることが多いですが、ほとんど無症状で定期の心電図検査で偶然発見されることもあります。

心電図所見として前胸部誘導でST上昇、巨大陰性T波、QT延長を認めます。

精神的負担が関連して起こるといわれ災害時にも多く発症します。閉経後の女性に圧倒的に多いようです。

心臓破裂の例、ショック、心不全が報告されてはいますが、心臓死は少ないようです。状態を見てそれに対しての処置を行い、入院観察を行います。数日から数カ月で軽快します。

私の見た例（66歳女性）では、無症状で心電図検査で偶然に見つかったものですが、心電図所見の改善までに約1カ月を要しました。不整脈も出現せずに経過し、再発は見られませんでした。

高血圧症について

降圧剤の歴史

私が金沢大学第二内科村上元孝教授のもとに入局した1970年頃は、今から考えると、使用していた降圧剤はなんとも貧弱なものでした。

血管拡張薬としてレセルピン、ヒドララジン、グアネチジン、利尿薬としてサイアザイド、スピロノラクトンなどに過ぎず、カルシウム拮抗薬、ACE阻害薬はまだまだで、やっとβ遮断薬が治験にそろそろと出始めたくらいの時期だったのです。貧弱な降圧剤や治験のβ遮断薬の血行動態についてインドサイアニングリーンを使用してイアピース法で測定していたものです。血圧と心拍出量とから、電気においてのオームの法則の如くにmBPmmHg＝CO（心拍出量L/min）×TPRとの式で全末梢血管抵抗を算出していました。降圧剤の使用前後での測定で降圧剤の高圧機序が何であるかを見ていたのです。β遮断薬については次々に出てきましたが、いずれも全末梢血管抵抗が上昇しましたので降圧剤としてはあまり思わしくないな、と思っていたものです。

そのうちに、バイエル社から抗狭心症薬として、Bay-a 1040の治験依頼があり教室内で治験が始まりました。しかしながら、この薬は降圧剤としての使用もいいのではないかという話になってきたのです。全末梢血管抵抗はものの見事に下がっているのです。

この報告が**世界初の「カルシウム拮抗剤の臨床における降圧効果」の発表論文（1972年）**になったわけです。

Mototaka Murakami, et al.:

Antihypertensive Effect of 4 (-2’-Nitrophenyl) -2, 6-Dimethyl-1, 4-Dihydropyridine-3, 5-Dicarbonic Acid Dimethylester (Nifedipine, Bay-a 1040), a New Coronary Dilator.

Jap Heart J 13 (2): 128–135, 1972

ci.nii.ac.jp/naid/130000763685

その後はβ遮断薬が続くことになり、1982年になって初めてカルシウム拮抗剤やACE阻害薬が使用されるようになりました。ARBはそのずっと後1998年からのことです。そして、それらの降圧剤が改良されながら現在に至っているわけです。

高血圧症の分類

高血圧症は殆ど（約90%）が**本態性高血圧症**ですが、高血圧の原因を特定できる二次性高血圧が約10%あります。原因の治療で治癒ないし軽減することが可能ですので疑いがあれば精査に持っていきます。

主な二次性高血圧としては次のようなものが挙げられます。

▫ **腎性**

腎実質性高血圧（慢性腎炎、糖尿病性腎症、多発性嚢胞腎など）

片側性/両側性腎血管性高血圧（線維筋性異形成、高安動脈炎、粥状動脈硬化性など）

▫ **内分泌性**

原発性アルドステロン症

褐色細胞腫、パラガングリオーマ

クッシング症候群、サブクリニカルクッシング症候群

先端巨大症

甲状腺機能亢進症

甲状腺機能低下症

副甲状腺機能亢進症

女性の妊娠高血圧症候群、閉経後の高血圧

▫ **血管性、心臓性**

大動脈縮窄症、大動脈炎症候群など

大動脈弁閉鎖不全症

- **睡眠時無呼吸症候群**
- **薬剤性**

NSAIDs、甘草、グリチルリチン含有薬との関係、副腎皮質ホルモン、経口避妊薬など

高血圧症の病態

振り返って高血圧の病態を眺めてみますと、体液のボリューム、血管のトーヌス、自律神経の緊張度のことが中心にあることは以前と変わりありません。

体液のボリューム増加について

体液のボリューム増加に関しては、いわゆる**体液貯留型高血圧**であって**低レニン高血圧**です。hANP は上昇します。典型例は腎性高血圧、原発性アルドステロン症。クッシング症候群、先端肥大症なども入ります。

体液量増加因子としては、その最大のものは Na です。

Na に関しては食塩摂取量の過量と、食塩感受性亢進（**食塩感受性高血圧**）が問題になっています。食塩摂取量は外食などでまだ根強く残っているようです。高血圧の症例によっては食塩に対する感受性が非常に高い症例があります。食塩感受性は夜間の高血圧（夜間高血圧、riser, non-dipper）と関連があるといわれることがあります。そして、その中身として肥満とか交感神経系の活動亢進、インスリン抵抗性（**インスリン抵抗性高血圧、腎性インスリン抵抗性症候群**）などがそれぞれ関連して出てきています。また、アルドステロンが水分貯留と関係してなお存在します（**原発性アルドステロン症、アルドステロン関連高血圧、ミネラルコルチコイド関連高血圧、続発性アルドステロン症**）。

血管のトーヌス亢進について

血管のトーヌス亢進に関しては、血管収縮型の高血圧は高レニン高血圧、カテコラミン分泌による高血圧です。

その代表例は片腎性腎血管性高血圧、褐色細胞腫です。

血管の緊張に関してはレニンがあります（**高レニン本態性高血圧症、正レニン本態性高血圧症、低レニン本態性高血圧症、片側性腎血管性高血圧、悪性高血圧、レニン産生腫瘍**）。私は高レニン性の高血圧には脳血管障害が多いように思っています。血管壁のNa貯留ということでNaも関連してきますが、これはインスリン抵抗性の問題の引きずりでもあります。

血圧ということでは体液量と血管の緊張度は相まるものでもあるのです。

交感神経機能亢進について

交感神経系機能亢進は以前からの問題です。ノルアドレナリンが関連してこの活性の度合で食塩感受性の度合も変化するということです。日常の生活でのストレスは増していくばかりです（**ストレス高血圧、白衣高血圧**）。

肥満に伴う高血圧症には食塩感受性亢進を伴っていることが多いようです（**肥満合併高血圧症**）。慢性的な交感神経系の活動亢進やレニン–アンギオテンシン–アルドステロン系の全身、局所の慢性的活性化、糖代謝におけるインスリン抵抗性、それに伴う高インスリン血症、続発する血管機能の悪化、交感神経活動の上昇、腎臓におけるNa再吸収の促進、動脈硬化の進展と、肥満になると高血圧の進展因子がドミノ式に展開してくることになります。

以前、hyperkinetic β-adrenergic circulatory stateと呼んでいた高血圧がありました。若年に見られたもので、収縮期圧が高い高血圧であって、心拍出量の多い高血圧でしたが、これが将来本態性高血圧症（その頃の医学での）に発展するのではないかと考えたものです。

（私は若年者の高血圧の自律神経の状態を観察したいと考えていましたが、機会を得まして、福井循環器病院在任中に小野進先生とデータを作ることが出来ました。

小野先生が論文にして、THE GLOBUS PRIZE 1986-1987 of THE MOUNT SINAI JOURNAL OF MEDICINEを得たことがありました。

Susumu Ono: The function of the autonomic nervous system and nonautonomic components in juvenile patients with borderline hypertension. *The Mount Sinai Journal of Medicine* 53(2), 1986.)

そして、**本態性高血圧症**については低レニン本態性高血圧、正レニン本態性高血圧、高レニン本態性高血圧が内容不明のまま存在している状態です。

高血圧の病態をとらえる方法

高血圧に**関係する検査の指標**を挙げてみます。

高血圧の検査

- 体液量
- **血圧**（収縮期血圧 SBP、拡張期血圧 DBP） mmHg
  平均血圧 MBP　MBP ＝(SBP−DBP)/3＋DBP ＝ SBP＋2×DBP/3 mmHg
- **心拍出量 CO**　L/min
- **全末梢血管抵抗 TPR**　MBP＝CO×TPR
  TPR＝MBP/CO（mmHg/L/min）
  ＝(MBP/CO)×79.98 dynes·sec·cm^{-5}
- **尿検鏡検査**
- **Na**　食塩摂取量、食塩排泄量
  24時間蓄尿を行う場合
  1日食塩摂取量(g/日)＝尿 Na 濃度(mEq/L)× 1日尿量(L/日)/17
  尿中 Na 濃度からの推定
  早朝第2尿の尿 Na/尿クレアチニン比＞200 mEq/gCr

- **食塩感受性**
  食塩摂取前後の hANP 変化を観察します。
- **インスリン抵抗性**
  HOMA-IR＝空腹時インスリン値(μU/ml)×空腹時血糖値(mg/dl)/405
  日本人では正常値：1.6未満。2.5以上を抵抗性ありとしています。

FPG 140 mg/dl 以下の時有効な指数である、肥満があるとき信頼性が高い。

▪ アルドステロン

PAC　随時：36〜240 pg/ml
　　　臥位：30〜159 pg/ml
　　　立位：39〜307 pg/ml

▪ レニン

PRC　臥位：2.5〜21.4 pg/ml
　　　立位：3.6〜63.7 pg/ml
PRA　座位：0.2〜3.9 ng/ml/h
　　　臥位：0.2〜2.3 ng/ml/h
　　　立位：0.2〜4.1 ng/ml/h

PRC は PRA より検体の扱いが容易である。室温、EDTA 採血でよいということで扱いやすさが利点です。

レニンに関しては、PRA が、

1.0 以下であれば体液量は正常か増加。

0.5 以下であれば体液量増加です。

糖尿病の場合、一般には低レニンを呈することが多い（プロレニンは増加している）。

PAC は PRA に並行して動きます。おおむね PRA が 1 では PAC は 100 程度。

PRA が 1 で PAC が 100 以上になると PA が疑われます。

腎不全の場合、PRA は低値。PAC は比較的高値（アルドステロン排泄低下のため）。

1.0 以上の場合、高レニン高血圧である。血管収縮の程度が強いと考えられます。

5.0 以上。典型的には 10.0 以上の場合、片側の腎血管性高血圧が疑われる。この場合 PAC も増加するが 200〜300 にとどまります。

両側の腎動脈狭窄では volume expansion が加わり PRA の上昇は 10.0 までにとどまることが多い。この場合 hANP が上昇しています。

- **ARR（血漿アルドステロン / レニン比）**

  ARR ＝ PAC/PRA。または ARR ＝ PAC/PRC。

  (次の「原発性アルドステロン症」の項を参照してください)

カテコラミンとその代謝産物

- **アドレナリン**

  褐色細胞腫で100 pg/ml を超えます。
- **ノルアドレナリン**

  自律神経活性の亢進で500 pg/ml までくらい。

  褐色細胞腫で1000 pg/ml を超えます。
- **メタネフリン**
- **ノルメタネフリン**
- **バニリール・マンデル酸（VMA）**

血圧の測定について

通常の血圧測定

血圧は次の方法で測定する。器具は上腕で測定するものを使い、手首用のものは使わない。

1）比較的安静（動作を止め、椅子などに座って15分ほど経過してから）の状態で測定する。

2）座位で着衣は少なくとも肌着１枚になる。衣類で上腕をしめつけない。

3）マンシェットは右上腕肘窩より２cm 上方に離して方向など指定通りに、指２本分入るくらいのきつさで巻く。

4）触診で脈が触れなくなってから更に30 mmHg 圧をかけてから下げ始め、コロトコフ音の聴診により測定する。

自宅での血圧計と測定方法が正しいかどうかの検証

家庭で測定している血圧が、診察室での測定値とかけ離れている際には、自宅の血圧計を持参してもらい次の方法で比べてみることとする。

1）自宅の血圧計で自分がいつも測定している方法で測定する。この際測定方法の指導なしで行う。

2）看護師が自宅の血圧計で患者の血圧を測定する。

3）看護師が診療所の血圧計で患者の血圧を測定する。

1）と2）、3）がかけ離れるようなら本人の測定方法が間違っている。
2）と3）がかけ離れるなら自宅の血圧計がおかしい。
と、判断できる。

随時血圧測定

24時間適度な間隔で実生活中の血圧測定を行うことによってさまざまな現象が判明してきたりする。

この事を内服の内容や内服時間そのほか生活の養生法に活用することが出来る。

夜間血圧の測定

夜間や早朝の血圧上昇などの観察に用いる。

24時間血圧計でもよいが、家庭用にオムロンデジタル自動血圧計 HME-5001（Medinote 血圧計）などが市販されている。

二次性高血圧症について（主なもの）

原発性アルドステロン症

高血圧、高アルドステロン血症、低レニン血症の３つが臨床的特徴です。低Ｋ血症は30～50％の例でみられます。アルドステロン / レニン比が診断のすべてです。

1．低Ｋ血症合併症例。

2．Ⅱ度以上の高血圧（収縮期圧＞160 mmHg または拡張期圧＞100 mmHg)。
3．コントロール不良および治療抵抗性高血圧。
4．高血圧を伴う副腎偶発腫瘍。
5．40歳以下で脳血管障害などの臓器障害合併例など PA の疑いの強い症例。

A 高血圧があって、血漿アルドステロン濃度高値、血漿レニン活性（レニン濃度）低値。
B 血漿アルドステロン / レニン比高値。
(ARR)＝
アルドステロン濃度（pg/ml)/レニン活性（ng/ml/h)＞200
または、
アルドステロン濃度（pg/ml)/ 活性レニン濃度（pg/ml)＞40
を指標にスクリーニングを行います。
ただし、レニン値で値が大きく変動するため、PAC が120〜150以上の場合を条件にしてあります。

ここで、アルドステロンとレニンの採血は早朝（午前10時くらいまでに）行うことです。

また、内服中の降圧剤を ARB や ACE 阻害剤はレニンを上昇させる理由で、また、β 遮断薬や中枢性 α_2 刺激薬はレニンを低下させる理由で、測定２週間前からカルシウム拮抗薬に変更しておきます。利尿薬、ミネラルコルチコイド受容体抗薬、甘草含有漢方薬は２～３カ月休止とします。

ここで疑い濃厚になれば病院への紹介で確診、局所診断に移ることになります。

腎実質性高血圧

腎疾患の章を参照。

甲状腺機能亢進症及び機能低下症

甲状腺の章参照。

睡眠時無呼吸症候群

p. 152およびp. 223参照。

Cushing症候群

中心性肥満、バッファロータイプ、満月様顔貌
高血糖、赤色皮膚線条、多毛や、ざ瘡など男性化
尿中17 KS、17 OHCS 排泄量（24時間）増加
血中コルチゾールの日内変動消失
血中 ACTH 測定、CRH 試験……ACTH/ 依存非依存
デキサメサゾン抑制テスト……コルチゾールの抑制欠如
副腎 CT、下垂体 MR

褐色細胞腫

発作性や動揺性の高血圧、高血糖、代謝亢進、頭痛、発汗
（以上は５Ｈといわれている）
動悸、顔面蒼白、体重減少
異所性発生（10%）、悪性腫瘍（10%）
尿中カテコラミン及びその代謝産物（24時間）
血中カテコラミン及びその代謝産物
クロニジン試験
腹部エコー検査
MIBG シンチグラフィー
腹部レントゲン、CT、MRI

腹部大動脈造影

腎血管性高血圧症、片側性/両側性腎動脈狭窄症（線維筋性異形成、粥状硬化症ほか）

若年者高血圧、50歳以上の急な血圧上昇、腹部血管雑音、低カリウム血症、腎サイズの左右差、治療抵抗性

片側性と両側性ではRAAの態度が異なることに注意を要する

PRA(PRC)、PAC、血性電解質（K）

腹部エコー検査（腎長径の左右差、腎血流ドプラー）

レノグラム

CT、MR

腎動脈造影

高血圧症患者の降圧の仕方について

最初に書いたように血圧を規定するものは体液のボリューム、血管のトーヌス、自律神経の緊張度です。目の前の患者の高血圧が何者であるかは、この患者ではこれら3つの状態がどうなっているのかということにかかっているのです。上記指標を使ってその状態を推定することから始まります。次いで行うことは、食塩に関してと、レニン–アンギオテンシン–アルドステロン系に関してどういう態度をとっているかということです。

もちろん特殊な態度をとっているアルドステロン症とか腎血管性高血圧などはここで別ルートに入ります。残ったいわゆる本態性高血圧についてはということです。

体液ボリューム増加の例について

体液のボリュームに関してはそれを改善させればよいことですから、利尿薬をということですが、食塩の問題とレニン–アンギオテンシン–アルドステロン系の問題が立ちはだかります。利尿薬の選択です。サイアザイド系、ループ利尿剤の方か、アルドステロン拮抗薬か決めます。

血管トーヌス亢進例について

血管のトーヌスについては、体液のボリュームとも関連することですが体液ボリュームは前出ですから、血管のトーヌスのことに限定して血管拡張薬の選択です。カルシウム拮抗薬などです。

自律神経機能亢進例について

そして、自律神経機能亢進ということではαおよびβ交感神経遮断薬ということになるわけです。

大まかな減速のレールを引いておいて、あとは高圧の状態の経過を観察します。そののちに何らかの修正を加えて良好な血圧コントロールに到達することになります。あとはその調子でのコントロールの継続です。

血圧の日内変動の異常例について

血圧の日内変動（p. 154参照）についての観察を行い、**夜間や早朝のsurgeがあったり、日中の勤務中に異常な血圧の上昇がある例ではこの時間帯に照準を当てた投薬**が必要になります。

薬剤情報に一日に一回とかの記載があってもその通りでなく変形しての投薬でも構いません。医師の工夫です。

また大きくは、季節的な変動にも対処が必要です。

患者によっては**本人を取り巻く行事などの環境前もってわかるときに一時的な投薬**（本人に指示しておく）の必要も出てくるかもしれません。

高血圧の臓器障害を考えた降圧療法

高血圧症患者の臓器障害進行防止策

メタボリック症候群が高血圧を惹起し、脂質代謝障害や糖尿病を起こして動脈硬化を伸展させるとの考えが大方を占めています。

この根底にあるのがインスリン抵抗性であり、インスリン抵抗性がそのうえにインスリン高値の状態を作っています。

このインスリン高値の状態は交感神経活性やRA系の亢進、腎Na貯留亢進、血管平滑筋増殖、血管平滑筋のNaやCaの蓄積などの状態を作って血圧を上昇させることとなります。HOMA指数での検討で、インスリン抵抗性は心血管系疾患の発症率が高いことが証明されています。

メタボリック症候群の改善を行うことが高血圧患者の臓器障害防止にとって大切なものとなっているのです。

RA系抑制剤はメタボリック症候群においての降圧剤として最適です。

ARBは糖尿病の新規発生を抑制します。

ACE阻害薬、ARB、アルドステロン拮抗薬は腎保護機能をもっています。

ピオグリタゾンなどのインスリン抵抗性改善薬は臓器障害を抑制する働きがあります。

CKDを伴った高血圧症の腎保護

メタボリック症候群、肥満、高血糖、糖尿病、高血圧、喫煙などは**RA系の活性化、インスリン抵抗性、交感神経活性化を生じて糸球体高血圧を作り、腎障害を進行させていきます。**

糸球体高血圧を改善して腎の荒廃を防止するには糸球体血圧を下げることが重要になってきます。

糸球体の輸入及び輸出動脈の拡張能のある薬剤、カルシウムチャンネルのL型、T型、N型のうちの**T型チャンネルに抑制効果を持つカルシウム拮抗薬（ベニジピン）や、L、N型チャンネルに作用して輸出細動脈を拡張するカル**

シウム拮抗薬（シルニジピン）を選択することで一応の目的が果たせることになります。

レニン–アンギオテンシン–アルドステロン系阻害薬の腎保護としては慢性腎臓病に関して尿たんぱく減少効果が心血管イベントを減少させるということですのでCKDを合併する高血圧においては**ACE阻害薬、ARBは基本的に必須**の降圧剤です。

途中、Kが上昇するようならアルドステロンブレークスルーが起こったと考えてアルドステロン拮抗薬少量を追加することです。

高血圧治療ガイドライン2019

2019年4月25日発行の高血圧治療ガイドライン2019（JHS 2019）が日本高血圧学会から出版されました。

この内容から一部を私見を多少入れて紹介させていただきます。

外来で初診の高血圧患者を診察した場合、次の要領で治療計画を立てることになります。もちろんその時点における症状や所見によって、例えばすでに合併症が出始めていたり血圧の状態が不安定であったりする場合ではそれらの対応を優先すべきです。

安定した血圧値の異常である場合には次のガイドラインに従っていけばよいということになります。

初診時の血圧レベル別の血圧管理計画

正常血圧 ＜120/80	正常高値血圧 120-124/＜80	高値血圧 130〜139/80〜89		高血圧 ≧140/≧90	
↓	↓	↓		↓	
適切な生活習慣	生活習慣の修正	生活習慣の修正／非薬物療法		生活習慣の修正／非薬物療法	
↓	↓	↓		↓	
1年後再評価	3〜6カ月後再評価	低、中リスク	高リスク	低、中リスク	高リスク
		↓	↓	↓	↓
		おおむね3カ月後再評価	おおむね1カ月後再評価		直ちに薬物療法を開始
		↓	↓		↓
		十分な降圧がなければ生活習慣の修正／非薬物療法の強化			経過により薬物の追加または減量で血圧調整
		↓	↓		
			及び薬物療法を開始		
			↓		
			経過により薬物の追加または減量で血圧調整		

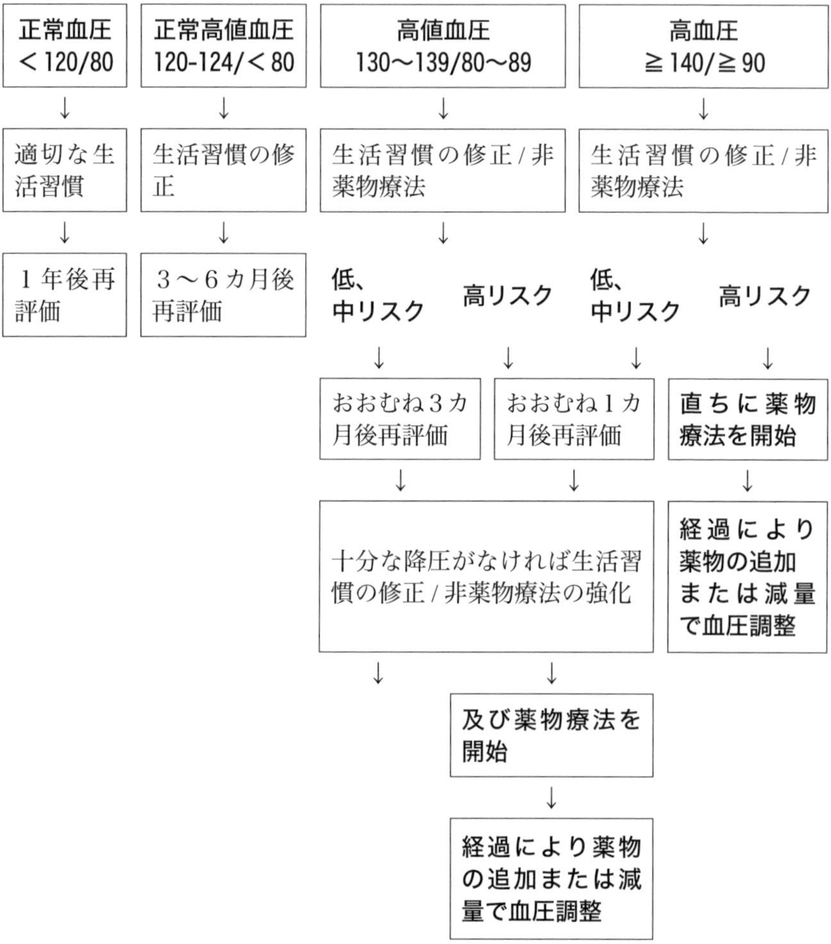

（高血圧治療ガイドライン2019を参考に著者が改変）

表1を実行するにあたり以下のことを踏まえながら行う。

1）外来通院を始めたなら**家庭血圧の測定とその記録**をしてもらうこと。

2）降圧目標を**75歳未満の成人、両側頸動脈の狭窄や脳主幹動脈の閉塞のない脳血管障害患者、冠動脈疾患患者、蛋白尿陽性のCKD患者、糖尿病患者、抗血栓薬服用中患者で**診察室血圧＜130/80、家庭血圧＜125/75を目指す。

自力での外来通院可能な75歳以上の高齢者、両側頸動脈や脳主幹動脈の閉塞のある脳血管障害患者、蛋白尿陰性のCKD患者で＜140/90（診察室血圧）＜135/85（家庭血圧）を目指す。

3）**主要臓器の血流障害による症状や検査所見に注意して**慎重に降圧していく。

＊**眼底検査**での細動脈硬化所見、心電図での強度の虚血性変化所見、TIAの既往のある患者では拙速な降圧や過度の降圧をしないようにしてください。降圧前にはぜひこれらの所見を確かめてください。

特に降圧剤を変更や追加した際には長期投薬せず血圧の変化を丁寧に観察する。

4）患者の血圧の日内変動を把握してそれに見合った投薬を行う。

5）**過降圧（成人で収縮期血圧120未満、高齢者では130未満）にしない**ように注意する。

6）各種降圧薬（Ca拮抗薬、ARB、ACE阻害薬、直接レニン阻害薬、利尿薬、β遮断薬、α遮断薬、MR拮抗薬中枢性交感神経抑制薬）の**薬剤の特徴、副作用、相互作用、薬物排泄機序などを自院の薬剤について知っておく**（表4を参考にする）。

自院で使用している降圧薬の降圧力の順位を熟知しておく。

7）患者の合併症をチェックする。

合併疾患のある場合はその疾患を考慮した降圧剤を使用する（表3を参考にする）。

8）表1のリスクの層別化の予後影響因子は**脳血管疾患、高齢（65歳以上）、男性、喫煙、脂質異常症、糖尿病、脳出血、脳梗塞、心筋梗塞、非弁膜症性心房細動、蛋白尿**である。

9）高血圧≧140/≧90で、生活習慣の修正/非薬物療法となっているが、集団でみた場合にはそれでもいいが、個々人でみた場合、血圧上昇に弱い患者もいることも考慮に入れて柔軟に対処する必要があると考えます。

表１にある生活習慣の修正とは表２に示すものである。

生活習慣の修正項目

表2

1）	食塩制限　6g/日未満……随時尿、起床後第二尿での Na、クレアチニン測定。
2）	野菜、果物の積極的摂取。 飽和脂肪酸、コレステロールの摂取を控える。 多価不飽和脂肪酸、低脂肪乳製品の積極的摂取。
3）	適正体重の維持：BMI 25未満。
4）	運動療法：軽強度の有酸素運動（動的及び性的筋肉負荷運動）を毎日30分、または週180分以上行う。
5）	節酒：エタノールとして男性20〜30ml/日以下、女性10〜20ml/日以下に制限する。
6）	禁煙

（高血圧治療ガイドライン2019を参考に著者が改変）

疾患によって選択されるべき降圧薬が異なってくる。表３及び１〜４）を参考にして選択することになる。より詳細についてはガイドライン本文を参照。

主要降圧薬の積極的適応

表3

	Ca拮抗薬	ARB/ACE阻害薬	サイアザイド利尿薬	β遮断薬
左室肥大	＋	＋		

LVEF の低下した心不全		+*	+	+*
頻脈	+			+
狭心症	+			+**
心筋梗塞後		+		+

＊少量から開始して注意深く増量する。＊＊冠攣縮には注意。

(高血圧治療ガイドライン2019より改変)

1）慢性腎臓病ではA2（微量蛋白尿あり）、A3（蛋白尿あり）はARB/ACE阻害薬推奨。A1はベースラインの腎機能。
年齢に配慮した個別的対応ということで、ARB/ACE阻害薬、Ca拮抗薬、少量のサイアザイド利尿薬を使用する。
2）糖尿病では蛋白尿を伴う場合ARB/ACE阻害薬。蛋白尿を伴わない場合ARB/ACE阻害薬、Ca拮抗薬、少量のサイアザイド利尿薬。
3）メタボリック症候群ではインスリン抵抗性よりARB/ACE阻害薬、Ca拮抗薬、α遮断薬。
4）誤嚥性肺炎の可能性がある場合ACE阻害薬。

疾患によって禁忌や慎重投与すべき薬剤がある。代表的なものが表4に示される。詳細は各薬剤の添付文書参考。

主要薬剤の禁忌や慎重投与となる病態

表4

	禁忌	慎重投与
Ca拮抗薬	徐脈（非ジヒドロピリジン系）	心不全
ARB	妊娠	高カリウム血症
	両側性腎動脈狭窄	片側性腎動脈狭窄

ACE 阻害薬	妊娠	高カリウム血症
	両側性腎動脈狭窄	片側性腎動脈狭窄
	血管神経性浮腫	
	特定の膜を使用するアフェレーシス / 血液透析	
サイアザイド利尿薬	体液中の Na、K が明らかに減少している病態	痛風、妊娠
		耐糖能異常
β 遮断薬	喘息、高度徐脈	耐糖能異常、閉塞性肺疾患
	未治療の褐色細胞腫	末梢動脈疾患

（高血圧治療ガイドライン2019より改変）

血圧が降圧しにくい時は

二次性高血圧については

重症高血圧、治療抵抗性高血圧、急激な高血圧発症、若年発症の高血圧の場合には二次性高血圧を念頭に置く。

通常教科書にある腎血管性高血圧、腎実質性高血圧、原発性アルドステロン症、褐色細胞腫、クッシング症候群などのほかに、睡眠時無呼吸症候群、薬剤誘発性高血圧を考えに入れる。高齢者の急におこる継続した血圧の上昇は腎動脈の動脈硬化による狭窄も念頭に置くとよいでしょう。

私は若年性高血圧で腎動脈の線維筋性異形成の姉妹例を報告したことがあります。外科的治療をしました。

閉塞性**睡眠時無呼吸症候群**は交感神経活動の亢進、胸腔内圧の上昇などによって治療抵抗性の二次性高血圧を引き起こします。24時間血圧パターンでは Non-dipper や Riser 型となります。また、早朝高血圧にもなります。日中の診察室では血圧が正常化している場合があり仮面高血圧を呈します。心臓事故も多く、若年層にもみられます。

薬剤誘発性高血圧の原因薬物としては

非ステロイド性抗炎症薬、甘草やグリチルリチンを含有する薬品、漢方薬や健康補助食品など、グルココルチコイド、シクロスポリン、タクロリムス、エリスロポイエチン、経口避妊薬、抗うつ剤などがあります。

いろいろな場面でチェックが必要です。

緊急対応が必要な高血圧

緊急対応が必要な高血圧にはどのようなものがあるかというと、

▫ 高血圧緊急症
　乳頭浮腫を伴う加速型 ── 悪性高血圧
　高血圧脳症
　急性の臓器障害を伴う重症高血圧
　　アテローム血栓性脳梗塞
　　脳出血
　　くも膜下出血
　　急性大動脈解離
　　急性左心不全
　　急性冠症候群
　　急性心筋梗塞
　　急性または進行性の腎不全
　カテコラミンの過剰
　　褐色細胞腫のクリーゼ
　　180 以上 /120 以上の妊婦
　　子癇重症鼻出血

以上のようなものがありますので、緊急対応できるようにしておかなければなりません。

眼底検査において乳頭浮腫や眼底出血を認めたりするような高血圧はいったん入院の上でコントロールする必要があります。

血圧はどんな時にどんな変化をするか

ヒトの血圧は観察すると日常のいろいろの内的あるいは外的要因によって変化しながら推移しています。

いろいろな要因による自律神経の反応や、カテコールアミン、ACTH などの副腎からのホルモン、レニン–アンギオテンシン–アルドステロン系の生体への作用や、ナトリウムなどの電解質のバランスも体内などが水分貯留、血管壁の緊張の度合が関係して血圧が上下することになるのです。

薬物との関係では NSAIDs の場合においては**プロスタグランジンの産生過程に COX が関係**してプロスタグランジンの合成が阻害されることになり、血圧は上昇に向かいます。このようなことですから、薬物の副作用も念頭に置いておく必要があります。

1）血圧の日内変動について

24時間連続的に血圧を観察すると、

血圧の日内変動

dipper	夜間の血圧が日中より	10%以上低下する。
extreme-dipper	〃	20%以上低下する。
non-dipper	〃	10%以下の低下にとどまる。
riser, inverted dipper	夜間の血圧が日中より高い。	

Extreme-dipper は血圧低下が原因となる血栓症が発症し易い。

Non-dipper や riser は自律神経に異常をきたす糖尿病や**パーキンソン病、心**

不全、脳卒中、睡眠時無呼吸症候群、食塩の過剰摂取、食塩感受性の高い人がなり易い。夜間血圧120 mmHg 以上。脳卒中や心不全の発生が多い。

morning surge　起きてから1～2時間の間に急峻な血圧上昇が生ずること、または、高くなった血圧の状態があること。

夜間の血圧の状態から、

non-dipper → morning surge = sustained type

dipper ——→ morning surge = surge type

に分けられる。

患者の症状等により必要性があれば24時間自由行動下血圧の測定をし、治療に役立てて下さい。

早朝は、交感神経の活動が活発化する時間帯で、ACTH の亢進する時間帯でもあります。

体液量の減少、カテコラミンの増量もあり血小板、血液凝固機能が亢進して脳血栓、脳出血、心筋梗塞、不整脈による突然死が発生し易くなることになります。

就寝後1～2時間を経過した頃や覚醒前や覚醒後暫くは交感神経の交代の時間帯にあたるため、血管の状態が不安定です。

就寝後1～2時間を経過した頃では狭心症や左心不全の前兆の発作性呼吸困難などの発作が出易いし、覚醒前後でも狭心症や心筋梗塞、脳血栓症などの脳血管障害が起こり易いのです。

起床直後のジョギングなどは危険です。

また逆に、この時間帯に何か特別なこと（運動とか農作業など）をしているか、何かの症状が発生していないか問診する必要性もあります。

行動によって食後の内服を起床時の内服に変更することも考えます。

患者の精神的環境によって血圧は左右されます。
喜怒哀楽全て関連があります。
血圧測定の環境としては、

白衣高血圧
逆白衣高血圧

などがそれであるし、また、不安神経症の人が血圧の自己測定時をする時には過緊張のあまり特殊に血圧が上昇したりもするのです。本人は血圧計と格闘でもするような感じでいるのです。
このような患者の性格を見逃してはいけません。
逆白衣高血圧の場合には24時間血圧測定も必要になってきます。どういった時間帯に血圧が上がったりするのかという観察です。

2）血圧の体位による変動について

＃血圧はその測定時の体位によって変化するものです。

血圧は測定する体位によって違います。
仰臥位で測定するのが最も高く、ついで、座位での血圧が高く、立位での血圧は最も低くなります。
毎回三通りの測定をしたいが面倒です。
私は外来診察の時には全員毎回、**仰臥位と立位での測定**を行っています。
日常の血圧の動きの一端を見ることができて面白いと思っているのです。
通常臥位から立位になった時に収縮期血圧は最大で約10 mmHg までの降圧が認められます。
拡張期圧は同じか、やや昇圧またはやや降圧が見られます。

収縮期血圧が10 mmHg 以上降圧した場合には、その降圧が起こった原因を探す必要があります。この場合は降圧剤が強すぎたり、泌尿器科からの前立腺肥大症の内服薬の影響であったりします。**逆に臥位になると血圧が上昇する場合**には呼吸器疾患や内耳性めまいなどの血圧の不安定さが原因しているかもしれません。

また、**立位になったときに血圧が上がること**があります。血圧が不安定な状態のときとかですが、降圧薬の効果が十分でないときなどもそうなります。

日常の生活での血圧の動きの一端を見ているようで面白いのです。

もう今はできないのですが、以前は、高血圧症患者にどのくらいの強さの降圧剤を出そうかとの目的で、アダラートの液体を薄めて少量から段階的に服用させてその降圧状況で、内服薬の種類とか量を決めていたものです。

起立性低血圧症においては、もともと低めの血圧が起立によって極端に下がることになります。

▫ **降圧剤内服中の高血圧症患者の場合**

臥位から立位になった時、異常に血圧が上がったりまたは下がり過ぎたりした場合には血圧のコントロールが悪いと言えます。

臥位より立位で血圧が上がった場合には血圧がまだ不安定であり、もう少し強めの内服にすべきであるということです。

このような場合には降圧剤の内服が中断されていたり、服薬が途切れ途切れであったりしていないか、NSAIDs などの他科による投薬や睡眠不足、疲れの蓄積が無いかどうかを問診する必要があります。服薬が指示通りなされていない場合、患者自身の血圧が不安定で同様の反応になるからです。判断の資料とします。

臥位より立位で血圧が正常の範囲以上（10 mmHg 以上）下がった場合は、降圧剤の効きすぎです。

自分の処方以外に、泌尿器科でアルファブロッカー系統の前立腺肥大症に対する内服薬などが処方されていたりする場合があり注意が必要です。

▫ **気管支喘息、慢性閉塞性肺疾患、肺気腫などの疾患の場合**

このような疾患の場合には仰臥位になると血圧が、とくに収縮期圧が上昇したりします（この体位では呼吸での rhonchi が増強しています）。
感冒などの後や何らかの体調の不良で喘息が増悪しつつあるときや明らかな発作の出現時には臥位になったときに血圧上昇することが多いようです。

▫ **めまい（末梢性）がある患者の場合**
めまいの発作があるときには異常に血圧が上昇したりすることがあります。
この場合、臥位になったり、立位になったりする動作で血圧が変動しやすく、動作の直後では血圧が上がります。または、上がったり戻ったりと変動し易くなっているのです。

▫ **外来とか血圧の測定場所に到着したばかりの患者では**
運動直後ということで、収縮期血圧は上昇しています。拡張期血圧はむしろ下がっていることが多く、この場合、臥位でも立位でも高くなっています。
診察は急がずに患者を少なくとも15分くらいは安静状態にしてから診察することが大切です（「運動による血圧の変動」の項を参照）。
待合室での待ち時間も診察のうちと考えておきましょう。

3）血圧の身体を動かすことによる変動について

運動による血圧の変動

通常の血圧測定は基礎血圧ないしは準基礎血圧ということで、30分以上の安静で、座位で右上腕に規定のマンシェットを巻いて測定することになっています。
このようにして測定した血圧を基にして正常値が統計学的に算出されて基礎血圧として血圧値の評価に使用されているのです。

運動を始めると、収縮期血圧は運動の程度が増すごとに次第に上昇していきます。拡張期圧はやや下降しています。

運動の程度が一定になると収縮期血圧も一定の高さで維持された状態になります。拡張期血圧も一定になります。

運動を強くすればより収縮期血圧は上昇し、弱めれば下降します。

運動を止めると収縮期血圧は下がり始めます。拡張期血圧も戻り始めます。
戻る速さは、元々正常血圧の人は戻りが早く15分程度で元の血圧か、やや元の血圧より低い血圧にまで戻ることになります。
高血圧の人は戻りが緩慢で30分も、もっともかかって戻ってくることになります。しかも、元の血圧にまで戻らないことさえあるのです。

血圧を測定する際15分程度の安静はどうしても必要で、もっと安静の時間差を長めにとる必要性さえあることがこのことで分かるのです。

日常の診療の時、**待合室はこの安静時間を作るのに重要な役目を果たしているの**だと思っています。また、言い換えると、待合室をこの目的のために活用すべきなのです。

4）合併する疾患が影響する血圧変化

測定された血圧が高いからといって、その人が高血圧症であるとは限りません。

先に挙げためまいの状態では、めまいによる自律神経の影響で心臓や血管に血圧を上昇させる反応が起こって、一時的に血圧が高くなります。
この場合、血圧は非常に変動しやすく、また、めまいの恐ろしさが、なお一層血圧を上げることになります。悪循環が出来上がるのです。

観察が十分でないと、この場合、「高血圧が原因でめまいの症状が出ている」との逆の判断がなされてしまうことになりかねません。

慎重な検査と理解が必要です。

めまいによる血圧の変化なら、めまいを治めれば血圧は下がるのです。

先の閉塞性肺疾患（p. 157）も同様です。

いろいろな疾患による血圧への影響での血圧の高い状態と高血圧症を分けて考えましょう。勿論高血圧とめまいの合併、高血圧によるめまいということも同様に考えます。

血圧を時間を変えたり、周囲の状態を変えたり、日を変えてくり返し何回か測定する必要も出てきます。

5）NSAIDsによる高血圧の変化について

NSAIDsはCOXを阻害することによってプロスタグランジン産生を抑制します。プロスタグランジンは血管拡張作用があり血圧を降下させるので、産生抑制は血管を収縮させて血圧を上げるほか体内にNa、水分の貯留を促してさらに血圧上昇に働くことになります。

6）ナトリウムと高血圧

▫ナトリウムの出納

1日食塩摂取量（g/日）＝尿中Na濃度（mEq/L）× 1日蓄尿量（L/日）/17

で計算されます。

▫**食塩感受とriserの関係**

本態性高血圧の中には塩分の負荷に非常に敏感に反応して血圧が上昇する高血圧症の人がいます。

いわゆるriserの分類に入るわけですが、この種の高血圧症の人は食塩感受性の高い高血圧症だと言われています。
日中に排出すべきNaが排泄できなかった場合、夜間に排出する必要があってそのために夜間の血圧を上げていると考えられているのです。
このような症例においては降圧利尿剤の使用が必要かと思います。

▫ 夜間の血圧上昇と夜間の頻尿

夜間頻尿になる人の中に原因として腎機能が低下している場合があります。過活動膀胱や前立腺肥大症もあるでしょう。そしてまた夜間の血圧の上昇による場合がこれに含まれています。
夜間に血圧が上昇することによって腎臓が尿を作り出してしまうことが原因として考えられます。摂取しすぎたナトリウムを排泄することが日中にできなくて、夜間になってから排泄しようとして血圧を上げているのです。6gの塩分制限が必要です。
降圧利尿薬使用が追加されたりするのは、この摂取しすぎるNaの排泄のためです。

▫ 血圧の急激な上昇とshivering

腎盂腎炎や胆囊炎、肺炎などの時、急激な体温の上昇がありますが、これらの際に悪寒戦慄（shivering）が伴ったりします。
同様の悪寒戦慄が血圧の急激な上昇の時にも発現します。
実際に観た人は少ないかもしれません。
このことを覚えておくと良いかと思います。

7）血圧の状態と睡眠は密接に関係します

▫ 低血圧と睡眠について

血圧の低い、いわゆる低血圧の人は宵っ張りで朝寝坊だと言われます。
寝つきが悪いし、また朝起きがままなりません。
夜間の血圧の低下dipが早朝に血圧の上昇をみることによって覚醒が起こるようですが、その早朝の血圧上昇が十分でないためにスッキリ覚醒できないと考えられます。次第に調子が上がってくるようですが、それが夜に寝つきが悪くなることになります。

▫夜間の中途覚醒とriserについて

逆に夜間に血圧が上がってくるriserの人はどうかというと、夜間の中途覚醒が起こることになります。そして、その時には全胸部の圧迫感とか動悸を感じていることに気づくのです。中途覚醒のある人はriserを疑います。食塩感受性が高いかもしれません。降圧剤の種類、就寝時の服用等で対処します。

▫朝の目覚めが早過ぎることとmorning surgeについて

同じように早朝の交感神経の活性化による血圧の上昇が早く始まり過ぎることがあると目覚めが早過ぎることになります。
このような早朝の血圧の動きをする場合は早朝の血圧上昇が大きい場合と考えられます。
いわゆるmorning surgeの形です。
Morning surgeは交感神経活動のコントロールで改善可能だとしてα遮断薬が使われています。

▫不眠ということに関しては

睡眠の三要素というもので決まるといいます。
つまり、目覚めているときは脳の活動を維持する覚醒系が働き、疲れた分だけ脳を眠らせたい睡眠系とバランスを取っています。
この二つのバランスの状態を日中は全身を活動状態に、夜間は休息状態にする体内時計系が操っているということです。
血圧のdiurnal rhythmが変調を起こすと上記の睡眠三要素に悪影響を与えるものと考えます。
入眠障害、中途覚醒、早朝覚醒、熟眠障害のいずれの睡眠障害にも関係してくるようです。
夜間血圧が下がることで睡眠が安定します。覚醒前から血圧は上昇し始め、そのことが覚醒につながるのです。夜間に血圧が上昇する例ではこのことが順調でないために中途覚醒などが起こることになります。

▫ **睡眠不足や過労による血圧の上昇について**

睡眠不足が続いたり過労状態が続いたりした場合、交感神経系やカテコラミンの影響によって血圧が上昇する事態になります。高血圧を持った患者にはこの点を十分注意しておくべきです。

8）気圧の変化、季節の変化に血圧が影響を受けます

３月から４月の終わりまでの頃は高気圧と低気圧がかわるがわるに日本列島を横切っていきます。気圧が上がったり下がったりを繰り返すということです。この時期には血圧は不安定になり、脳や心臓の発作性の疾患が発症しやすい時期になります。救急車の世話にならないように血圧の状態など患者の状態を十分コントロールする必要があります。

9）入浴の際の血圧変化、寒冷による血圧変化

以前高血圧の検査に**寒冷昇圧試験**がありました。両手を氷水に浸して、その前後の血圧の変化を見るものです。確かに上昇し、本態性高血圧はその上昇が強いということでした。

通常体を冷やすと血管が収縮して血圧は上昇します。

入浴の際には、**入浴すると急速に血圧の上昇をきたし、その後徐々に低下の方向にいきます**。この上昇の度合いは浴槽内の湯の温度によって異なり、湯の温度が高いほど上昇が強いということです。温度の刺激が血管収縮をきたすということのようです。上昇にはもう１つの要因があり、浴槽が深いと上昇が強いということで水圧も因子になるとのことです。

この入浴時の血圧上昇が入浴時のアクシデントの元となるようです。入浴前の身体の冷えによる血圧上昇が加われば危険は増します。

脂質異常症

脂質についてのまとめ

脂質は細胞膜の主成分、エネルギー源、脂溶性ビタミンやカルチノイドの吸収を助けたりします。また、コレステロールはホルモンやビタミンD等の前駆体でもあります。

脂肪酸はさまざまな脂質の構成成分であり、動物性脂肪などに含まれる**飽和脂肪酸**と**不飽和脂肪酸**があります。不飽和脂肪酸は1価と多価の不飽和脂肪酸に分類され、1価にはオレイン酸など、多価には**n-3系多価不飽和脂肪酸(DHA、EPA、αリノレン酸など)**、n-6系（リノール酸)、n-9系などがあります。不飽和脂肪酸はシス脂肪酸とトランス脂肪酸に分類されます。トランス型は精製した植物油、マーガリン、ファットスプレッド等の製造工程で生成されます。動脈硬化に関連します。

中性脂肪はエネルギー源であるブドウ糖が不足した場合それを補うためのエネルギー源です。油脂や糖質の摂取により得られ、運動によって消費され残りが体内の脂肪細胞に蓄積されたりします。

脂肪酸の3本がグリセロールと呼ばれる物質で束ねられた構造をしています。

コレステロールは油脂等の食品よりの摂取が1/3〜1/7、肝臓での生成が大きな部分で2/3〜6/7です。運動によって筋肉のリポ蛋白リパーゼ活性が亢進してVLDL、LDLが減少してHDLが増加しますが大きくはありません。

コレステロールや中性脂肪の脂質はそのものでは血液中では溶解しないため**リポ蛋白**の形で存在します。

リポ蛋白粒子はコレステロールと中性脂肪のcoreがアポ蛋白、リン脂質、

遊離コレステロールの成分で包まれたものです。比重によって**カイロミクロン（CM）/ 超低比重リポ蛋白（VLDL）、中間比重リポ蛋白（IDL）、低比重リポ蛋白（LDL）/ 高比重リポ蛋白（HDL）**があります。

それぞれに中性脂肪とコレステロールが含まれています。コレステロールの含量は VLDL が最も多く順に IDL、LDL で、HDL が最も少ないということです。それぞれに含まれているコレステロールを**VLDL コレステロール、IDL コレステロール、LDL コレステロール、HDL コレステロール**と呼びます。

高コレステロールとはコレステリルエステル（CE）、遊離コレステロール（FC）を多く含むリポ蛋白が血中に増加している状態をいいます。

HDLの代謝と動脈硬化について

HDL は肝臓から分泌されて血中に入り、

［新生 HDL］

↓ コレステロールを多く含んだマクロファージからコレステロールトランスポータ ABCA1を介してコレステロールを受け取る。
末梢組織由来の余剰コレステロールを除去回収（逆輸送）する。

［原始 HDL］

↓ マクロファージから別のコレステロールトランスポータ ABCA1を介して更にコレステロールを受け取る。受け取ったコレステロールを LCAT によりエステル化する。
末梢組織由来の余剰コレステロールを除去回収（逆輸送）する。

［成熟 HDL］

↘ 肝臓のスカベンジャー受容体 SR-B1を介して肝臓に取り込まれ胆汁中にコレステロールを排泄する。
（肝臓内、胆汁）

↓ コレステロール輸送蛋白 CETP により**LDL にコレステロールを輸送し、LDL から中性脂肪を受け取る。**

［TG リッチ HDL］

↓ 肝臓のHDL受容体により肝臓内に取り込まれ、肝臓のリポ蛋白リパーゼ（LPL）により**中性脂肪が分解され遊離脂肪酸を分泌**。

肝臓内

肝臓から［新生HDL］として再び分泌される。

まとめとして、

1）**新生HDL、原始HDLはコレステロール逆輸送を営む**コレステロールで、動脈硬化改善の方向に寄与する。

2）成熟HDL、TGリッチHDLはコレステロール逆輸送にかかわらない。

3）**HDLが少ないとLDLからコレステロールを十分抜き取れない**ためLDLコレステロールが増加することになり、またこれが酸化LDLとなって動脈硬化に関連してくる。

コレステロールと中性脂肪の代謝と動脈硬化の関連について

▫ **食品、脂質（コレステロール、中性脂肪）**

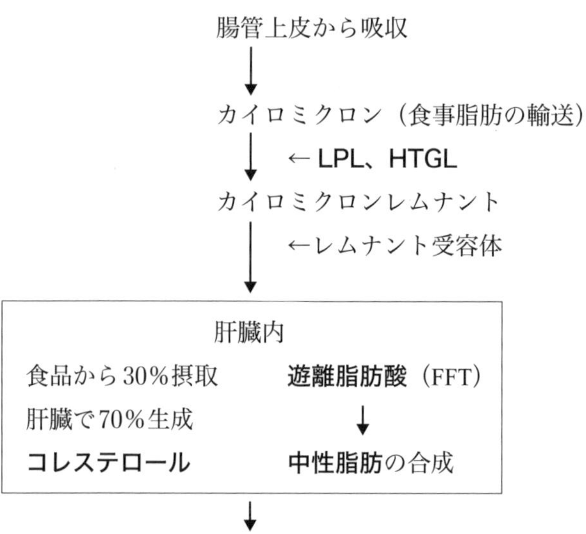

VLDL（肝臓由来の主に中性脂肪を末梢組織に輸送）

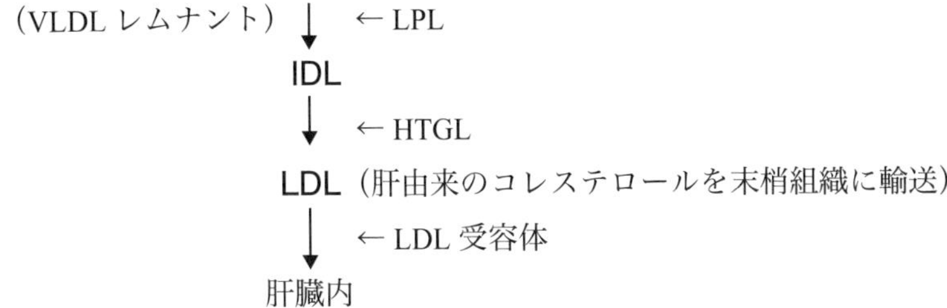

まとめると、

1）**肝臓での VLDL 合成亢進。**

2）**LDL 受容体が少ないと** LDL の肝臓への取り込みが減って血中に LDL が残る。

3）**糖尿病やインスリン不足では**長期に LPL や HTGL にさらされることで **small dense LDL（小型高比重 LDL）**が出来ることになり動脈硬化に関連する。

4）**LDL が増加した場合など**に、活性酵素などフリーラジカルの作用によって LDL が酸化して**酸化 LDL** になります。これは動脈壁を傷つけ動脈硬化に関連することになります。

5）**レムナントとは、**TG リッチリポ蛋白が LPL（リポ蛋白リパーゼ）で分解された中間産物のことであり、それをレムナントと呼びます。レムナントは通常速やかに代謝されるためわずかしか存在しません。カイロミクロンレムナント、VLDL レムナント（IDL を含む）があります。**中性脂肪値の高い場合、内臓脂肪の蓄積している場合などに多くなります。HDL コレステロールが低い場合、糖尿病の場合にその傾向が強いということです。レムナントはそのままの形で血管壁に入り込み動脈硬化を起こす。**前述の small dense LDL と並んで動脈硬化を進展させる要素です。レムナントは赤血球に入り込み赤血球を固くして血栓の元となるといわれます。

脂質異常症の検査

採血は空腹時採血とします（中性脂肪の動態を見る場合はその限りではありません）。医療保険では総コレステロール、中性脂肪、LDL コレステロール、HDL コレステロールについてはそのうちの３種のみと規定されています。残り１種は Friedewald の式によって算出します。

	正常値
総コレステロール	240 mg/dl 未満
中性脂肪	150 mg/dl 未満
LDL コレステロール	140 mg/dl 未満（120〜139 mg/dl：境界域）
HDL コレステロール	40 mg/dl 以上
nonHDL コレステロール	170 mg/dl 未満（150〜169 mg/dl：境界域）

LDL コレステロール /HDL コレステロール比

小型高比重 LDL（small dense LDL）………特にメタボリック症候群、糖尿病の動脈硬化に関しての検査。

アポ A1……… HDL の構成蛋白

アポ B………… LDL、IDL、VLDL の構成蛋白

（アポ A1・アポ B：脂質異常症の分類に利用する検査。）

アポ E………… IDL、VLDL の構成蛋白

LP（a）……… LDL のアポ B100 にアポ（a）が結合した蛋白脳血管、冠状動脈動脈硬化病変との関連の検査。

RLP コレステロール …… カイロミクロンレムナント、VLDL レムナントを反映する指標です。

RLP コレステロール / 中性脂肪………………………… Ⅲ型で高値。

RLP コレステロール /nonHDL コレステロール…． Ⅰ型、Ⅴ型で高値

nonHDL コレステロール …… 食後検体や中性脂肪 400 mg/d 以上の場合に使われる。HDL コレステロール以外のレム

ナントやIDL、LDL、VLDLコレステロール
を推測できます。

nonHDLコレステロール＝総コレステロール－HDLコレステロール

▫ Friedewaldの式

LDLコレステロール
＝総コレステロール－HDLコレステロール－中性脂肪/5

脂質異常症の分類

脂質異常症は次のように分類されます。これを**治療の指針**にします。

	増加している脂質		増加しているリポ蛋白
Ⅰ型	中性脂肪↑↑↑		カイロミクロン
Ⅱa型		コレステロール↑↑	LDL
Ⅱb型	中性脂肪↑	コレステロール↑↑	VLDL＋LDL
Ⅲ型	中性脂肪↑	コレステロール↑	レムナント（IDL）
Ⅳ型	中性脂肪↑↑		VLDL
Ⅴ型	中性脂肪↑↑↑	コレステロール↑↑	カイロミクロン＋VLDL

脂質異常症には１次性と２次性がある

２次性とは脂質異常をきたす以下のような原疾患があるということです。原疾患を探して、その治療をする必要があります。

1）高コレステロールをきたす疾患
甲状腺機能低下症、ネフローゼ症候群、原発性胆汁性肝硬変、閉塞性黄疸、糖尿病、クッシング症候群、薬剤

2）高トリセリド血症をきたす疾患
飲酒、肥満、糖尿病、クッシング症候群、尿毒症、SLE、血清蛋白異

常症、薬剤

家族性高コレステロール血症（FH）

LDL 受容体関連遺伝子の異変による疾患です。LDL 受容体、アポ B100、PCSK9が関連します。

LDL コレステロール250 mg/dl 以上で FH を疑います。

FH ヘテロ接合体は総コレステロール平均320〜350 mg/dl、FH ホモ接合体は総コレステロール600〜1200 mg/dl になり、Ⅱ a 型ないしⅡ b 型の形をとります。

角膜輪がみられたりします。皮膚黄色腫は肘関節伸側、膝関節伸側、臀部、手首に、腱黄色腫はアキレス腱肥厚（9 mm 以上）として認められます。

動脈硬化の発症や進展が早く、冠状動脈全般的の硬化や腹部動脈瘤も見られたりします。

糖尿病

糖尿病は患者の摂食とか行動の量が大きく関与してくる疾患であるため治療にはその点で困難を伴う疾患です。

糖尿病の種類について

1型糖尿病

自己免疫や、ウイルス感染、又は原因不明による膵臓のβ細胞の破壊を起因とした糖尿病です。インスリンの欠乏によるものでインスリン療法が不可欠です。

この中には特別に緩徐進行1型糖尿病、劇症1型糖尿病の状態があります。

2型糖尿病

日本の糖尿病患者の約95%はこれに属します。

インスリン分泌低下を主体とするもの、インスリン抵抗性が主体でインスリンの相対的不足を伴うものがあります。

妊娠糖尿病

妊娠を契機にして出現する糖代謝異常です。食後血糖値を自己測定していくことと、食事及び運動療法を行います。不足であればインスリン療法を加えます。

二次性糖尿病

ほかの疾病などによるもの

膵臓炎や膵臓癌などの膵外分泌低下、内分泌疾患、肝臓疾患その他の疾患や、薬物の副作用、感染症、免疫機序その他による糖尿病などがあります。

糖尿病の病態について

病態の一つはインスリンの分泌不足であるとのことで、もう一つはインスリンの抵抗性亢進であるといいます。

インスリン分泌について

インスリンは膵臓のβ細胞から分泌されるのですが、その分泌の機構は次のようであるとのことです。

膵臓のβ細胞にグルコースが入り、これが代謝される。すると ATP が増加して、この増加に反応して ATP 感受性Kチャンネルが閉鎖することになります。これによって細胞膜電位が上昇して電位依存性カルシウムチャンネルが開いてカルシウムイオンが細胞内に流入してインスリン分泌が惹起されます。

この**膵臓のβ細胞内の過程のなかの正常であるべきグルコースの代謝が活性酸素系によって障害を受けることでインスリンの分泌が不十分になる**とのことです。

インスリン抵抗性について

インスリン抵抗性の亢進に関しては次のようです。

脂肪組織は余ったエネルギーを脂肪として蓄える臓器です。サイズには一定の限界があってそれ以上では変性を受けて細胞死が生じるといいます。

脂肪細胞が肥大したり、変性したりすると、破壊された細胞から DNA が放

出されます。この放出されたDNA断片が脂肪細胞表面で反応して炎症を引き起こすのです。またマクロファージを活性化させて炎症が増大することで、脂肪組織の炎症がインスリン抵抗性を引き起こすということです。インスリン抵抗性亢進でインスリンは高インスリンとなります。

原因は二つあるのか、もっとその上に原因があるのか

インクレチンの話に食欲中枢の話が出てくるのですが、その食欲中枢の話の中に、視床下部にインスリンが作用するニューロンの話があります。

グルコース受容ニューロンの活性化、グルコース感受性ニューロンの抑制がインスリンの増加で食欲を抑制するということです。

ひょっとして視床下部が壊れて糖尿病ができるのではないかという考えが頭をよぎってしまいます。脳での血糖測定に狂いが出てきているのでは、とか思ってしまいます。冗談です。

何しろ食に関しての関心が強すぎたり、特に甘いものについての関心が強すぎる人が多い。

ずっと血糖が正常でいた人がある来院時に高血糖ということがあります。問診すると、なんだかこの1カ月ほどの間むやみに甘いものが欲しくて、とにかくたくさん食べまくったといいます。既にあった食後のインスリン分泌遅延による食後低血糖が甘いものを食べさせたのか、インスリンが過剰に分泌される状態が何らかのことでもたらされて甘いものが欲しくなったのか、ほかに何があるのか疑問だったのです。まま、このことはさておいて、

疾患合併のある糖尿病について

内分泌疾患が糖尿病に合併していることがあります。

甲状腺疾患は耐糖能の異常をきたしやすい疾患です。機能亢進も機能低下も関連があるようです。無自覚無症状の自己免疫甲状腺疾患は一般人口の10%あるといわれていますので点検が必要かもしれません。

原発性アルドステロン症がわが国でも少なくとも300万人以上いるといわれ

ます。

高血圧症の5～10%といわれますが、糖尿病に高血圧が合併している患者の11%に原発性アルドステロン症があったという報告があります。アルドステロン関連高血圧症のチェックも必要になってきます。上記の二つに関しては数的に問題にする必要があります。

また、**原発性副甲状腺機能亢進症**の40%に耐糖能異常があるといわれます。高カルシウム血症とインスリン抵抗性亢進が関連しているかもしれません。**Cushing 症候群**、**末端肥大症**などは言うまでもありません。

糖尿病性血管合併症

糖尿病性血管合併症については下記が挙げられます。

糖尿病性網膜症

糖尿病患者の視力障碍には糖尿病性網膜症のほかにも網膜症以外の疾患もあります。

網膜症関連では**硝子体出血**、**黄斑浮腫（糖尿病性黄斑症ほか）**、**網膜剝離**。ほかには、**網膜中心動脈閉塞症**、**虚血性視神経症**。そして**糖尿病性白内障**があります。

糖尿病の罹患歴15年で約50%の患者が何らかの網膜症を有しています。

網膜症の予防には厳格な血糖コントロールが必要です。しかしながらコントロールに際して急激に血糖を下げることは逆に網膜症を悪化させることになりますので要注意です。**何も急ぐ必要はありません、気長の血糖のコントロール予定を作ってください。**特に10年以上の罹患期間がある場合、内科治療の中断歴のある場合、3年以上にわたってHbA1c 9.0%以上あった場合にはより徐々の血糖コントロールが必要です。

6カ月以内にHbA1c 3%以上（1カ月0.5以上）の是正はしないようにしてください。

糖尿病性腎症

腎疾患の項を参照してください。

糖尿病性神経障害

多発神経障害（遠位性対称性）

感覚、運動神経障害………異常知覚、自発痛、知覚鈍麻、脱力、こむら返り

自律神経障害…………………起立性低血圧、無自覚性低血糖、排尿障害、便秘など

単神経障害（局所性）

脳神経障害……………………動眼神経麻痺、外転神経麻痺、顔面神経麻痺

体幹、四肢の神経障害……尺骨神経麻痺、腓骨神経麻痺

糖尿病性筋萎縮………………大腿四頭筋、腸腰筋、内転筋群の筋力低下、萎縮、筋痛

などを認めることがあります。糖尿病と結びつけて考える必要があります。動眼神経や外転神経麻痺は複視で、腓骨神経麻痺は歩行時の足尖の下垂としてみられます。

糖尿病足病変

閉塞性動脈硬化症ばかりでなく自律神経が関係した末梢血流の低下によるものも、含んだ原因によって**糖尿病性壊疽**、**足潰瘍**が起こされる。
糖尿病の罹患歴、血糖コントロールの良し悪し、糖尿病性末梢神経障害の有無、本人の足への気配りなども関連する。足指に特に清潔にたもち、水虫が出ないように、履物などで圧迫されないように、けがをしないようになどの注意を本人に自覚させることです。もちろん危険性のある患者では**外来診察時には必ず裸足にさせて観察し**、必要があれば本人に注意するべ

きです。

そのほかの関連事項と低血糖について

高血圧を持った糖尿病患者の降圧薬の選択

高血圧を持った糖尿病患者に降圧剤を使う場合どのように考えたらいいのかということです。

膵β細胞のインスリン分泌のことを考えると、カリウムイオンとカルシウムイオンが関連するようです。**サイアザイド利尿薬**はカリウムを下げるので本当は控えたい降圧薬です。しかし少量ならとの意見もありますので食塩感受性亢進高血圧での使用は仕方ないかと思います。

レニン関連高血圧で低レニンの場合にはカリウムの低下があり**アルドステロン拮抗薬**がいいかと思います。ARB、ACE 阻害薬も活用できます。

カルシウム拮抗薬は直接インスリン分泌と関連があるようですので、できれば控えるということかと思います。しかし糖尿病を誘発とは記載されていませんので必要に応じてということかもしれません。

β遮断薬は糖尿病を誘発するとの記載がありますので、よほどのことがない限り使用しないということです。

ARB、ACE 阻害薬は使用制限なしということです。

血糖値と動脈硬化、微小血管の障害

動脈硬化と血糖値との関係ということですが、血糖値の変動が大きい場合には動脈硬化が進行するとの記載がありますので、この辺のことを考えてコントロールしてください。

低血糖はよくありません。

それならむしろ少し高めの血糖の方が無難です。特に高齢では気をつけてください。

日ごとの摂食量が極端に変化することが多いものです。

糖尿病の微小血管の障害は酸化物質が原因するともいわれています。腎臓や眼の合併症にはこのことに気をつけるべきです。

いずれにしても、**高インスリン血症**については現在のところ人体内にとっては多くの疾患の発生源であり、諸悪の根源でありますから何としても避けたい状態です。

糖尿病の周辺にあるもの

肥満の糖尿病患者については
　生活習慣病、脂肪肝、睡眠時無呼吸症候群
血糖が不安定な糖尿病患者については
　感染症、歯周病、腎不全、内分泌疾患、精神疾患、膵臓癌など
高齢の糖尿病患者については
　動脈硬化、高血圧、心房細動、低血糖、自律神経障害
内分泌疾患を持った糖尿病患者については
　高カルシウム症、骨粗鬆症、高血糖、高血圧
悪性腫瘍を持った糖尿病患者については
　体重減少、貧血、高血糖、死亡

などの疾患状態に特に注意して観察治療が必要だということです。

食事と治療薬との関係について

勿論食事と体の動き具合に対して薬物療法を決めていくということですが、医師と患者の間に時に齟齬が生じます。Sick day については前もって話をしておくのですが、特に老人については体調以外でも食欲が一定でなかったりしますし、食事の支度が家の人とかに依存していたりしますからその量とか時間とかがままならなかったりします。その結果として**内服や注射との量的、時間的な不釣り合い**が生じることにもなります。このことが低血糖につながること

にもなりかねません。

また、外来時に高血糖を注意すると常々の**大食家が一時的に急に少食にする**ということも起こったりして、薬物との不釣り合いが一時的に起こることとなり低血糖につながることがあります。全部を見渡すのは難しいことです。

感染症罹患時、いつもと違った強度のスポーツや肉体的な仕事の時、朝食前の労働などでも注意が必要です。

低血糖について

血糖値が必要以下になっている状態で、以下のような状態が起こります。

60 mg/dl 以下	自律神経の症状 発汗、動悸、手指の震え、熱感、不安感、悪寒
50 mg/dl 以下	中枢神経のグルコース欠乏症状 脱力感、眠気、めまい、集中力低下、疲労感、モノがぼやけて見える
40 mg/dl 以下	嗜眠
30 mg/dl 以下	四肢または全身の痙攣、昏睡

低血糖がみられた場合には次のような原因が考えられる。

a）投与されている血糖降下剤やインスリンが強すぎる。

b）その時（日）の摂食量がいつもより少なかった、またはいつもより運動量が多かったためいつもの血糖降下剤やインスリンが比較的に強い状態となった。

c）増量した血糖降下剤やインスリンが強すぎた。

d）血糖降下剤やインスリンの増量とともに、患者本人が我慢して摂食量も減らしてしまった。

e）内服やインスリン注射の量を患者が間違えた。

f）内服やインスリン注射の施行時間と摂食の時間とを本人か家族かの何らかの都合で合わせられなかった。

g）ブリットル型であるため血糖降下剤が合わせられない。

h）下痢や嘔吐、食欲不振（sick day）があるにもかかわらず血糖降下剤やインスリンを通常の量を使用してしまった。

i）その他

いずれにしても、低血糖にはさせたくないものです。むしろ多少血糖が高めでも構わないくらいです。

糖尿病の病態をとらえる方法

糖代謝異常の指標

▫ **HbA1c**：基準値　4.6〜6.2％

ヘモグロビンの透過産物。過去１〜２カ月の平均血糖値を反映。

▪ **見かけ上高めに出る病態**

急速に改善した病態、乳び血漿、アルコール多飲

▪ **見かけ上低めに出る状態**

急速に発症あるいは増悪した糖尿病、溶血（赤血球寿命低下）失血後、肝硬変症、妊娠

▪ **どちらにでもなりうる状態**

異常ヘモグロビン血症

▫ **グリコアルブミン**：基準値　11〜16％

▫ **フルクトサミン**：基準値　210〜290 µmol/L

過去約２週間の平均血糖の指標となります。

体外にたんぱくが失われ、血漿たんぱくの半減期が短縮する場合（ネフローゼ症候群など）で見かけ上低値となります。

▫ **1.5-AG**（1.5-アンヒドログルシトール）：基準値　14.0 µ

糖代謝状態が悪化すると低値を示す。

1.5-AG は尿細管にてその99％が再吸収されます。高血糖状態では吸収が

阻害されます。

抗GAD抗体

▫ １型糖尿病と２型糖尿病

糖尿病と診断されたときに、次はそれが１型糖尿病か２型糖尿病か、二次性糖尿病かといった糖尿病の成因からの診断が必要になってきます。１型糖尿病の中には slow progressive IDDM という２型糖尿病と見分けのつきにくい病型があるため不確かな場合必ず最初に鑑別が必要です。

そのためには抗 GAD 抗体を測定します。

その他にも IAA, ICA, IA-2抗体が検査されます。

血糖値の経時的測定について

毎食直前や食後のピーク時、食間、夜間などの血糖値の連続した値の変化を知るために、血糖値の近似値であるところの皮下の間質液のブドウ糖濃度を測定することによって代用した測定法があります。あくまで血糖値の補助的な測定ですがそれを承知の上での利用ができます。

もし、低血糖で処置する場合には血糖をもう一度実際に測定して確かめる必要があります。

＊ Free Style リブレ、フラシュグルコースモニタリングシステム（アボットジャパン）

糖尿病手帳について

糖尿病手帳の記載については私は自分で次のように変形して記載しています。この方が経時的な血糖が見やすいからです。

月/日	体重 kg	血圧 mmHg	HbA1c %	血糖 食後の時間帯　○朝、×昼				治療変更事項
				3 h～	～1 h	～2 h	～3 h	
/								
/								

インスリンに関する検査

インスリン分泌能の指標

空腹時の基礎インスリン分泌能と食後の追加インスリン分泌能があります。

２型糖尿病や糖尿病予備軍では追加インスリン分泌能が遅延し、低下しています。

▫ **インスリンインデックス**（Insulinogenic Index）

75 gOGTT を施行して負荷後30分のインスリンの増加量を血糖値の増加量で除したもので食後のインスリン追加分泌の初期分泌能の指標となります。

インスリンインデックス
＝Δ血中インスリン値（30分値－０分値）/Δ血糖値（30分値－０分値）
（μU/ml）　（mg/dl）

糖尿病：0.4未満。

境界型でも0.4未満の場合には糖尿病への進展率が高い。

▫ **Cペプチド**

インスリンが作られる途中にできる物質で、インスリンとほぼ同じ割合で作られます。

従って、インスリン依存状態の指標として使えます。
空腹時のＣペプチド：0.5 ng/ml 以下はインスリン依存状態。
24時間尿中Ｃペプチド排泄量：20 μg/日以下はインスリン依存状態。

▫ HOMA-β

インスリン分泌能の指標となります。

HOMA-β
　＝空腹時インスリン値（μU/ml）× 360/(空腹時血糖値〈mg/dl〉－ 63)
　　30％以下の場合インスリン分泌能低下ありと判断します。

インスリン抵抗性の指標

血中インスリン濃度に見合ったインスリン作用が出ていないことをいいます。

▫ 血中インスリン値

血中インスリン値：正常値　２～10 μU/ml。
早朝空腹時の血中インスリン値が15 μU/ml 以上を示す場合は明らかなインスリン抵抗性が存在すると考えられます。

▫ HOMA-IR

インスリン抵抗性の指標として臨床上よく使用されます（２回目の受診の時に空腹で来院してもらって測定すると都合がいいかと思います)。

HOMA-IR
＝空腹時インスリン値（μU/ml）× 空腹時血糖値（mg/dl）/405
　正常値：1.6 以下。
　インスリン抵抗性：2.5 以上。

これらの検査を駆使してその患者の糖尿病の病態を把握して治療にあたることになります。

インスリン不足か、インスリン抵抗性か、肥満か、老人か、どんな疾患が合併しているのかなどと、最も重要なのは本人がどういう生活をしているのかということかもしれません。何しろ複雑です。本人の生活のこととか医師の手の届きがたい領域を含んでもいます。

腎臓病

腎臓病が発見される端緒として蛋白尿陽性と血尿が挙げられます。

まずは、血尿に見られる赤血球の変形や蛋白尿の量などを手掛かりとして診断を進めていくことになります。

浮腫や血中尿素窒素、クレアチニンの異常が認められたりした場合には進行の状況などによって**急性腎炎症候群、慢性腎炎症候群、ネフローゼ症候群**などに病態分けして検査がなされることとなります。

これらはその状態が徐々の進行か、急速な進行かが問題になってくるので進行の仕方を十分観察していくことが重要になってきます。

糸球体腎炎の診断は病理学的診断が決め手となるので、糖尿病性腎症などで原因が明らかであって不必要な場合や出血傾向、腎機能の問題などで施行出来ない場合を除いて**腎生検**が必要になってきます。

適当な時期に一度専門医にコンサルトして、その指示に従って経過を見ていくことが勧められます。

その他腎疾患としては**糖尿病性腎症、腎硬化症、痛風腎、多発性嚢胞腎、腎癌、腎盂腎炎**などがありますのでそれぞれに対処することとなります。**腎臓より下部の腎盂、尿管、膀胱などの結石や腫瘍も血尿**との関連があります。

男性の場合は**前立腺、精嚢、睾丸、副睾丸**、女性の場合には**卵巣、輸卵管、子宮、膣なども領域は別かもしれませんが問題になることが多いですから考えの範囲内においておくべきです。**

日本腎臓病学会作成の診療ガイドライン、

https://www.jsn.or.jp/guideline/guideline.php

を参照、利用してください。

腎疾患についての検査

検尿について

検尿については次のようなことを検査する。

- **尿比重**
- **尿定性**：ph、尿潜血、尿たんぱく、尿糖、ケトン体、亜硝酸塩
- **尿沈渣**：尿を遠心して沈殿物を検鏡する

　　赤血球
　　白血球
　　円柱：赤血球円柱……腎糸球体からの出血で、腎実質の病変があることを示しています。
　　　　　白血球円柱……腎実質の炎症の時に見られます。
　　上皮細胞、悪性腫瘍細胞など
　　塩類などの結晶
　　その他

以上の尿の検査は次に記載してある要領で検査を行い、またその結果を判断して診断の材料とします。

血尿

▫ 肉眼的血尿

赤い尿、コーラ色の尿、凝血塊が混ざる尿。
腎から尿道口までの尿路からの出血があることを示しています。
実際にはそのうちのどの部位からの出血かを推測する必要があります。

▫ 顕微鏡的血尿

顕微鏡で調べて初めて血尿が分かる程度の血尿です。

▫ 内科的血尿

血尿にたんぱく尿を伴う場合。この場合、腎実質からの可能性が高い。

尿たんぱくは500 mg/dl 以上がそれにあたります。

▫ **糸球体性血尿**

尿沈渣で赤血球の形態に異常がある場合は腎実質からの血尿です。

尿沈渣赤血球の形態異常とは次のものが挙げられます。

コブ・ドーナツ状不均一赤血球（コブ状変形赤血球）

標的・ドーナツ状不均一赤血球（アイランド状赤血球）

ドーナツ状不均一赤血球（ドーナツ状赤血球）

- p. 6、図録（図６）を参照してください。

赤血球円柱を認めることが多い。赤血球円柱は腎臓の尿細管の鋳型です。

赤血球塊は認めません。

▫ **非糸球体性出血、泌尿器科的血尿**

赤血球塊は腎臓より下位の出血で見られます。

腎臓以下の出血です。腎盂、尿管、膀胱の腫瘍、結石、炎症などで見られます。

特徴としては以下の初見がある時に疑われます。

尿たんぱく：500 mg/dl 以下。

凝血塊を認めることあり。

赤血球の形態異常　なし。

赤血球円柱　　　　なし。

▫ **尿潜血陽性**

試験紙による検査である場合の潜血陽性ということです。尿沈渣では赤血球が認められない、または正常域にある場合もあります。

検鏡検査の尿沈渣で確認する必要があります。

ヘモグロビン尿、ミオグロビン尿、アルカリ尿、アスコルビン酸、精液などが関連して潜血陽性になることがあります。

血尿があった場合

▫若年の血尿

ナットクラッカー症候群。（非糸球体性血尿）

IgA 腎症の初め。IgA の経過を見ることを要します。

その他の腎炎。（糸球体性血尿）

▫高齢の血尿

急速進行性糸球体腎炎。（糸球体性血尿）

腎癌、膀胱癌などの尿路の悪性腫瘍、尿路結石、腎嚢胞。（非糸球体性血尿）

膿尿

正常では、尿中白血球、数個/vf ですが、それ以上の白血球が認められる場合には膿尿といいます。状況を見て細菌培養（一般細菌、結核菌など）を行います。

検鏡や培養で細菌を伴う場合と伴わない場合があります。

細菌を伴う場合　　：細菌尿

細菌を伴わない場合：無菌状態尿（間質性腎炎、急性糸球体腎炎、腎結核などにみられます）

尿細胞診

腎盂、尿管、膀胱などの悪性腫瘍が疑われる場合に行います。

多めの尿の沈査で行います。

たんぱく尿

尿たんぱくがあった場合

正常では、
　1日の排泄量：150 mg/dl（40～80 mg）
　定性（－）：但し濃縮された尿では（±)～(＋）のことがあります。
たんぱく尿といわれるのは、
　1日の排泄量：150mg/dl 以上です。

正常では、
　分子量の小さいミクログロブリンは糸球体で濾過されたりします。
　しかしアルブミンなどの分子量のたんぱくは濾過されません。
　濾過されたたんぱくも近位尿細管で殆どが再吸収されます。

▫ **腎前性たんぱく尿**

B-J たんぱくは糸球体より過量に濾過されるため再吸収が追いつかず、たんぱく尿となります。

▫ **糸球体性たんぱく尿**

糸球体基底膜のバリアー機構の障害で多量のたんぱくが糸球体より濾過されてたんぱく尿となります。

▫ **起立性たんぱく尿**

たんぱく尿が疑われれば早朝尿を調べる必要があります。

たんぱく尿の程度

たんぱく尿の程度は腎臓病の予後との関係で重要です。

経年的に追跡した研究では、**尿蛋白が多いほど末期腎不全に至る症例が多い**ことが分かっています。特に病初期に尿蛋白が多ければなお確率が上がるとのことですので、中程度以上のたんぱく尿の患者については一度腎臓内科にコンサルトしておくとよいでしょう。

たんぱく尿の程度の表し方は次のようです。

1 g/day 以下 ：少量
1 〜3.5 g/day ：中等量
3.5 g/day 以上：大量のたんぱく尿　ネフローゼ域

随時尿で1日尿たんぱく量（g/日）を推定するには、

$$尿たんぱく（g/日）= \frac{尿中たんぱく濃度（mg/dl）}{尿中クレアチニン濃度（mg/dl）} \times 1$$

（1日尿中クレアチニン排泄量をおおよそ1gとする）

で計算されます。

微量アルブミン尿

糖尿病性腎症の初期に見られる所見で、心血管系の疾患リスクと関係します。

尿たんぱく（－）、しかし尿中アルブミンが増加しています。

スポット尿で30 mg/gCr 以上をいいます。

早期の糖尿病性腎症の所見です。

高い圧力のかかっている細動脈の障害を表しているということです。eGFRとともに独立した腎不全の危険因子です。一般的な腎障害に通じています。

保険上は適応が糖尿病に限られます。

血液検査

電解質（Na, K, Cl, Ca, P）

尿素窒素、クレアチニン…………………尿素窒素の方が早期に動く

eGFR

シスタチンC

ブドウ糖

血清蛋白、蛋白分画ないしアルブミン

脂質

検血一般、エリスロポイエチン

血液ガス分析、血漿浸透圧

免疫グロブリン（IgG, IgA, IgM）、免疫電気泳動

血清補体、抗核抗体、抗 dsDNA 抗体

抗ストレプトリシンO抗体（ASO 抗体）

抗ストレプトキナーゼ（ASK）

抗好中球細胞質抗体（ANCA）

抗糸球体基底膜抗体

腎機能の評価

腎機能の評価方法

腎機能の評価は次のように行われます。

▫ **血清クレアチニン値で評価**

個人の筋肉量にも依存するため注意する必要があります。

筋肉量の多い男性では高めで、女性では低めになっています。

もちろん、脱水などの水分不足の状態では上昇します。運動や労働など筋肉の強度使用でも上昇します。

▫ **eGFRで評価**

血清クレアチニン値
性別
年齢
} より算出 …… eGFR　mL/分/1.73 m^2

（この数値に関しては検査センターに依頼すれば計算、印刷していただけます）

基準値　60以上

（体表面積1.73 m^2よりずれが大きい場合不正確になるためGFRに換算して評価することが良い。GFRの項を参照してください。体表面積は計算サイトの利用か、体表面積表により出してください）

eGFRについては身長170 cm、体重63 kgを標準として計算してありますから、体格によっては実際との乖離が出てきますので注意が必要です。これを踏まえて身長と体重から作成してある簡易**体表面積の表を用いてより実際に近いGFRを算出**します。

▫ **GFRで評価**

薬物の投与量を決定する場合にはGFRに計算し直します。

GFR ＝ eGFR ×体表面積 /1.73 mL/ 分　として算出します。

GFRの低下を腎機能の低下といいます。

次の項に腎機能評価の基準を示します。

慢性腎臓病の腎機能評価

慢性腎臓病の腎機能に関しては、**進行性に悪化する運命**にあります。

内科外来では生活の指導や薬物等の治療でこの**進行を極力遅らせること**にあります。

慢性腎臓病治療ガイドラインの表を示して患者本人に自覚を促すことが必要です。また主治医は状態を診て専門医と連絡を取ることも必要になってきます。

腎機能の度合いで次のようにStage分類がなされています。

Stage 1：GFR≧90 mL/分
Stage 2：89 mL/分≧GFR≧60 mL/分
Stage 3：59 mL/分≧GFR≧30 mL/分
Stage 4：29 mL/分≧GFR≧15 mL/分
Stage 5：15 mL/分＜GFR

慢性腎不全はStage 3〜5をいいます。

Stage 3では高血圧、軽度の高尿素窒素血症、軽度の貧血、夜間尿の出現が見られます。
その他の自覚症状には乏しい状態です。
しかし、投与薬剤の減量などが必要になってきます。
eGFR40以下の場合は造影剤は使用しないようにします。

Stage 4では高尿素窒素、貧血に加え高カリウム血症、代謝性アシドーシス、高リン血症、低カルシウム血症などの電解質異常が認められるようになります。
高血圧も難治性になります。むくみが出てくるようになります。
血液透析の準備の時期です。

Stage 5では上記に加えて著明な体液の貯留（腹水、胸水、肺水腫、全身浮腫）が認められます。
尿毒症の症状が出現します（吐き気、嘔吐）。
意識障害、出血傾向。
心不全にも至ることになります。
末期腎不全状態で血液透析が必要になってきます。

保存期慢性腎不全　Stage 3、4　をいいます。
末期腎不全　Stage 5　をいいます。

腎不全の初期　　　　夜間尿が増加します。
尿素窒素が増加します。

腎臓エコー検査、膀胱エコー検査

顕微鏡的血尿やたんぱく尿などの尿の異常所見が確認された場合にはエコー検査がなされるべきです。

腎臓の形態の観察、腎臓の長径の左右差、腎盂の形態、腫瘍や嚢胞の有無、更に腎動脈の血流に関する観察をすることができます。

尿沈渣とたんぱく尿所見から見た場合、

尿たんぱく（2+）～（3+）が確認された場合
尿たんぱく0.5 g/gCr以上の場合
血尿が（3+）50/Vf以上出ている場合
｝には専門医に紹介して点検してもらいます。

血尿が（2+）20～30/Vfの場合、推移を観察します。

血尿とたんぱく尿が一緒の場合、糸球体腎炎の活動性が高い状態です。

循環器系に関しての検査

慢性腎臓病は心血管系の合併症が多くなることから、循環器系の検査が大切になってきます。

腎臓の疾患について

尿の異常があまり見られない疾患

尿の異常があまり見られない疾患としてはつぎのようなものがあります。
腎臓エコー検査をして初めて発見されたりしますので要注意です。

尿の異常があまり見られない腎疾患としては次のようなものがあります。
腎臓エコー検査をして初めて発見されたりしますので要注意です。

▫ **腎硬化症**

高血圧や加齢によって輸出入動脈、メサンギウム細胞などの障害により生じるといわれます。このことで**腎萎縮**をきたす疾患です。基本的には尿異常はほとんど認めません。

透析導入の12%（3位）を占めます。

▫ **痛風腎**

高尿酸血症から引き起こされる状態です。
尿異常は殆どありません。

▫ **多発性嚢胞腎**

高血圧や微小あるいは出没する血尿やたんぱく尿で発見されたりします。
脳動脈瘤や大腸憩室症を合併しやすいのが分かっています。
心臓弁膜の異常が認められたりします。
遺伝のことが多い。子の２分の１に遺伝します。
疑われれば腎臓の超音波検査を行います。バゾプレッシン受容体拮抗薬が使用されたりします。

糖尿病性腎症

糖尿病患者の25〜50%に合併して、末期腎不全全患者の30〜40%を占めます。輸出細動脈の収縮による糸球体内圧の上昇があって過剰ろ過の状態で始まります。腎は腫大して微量アルブミン尿が認められる。第一期では年１〜２回微量アルブミン尿の検査を行い進行の有無を検しておきます。

その後次第に蛋白尿となり、血圧の上昇を見る。クレアチニンの上昇をきたし、第三期Ｂでは GFR が急速に低下して第四期の腎不全期に至ります。

Advanced glycation endproducts や angiotensin II がメサンギウム細胞障害に関係します。ACE 阻害薬使用の根拠となります。

顕性腎症後期（第三期Ｂ）のあたりでネフローゼ症候群を呈する場合があります。

糖尿病性腎症は浮腫、溢水をきたしやすい。腎性貧血も非糖尿病性より早く出現します。

神経因性膀胱の残尿などで感染が起こりやすく、腎盂腎炎、乳頭壊死を起こすことがあります。

IgA 腎症

「IgA 腎症は腎炎徴候を示唆する尿所見を呈し、優位な IgA 沈着を糸球体に認め、他にその原因となる疾患が認められないもの」とされています。慢性糸球体腎炎の一種で、慢性腎炎の30〜40%を占めるといわれます。20年の経過でその40%が末期腎不全に至るといわれるので重要な疾患です。

感冒や扁桃腺炎などで通常と異なる IgA が出現し、腎臓の糸球体に沈着して炎症を起こすことで発症する慢性糸球体腎炎です。

急性扁桃腺炎の後の血尿で発見されることもありますが、無症状で検診での血尿で見つかることもあります。血尿が主な症状で肉眼的血尿になることもあります。

蛋白尿はあったりなかったりです。蛋白尿高度例では予後が良くないという事です。初期は腎機能も正常のことが多いようです。

血清IgAは約半数で値が上昇するとのことです。粘膜、骨髄でのIgA産生が亢進するとのことです。

診断には腎生検が必須です。

急速進行性腎炎症候群

「腎炎を示す尿所見を伴い、数週から数カ月の経過で急速に腎不全が進行する症候群」です。

糸球体に尿空を満たす半月体が形成されて、糸球体の血流が妨げられ、従って糸球体ろ過が急速に低下して腎機能が急速に悪化する疾患群です。自己抗体（ANCA）が陽性の症例や、免疫複合体が沈着する病型が多く、これ等が原因と考えられています。

一次性、膠原病からの全身性、感染性、薬剤性などの臨床病型があります。

ANCA関連腎炎、免疫複合体型腎炎、抗GBM抗体型腎炎

全身倦怠、微熱

血尿、蛋白尿、円柱尿

腎機能の急速な低下、貧血、CRP高値

などの所見を見た場合に疑い、～１～２週以内に腎機能を再検して、進行するようなら専門医に紹介します。

２年間の死亡率22.3％、透析への移行率23.3％。

難病指定です。

ネフローゼ症候群

ネフローゼ症候群の診断基準は、

1．大量のたんぱく尿をみとめる。

尿蛋白量　一日3.5ｇ以上が持続する状態。

尿蛋白/クレアチニン比　3.0g/g Crでもよい。

試験紙では4+に相当する。

2．低アルブミン血症

血清アルブミン　3.0 g/dl 以下（血清蛋白6.0 g/dl 以下でも参考になる）。

3．浮腫

腹水、胸水、心嚢液、陰嚢水腫などが出てくる。

4．総コレステロール値　250 mg/dl 以上。

3、4にかんしては必須ではない。

病型には微小変化群、巣状糸球体硬化症、膜性腎症がある。

原因疾患としては、

原発性糸球体疾患、糖尿病性腎症、IgA 腎症、ループス腎炎などがある。

原因疾患の診断には**腎生検が必要**である。

病態としては、

腎臓での Na 貯留が進み、低たんぱく血症とともに浮腫の悪化につながることとなる。

体内のたんぱく質喪失のために浮腫が腸管にも至り栄養障害をきたす。

感染症にかかりやすくなる。

肝臓でのフィブリノーゲン産生増加によって血栓症を起こしやすくなる。

脂質異常症となる。肝臓での脂質代謝異常から結果、LDL、VLDL が増加する。

上記の二つのことは、高血圧の進展や虚血性心疾患、脳血管障害をきたすもとになるし、腎機能のさらなる低下をきたすこととなる。

▫参考：

低アルブミン血症の原因；たんぱく質摂取不足、アルブミン生成の低下（慢性肝疾患など）、腎臓からのアルブミン喪失（ネフローゼ症候群など）、胃腸からの喪失（蛋白喪失性胃腸症）、皮膚からの喪失（広範囲の熱傷な

ど）、胸腔や腹腔への喪失（胸水や腹水）、悪液質

急性腎障害（急性腎不全）

高齢、糖尿病、慢性腎臓病の危険因子を有することに加え、急性心不全、脱水、薬剤などが急性腎障害を発生させたりする。

予後としては、そのまま末期腎不全に至ったり、回復しても発生前の状態には腎機能が回復しなかったり、前より進行が早くなったりすることになる。

数時間から数週間の急激な経過で腎機能が低下します。eGFR、クレアチニンの時間的追跡が重要になります。バイオマーカーとしてはL-FADP、シスタチンC、Cr、BUN、尿中アルブミンを追跡します。

急性に腎不全をきたす状態には次のようなものがあります。

1）腎前性急性腎不全

ショック、脱水（熱中症、下痢、嘔吐、食欲不振）、心不全を起こす心疾患などの有無を調べる

2）腎性急性腎不全

あ）**尿細管壊死**による急性腎不全

腎毒性のある薬剤の服用、遷延する血圧低下状態

い）**間質性腎炎**による急性腎不全

薬剤投与中の発症

う）**糸球体性疾患**による急性腎不全

蛋白尿、血尿、尿沈渣の異常

抗基底膜抗体（抗GBM抗体）、抗好中球細胞質抗体（ANCA）、膠原病の経過中

え）**クラッシュ症候群**など

3）腎後性急性腎不全

前立腺肥大、骨盤内腫瘍など尿閉の原因の有無

脱水状態の分類

(呼吸器疾患の脱水の項を参照してください)

▫ **高張性脱水**

水の喪失が優位な場合、通常高 Na 血症となります。

口渇以外に症状は少ない。循環不全症状は出にくい。

飲水が制限された幼児、老人、意識障害の場合に起こります。

▫ **等張性脱水**

水と Na が等張性に失われる状態です。

血清 Na 濃度は変わりません。

出血、熱傷等張性の下痢（コレラ）などの場合です。

▫ **低張性脱水**

Na の喪失が水の喪失より優位の場合です。

低張性で、低 Na 血症の状態になります。

細胞外液の減少で循環不全が起こり易い状態です。

嘔吐、下痢、利尿薬、副腎不全などの時に起こります。

（夏季や暖房下など脱水をきたしやすい環境下では、利尿剤は長期の処方をしないで、原疾患の状態を見ながら増減をこまめにする必要があります）

腎機能低下によって招来される状態

腎機能低下の程度と出現する症状について

腎機能が低下してくると糸球体濾過量が50%程度までは**無症状**の状態にありますが、それより低下が進むと腎臓における尿の濃縮能が低下してきて希釈尿となり尿量が増加することになります。そのため**夜間の排尿**が増えることになります。そして この頃には**尿素窒素の上昇**が**クレアチニンの上昇**に先立って現れます。

糸球体濾過量が30％を切るようになると、クレアチニンが上昇してきて尿素窒素もさらに上昇してきます。**血圧も上昇して血清カリウムの上昇**をきたすようになります。

さらに**腎性貧血**が現れ、さらに進むと**高リン血症、低カルシウム血症、代謝性アシドーシス**をきたすに至ることになります。**水分の貯留**などをもとに**心不全**や**肺水腫**に至ったり、高窒素血症をもとに吐き気、嘔吐、**意識障害**へと進行するわけです。

日本腎臓病学会の『CKD診療ガイド2012』の「CKDの重症度分類」の表を使って患者の状態を位置付けてください。

水分の貯留（細胞外液量）

腎不全においては細胞外液量の増加、ナトリウムの蓄積、カリウムの蓄積が起こります。

浮腫の起こる機序には二種類あります。

ひとつは、糸球体濾過量低下、腎の血行動態悪化、レニン−アンギオテンシン−アルドステロン系の関与、交感神経系や抗利尿ホルモンの関与によって腎でのナトリウム排泄低下が起こってナトリウムが蓄積する結果起こる浮腫。

もうひとつは、ネフローゼ症候群のように細胞外液が組織間に移行したために有効循環血液量が低下し、腎のナトリウム再吸収の亢進が起こってナトリウムが貯留するために起こる浮腫。

CKDではこの両者の混合で浮腫に至ると考えられます。

高血圧、心不全、肺水腫などを引き起こすもとにもなります。

対処として利尿薬を用います。それぞれ作用部位が異なりますし、作用機序も異なりますので、その状態に都合の良い利尿薬を選んで使ってください。

腎機能低下による血清K値の上昇のこともあり、カリウム保持性利尿薬に関しては要注意です。

ループ利尿剤……………………………ヘンレ係蹄上行脚

サイアザイド利尿薬……………………遠位脚尿細管
カリウム保持性利尿薬…………………遠位尿細管と集合管
バゾプレッシン受容体拮抗薬……….遠位尿細管と集合管

また、**利尿薬使用は状態による加減が勿論重要**になります。

心不全で使用の際には脱水気味の方が心臓には得ですが、脱水になると腎臓に関しては尿量で老廃物の排泄を稼いでいるところですから、Cr、BUNなどのますますの蓄積が起こることになりますので、**使用量を最小限**にしてください。

高窒素血症

腎機能低下の際に血液尿素窒素が上昇した状態をいいます。高窒素血症は腎不全の種々の症状のうちの一つである老廃物の蓄積を表しています。

水分摂取や食事、特に低たんぱく食、そして薬剤では**球形吸着炭**を用います。

高カリウム血症

カリウムは腎尿細管で濾過されますが、その大半が再吸収されます。

腎臓からの尿中へのカリウム排泄は**遠位尿細管でのカリウム分泌**によっています。

この部分が腎機能低下によって不全となり血清カリウムの上昇をきたすことになります。**心疾患などでのスピロノラクトンなどカリウム保持性利尿剤の使用がないかの点検**をして下さい。

高カリウム血症になると一番の問題は心臓への影響です。生命に危険を及ぼす不整脈を惹起するからです。高カリウム血症を見た場合、必ず心電図を撮ってください。**高カリウム血症の心電図所見**としてはまず不整脈を認めないかどうか。不整脈は多彩です。心室細動に至ることになります。心電図の形としてはT波の増高と先鋭化に始まりQRSの幅が広くなり、ついにはサインカーブを示すに至ります。その形からカリウムの値が推測されます。

ほかに高カリウム血症は筋力低下、嘔吐、イレウスなどの症状を呈します。

軽度の場合、食事療法やカリウム交換樹脂で対応することになります。

酸血症の場合には炭酸水素ナトリウムを追加投薬します。

緊急の場合にはグルコン酸カルシウムの静注、グルコースインスリン療法、血液透析が行われます。

カルシウム、リンの異常

ミネラルは腎臓を中心とするいくつかの臓器がフィードバック機構をなしてコントロールされています。

血清Ca/P濃度の異常、続発性副甲状腺機能亢進、石灰沈着などが腎不全の場合に起こってきます。結果、慢性腎臓病では骨折が起こり易くなります。**危弱性骨折**です。

このことに対処するため骨吸収抑制、骨形成促進、Ca/P濃度調整、副甲状腺代謝の調節が必要になってきます。

薬剤としてはビスホスホネート（CKD4以降では禁忌）、デノスマブ（副作用の低カルシウム血症の対策が必要）を用います。

▫ リン

糸球体で濾過された後近位尿細管で再吸収されます。

高リン血症が顕性化する前にFTF23が上昇した後に1.25（OH）2Dが低下してPTHが上昇します。その後に血清リンが上昇して血清カルシウムが低下します。

高リン血症は普通CKDのstage4、5です。

低たんぱく食の指導が高リン血症を予防することになるといわれます。

代謝性アシドーシス

体内のpHの調整は呼吸でのCO_2排泄、腎臓からのHの排泄によってなされています。

腎機能が低下すると、

1．**滴定酸の排泄障害**（リン酸塩、硫酸塩など）が起こり、更に、
2．**HCO_3^- の再吸収障害**によってアニオンギャップが増加する。
3．NH_4^+ の排泄障害

呼吸による代償も間に合わず、代謝性アシドーシスが発生することになります。

慢性腎不全では腎機能悪化に伴い代謝性アシドーシスが強くなります。

eGFR＞30でも代謝性アシドーシスが起こることがありますが、この場合はアニオンギャップ正常型アシドーシスでアンモニア産生低下が原因とされています。

CKD4になるとアニオンギャップが上昇し始め代謝性アシドーシスが明瞭になります。

血液ガス分析を行い**アニオンギャップの計算**をします。

アニオンギャップ＝[Na^+]－[Cl^-]－[HCO_3^-]正常値　12±2 mEq

同時に、尿pH＜5.5、血清カリウムの上昇、アンモニア産生障害、有機酸の蓄積の所見を見ます。

骨吸収により骨量の低下
筋肉などのたんぱくの異化
高カルシウム血症、腎結石
腎機能低下のスピード促進
生命予後の不良

などが起こってきます。

これらの合併症を未然に防止するために重炭酸ソーダによる適度の補正を行

い、HCO_3^-血中濃度を21〜26 mEq/L に保っておく必要があります。
代謝性アシドーシスについては成書を参照してください。

腎性貧血

通常貧血に伴う酸素供給の低下がエリスロポエチンを増加させますが、障害によってエリスロポエチン産生細胞が減少して**エリスロポエチンの不足**が生じます。

このため赤血球前駆細胞の分化、成熟が進まず、正球性正色素性貧血になります。

また、

赤血球の寿命の短縮があったり、
失血しやすい状態があったり、
CKD に伴う栄養障害があったり、
慢性の炎症を伴っていたりしやすいので、

これらによる貧血も合わさって複雑化しています。

eGFR＜60 ml/分/1.73 m^2になると貧血の進行があります。
eGFR＜15 ml/分/1.73 m^2になると大多数例で貧血が進行します。

貧血は臓器障害を起こし、心臓への負担が大きくなって心不全への道を辿ることとなります。

治療としては、

腎性貧血と診断され、Hb 11 g/dl 未満となった場合に、エリスロポエチンの補充療法を行います。
エポジン、エスポー
ネスプ

ミルセラ

などを使用します。

製品による禁忌、慎重投与などに注意してください。

途中、相対的鉄欠乏になればその評価をして適切な鉄補充をします。

適切な鉄の評価には、

トランスフェリン飽和度（20％以下で鉄補充療法を開始する）

TSAT％＝血清鉄（μg/dl）/TIBC（μg/dl）×100

フェリチン値（100 ng/ml 以下で鉄補充療法を開始する）

を標準検査として用います。

不要な鉄の補充は逆に鉄の利用効率を低下させる結果となって、貧血を進行させることにもなるため心すべきです。

トランスフェリン飽和率が50～80％以上になった場合、トランスフェリンと結合しない鉄が血液中に出現します。

これは障害性がありますので、より低めに保つべきです。

TSAT％を22以上、フェリチンを60 ng/ml 以下にすることが理想的ということです。

腎性貧血に対しての鉄分補給が問題になったり、鉄欠乏性貧血でも鉄分の補充が量的に問題になります。

鉄欠乏性貧血を診る機会が多く、また、がんを患者本人が自覚する以前に発見しようとして血液を見ていると、鉄代謝が気になります。

鉄についての知識

成人の体内には、鉄が３～４g 存在します。

その、

３分の２（65％）は ……… Hbとして赤血球内にあります。
３分の１（30％）は ……… フェリチン、ヘモジデリンとして肝臓、脾臓、骨髄に貯蔵鉄としてあります。

鉄が不足してくるとトランスフェリンに鉄を渡します。
鉄が多くなるとフェリチンに貯めます。
フェリチン　正常：12mg/dl以上。

（３～５％）は ……………… ミオグロビンとして筋肉内にあります。
（0.1％）は …………………… 血液中でトランスフェリンと結合してあります。

体外に１日、１～２mg排泄される。
体外から１日、１～２mg十二指腸、上部消化管より吸収される。トランスフェリンによって運搬される。

▫トランスフェリン（Tf）
鉄欠乏性貧血の時トランスフェリンは増える。
トランスフェリン飽和率　正常：30％前後。
Tfの３分の１が鉄と結合＝s-Fe
Tfの３分の２が鉄と未結合＝UIBC（不飽和鉄結合能）

s-Fe ＋ UIBC ＝ TIBC（総鉄結合能）

20％以下は貧血になっていく。
50～80％以上になるとトランスフェリンと結合しない鉄が出現する。この状態は臓器に対して障害性を有する。

トランスフェリン飽和度＝ Fe/ トランスフェリン× 100（％）

高尿酸血症

高尿酸血症は次のように分類されます。

- **尿酸産生過剰型**
- **尿酸排泄低下型**
- **上記二つの混合型**

があります。

腎機能の低下により排泄低下になります。

CKDでは排泄低下と混合型が多くなります。

尿酸は痛風の基礎病態です。

症状がある高尿酸血症では7.0 mg/dlを超える場合は治療を開始します。

高血圧や痛風のある場合は6.0 mg/dl以下での維持が望ましく、無症状の場合は8.0 mg/dl以上の場合に治療を開始します。

アロプリノールによって腎機能の悪化を予防できると言われていますが腎機能の低下している場合にはアロプリノールによる重篤な副作用の頻度が高いと言われているので、その腎機能に応じた推奨使用量が示されています。

腎機能低下例での高尿酸血症の治療をする場合

腎機能障害合併例では、

尿酸排泄促進薬は使用禁止。
尿酸産生抑制薬（アロプリノール、フェブキソスタット）を使用します。

腎機能に応じたアロプリノールの使用量は、

Cr＞50 ml/分	100～300 mg/日
50～30	100 mg/日

30以下　　　　　　50 mg/日

30 mg/dl 以下の場合はアロプリノールとベンズブロマロンの少量を併用します。

生活習慣の改善

1　食事療法
　摂取エネルギーの適正化。
　高プリン食を極力控える。
　十分な水分摂取を行う（1日尿量2000 cc 以上）。
2　飲酒制限
　日本酒：1合、ビール：500 cc、ウイスキー：60 cc まで。
3　運動の推奨
　週3回程度の軽い有酸素運動。
　BMI＜25を目標にする。

高尿酸血症については尿酸の酸化促進作用により直接的に高血圧、CKD、CVD と密接に関連します。また、血清尿酸値の変化量と eGFR の変化量とは相関します。
アロプリノールによる治療は CKD のクレアチニン値上昇を抑制しています。
フェブキソスタット治療による尿酸値低下効果が高いほど腎機能の悪化が抑制されています。

高尿酸血症は CKD における高血圧、腎障害の進展に重要であり、更にその機序として RA 系亢進が重要な役割を演じています。

尿酸値は内臓脂肪面積と比例します。

高尿酸血症、インスリン抵抗性（高インスリン血症）、高血圧は密接に関連しています。

高血圧者は高尿酸血症が心血管疾患の独立した危険因子です。

ロサルタンは尿酸排泄作用を併せ持つため高血圧と高尿酸血症の合併者に推奨されています。

尿酸値はCRP産生と関連があります。

尿酸は血漿中では抗酸化作用、細胞内に取り込まれると内皮細胞障害、心血管危険因子の二面性を持っています。

痛風発作

痛風発作は一般に尿酸値の高い場合にいろいろなきっかけでその尿酸が関節内などに結晶化して起こるといわれます。経験的には手足の使い方が激しかった後など、また、暴飲暴食が関係することも多く、その日の夜半から朝方にかけて発作をきたします。

発作の部位は多いのは利き足の拇趾根部を中心とした発赤、腫脹、熱感、疼痛です。また足背全体が同様な状態になることも多いようです。後は使用しすぎた関節や筋肉部です。疼痛は風が当たってもいたいというほどです。

発作時の尿酸値はというとむしろ正常値に近いということが度々あります。むしろ通常の状態より下がっているということです。関節内などで結晶化したため、そこで尿酸が使われたためと考えられます。

痛風発作の最中には尿酸降下薬を開始したり増量したりはしません。発作を増悪してしまうからです。発作が終わってからにしてください。

別の話ですが、利尿薬などで尿酸値が上がっている場合には痛風発作はわりあい少ないように思っています。

慢性腎臓病の管理

管理の要点として次のようなことが挙げられています。

1）必要な薬以外は飲まない。

2）肥満の解消。

3）厳格な血圧管理。130/80以下。

4）厳格な血糖管理。HbA1c 6.9未満。

5）脂質管理。LDL コレステロール値120 mg/dl 未満。

6）減塩に努める。３～６g/ 日。

7）禁煙、アルコールの適正摂取。アルコール量20g/ 日まで。

8）たんぱくの摂取制限。腎機能の状態に応じて0.6～1.0g/ 日。

9）排尿を我慢しないこと。

10）適切な水分摂取に努めること。脱水に注意。

11）ウオーキング程度の適切な運動。

12）風邪をひかない。ウイルスの暴露を避ける。

13）十分睡眠をとる。休養をとる。

14）ストレスを溜めない。

これ等のことを踏まえて次のような管理をすることとなります。

CKDの食事療法について

- **肥満、痩せ**　適正体重の維持を目的としたエネルギー摂取のコントロールをする。
- **糸球体過剰濾過**　尿たんぱく量減少を目的とした食塩摂取制限をする。
  腎機能障害の遅延を目的としたたんぱく制限をする。
- **細胞外液量増大**　浮腫の軽減を目的とした食塩摂取制限をする。

水分は口渇感に合わせた自由飲水でよい。浮腫があっても飲水は自由とし、食塩を制限します。食塩を制限すると口渇が減り水分摂取も減ります。

糸球体濾過量が60 ml/分以上の場合では水分摂取量の多い方が腎機能を抑制する可能性を示唆されているが、CKD 4、5では浮腫、肺水腫が起こる可能性があります。

- **高血圧**　降圧や腎機能障害進展の遅延を目的とした食塩摂取制限をする。

食塩制限はCKDの悪化や重篤な合併症を抑制します。

また、血圧を緩徐に下げます。

降圧剤などを血清K、腎機能への副作用に注意して使用します。

- **高窒素血症**　血清尿素窒素低下や尿毒症症状の抑制を目的としたたんぱく質制限をする。

利尿剤、飲水制限などによるBUN上昇にも気をつけます。

- **高カリウム血症**　血清カリウム低下を目的としたカリウム制限をする。

「高カリウム血症」の項、「カリウム制限」の項を参照

- **高リン血症**　血清リン低下を目的としたたんぱく質制限をする。
血管石灰化抑制を目的としたリン制限をする。

- **代謝性アシドーシス**　血漿重炭酸濃度上昇を目的としたたんぱく質制限をする。

ナトリウム制限

食塩摂取制限をする。

塩分制限は1日6g未満、3g以上を目標とする。

▫ **食塩摂取量を点検**する場合

体液量の安定している患者の場合24時間尿から、

1日食塩摂取量（g/日）＝尿Na濃度（mEq/L）×1日蓄尿量（L/日）/17

の式を用いて算出します。

たんぱく制限

低たんぱく食事療法によって、尿毒症性物質の産生や貯留が抑制されます。

CKD、Grade 4〜5での透析療法の阻止ないし遅延ができてきます。

しかし、

CKD、Grade 1〜3での腎機能の抑制に関しては効果が不明確です。

減たんぱく食　　0.8 g/kg/日

たんぱく緩制限食　0.7 g/kg/日

低たんぱく食　　0.6 g/kg/日

超低たんぱく食　0.5 g/kg/日

▫ **たんぱく摂取量を点検する場合**

24時間尿から、

たんぱく異化率（＝たんぱく質摂取量）

＝[尿中 BUN（mg/dl）× 1 日尿量（dl）＋ 31 ×体重（kg）] × 0.00625

の式を用いて算出します。

カリウム制限

CKDではステージの進行に伴って、腎機能の低下、代謝性アシドーシス併用薬などにより血清K値は上昇しやすくなるため定期的なチェックが必要です。

血清Kの上昇機転については前述の「高カリウム血症」の項目参照。

1　たんぱく質の過剰摂取を控えます。

たんぱく質内のカリウム摂取。

たんぱく質の過剰摂取は代謝性につながる。このことが高K血症を引き起こします。

BUN/Cr 比が10以上であれば、高たんぱく食を摂っていることを推測します。

2　Kの少ない食品を選びます。
黄緑色野菜、果実（とくに乾燥された果実）や、野菜ジュースにカリウムが多く含まれているため特に注意をうながします。

3　調理の工夫でKを減らします。
野菜や芋類は茹でて汁を捨てることで15〜20%のKを減らすことができます。

4　低ナトリウム調味料には注意を要します。
塩化ナトリウムを塩化カリウムに置き換えている商品があるからです。

5　エネルギー不足で異化亢進が起こらないようにします。
糖質や油脂を利用して体重をコントロールするようにします。

6　排便を正常化しておくことも重要です。
排便によって、代償的に腎の代わりとして腸からKが排泄されます。

リン制限

▫ 血液透析（代替療法）の導入

尿毒症症状が出現した時

体液コントロールができなくなった時

電解質や酸塩基の異常がコントロールできなくなった時

このような時には、急性腎不全では早期に代替療法を実施することとします。

呼吸器疾患

呼吸器疾患について

呼吸器疾患に関しては原因（感染、アレルギー、膠原病など）、病理的な状態、侵されている部位（間質、肺胞、細気管支、気管支など）、それによって招来される機能的変化（拘束性、閉塞性など）が複雑に交錯しているためか、成書によって分類の仕方が異なることが多いようです。日本と外国の違いも見受けられます。

呼吸器疾患の分類

日本呼吸器学会の分類では次のようです。

感染性呼吸器疾患	かぜ症候群、インフルエンザ、急性気管支炎、市中で起こる肺炎、院内・介護施設などで起こる肺炎、肺膿瘍、肺結核、肺非結核性抗酸菌症、肺真菌症、肺寄生虫症、ウイルス性肺炎、誤嚥性肺炎
気道閉塞性疾患	慢性閉塞性肺疾患、びまん性汎細気管支炎
アレルギー性肺疾患	気管支喘息、過敏性肺炎、好酸球性肺炎、アレルギー性気管支肺アスペルギルス症、薬剤性肺炎、好酸球性多発血管炎性肉芽腫症
間質性肺疾患	特発性間質性肺炎、放射線肺臓炎、サルコイドーシス、特発性器質化肺炎、膠原病肺
腫瘍性肺疾患	肺癌、転移性肺腫瘍、良性腫瘍、縦隔腫瘍
肺血管性病変	肺血栓塞栓症、肺動脈性肺高血圧症、肺水腫
胸膜疾患	胸膜炎、膿胸、胸膜腫瘍、気胸
呼吸不全	急性呼吸不全、ARDS、慢性呼吸不全

その他 気管支拡張症、職業性肺疾患、原発性肺胞低換気症候群、過換気症候群、睡眠時無呼吸症候群、リンパ脈管筋腫症、肺ランゲルハンス細胞ヒスチオサイトーシス

呼吸器疾患の問診について

現病歴

現病歴の取り方

今の症状はいつから始まり、どのような経過をたどっているか。

発熱、悪寒戦慄などがあるか。

咽頭痛、咳、痰、胸痛などがあるか。

頭痛や全身倦怠はあるか。

食思不振、吐き気、嘔吐、下痢、腹痛などはないか。

症状全体の経過は

急性の経過か、慢性の経過か。

何カ月も前から続いているのか、または繰り返しているのか。

何週間前からのものなのか。

何日前からのものなのか。

その後の検査は

理学的検査による推測に次いで、

形態診断

（胸部レントゲン検査、

胸部 CT 検査等）………… 肺炎、気管支拡張症、肺気腫、結核、間質性肺炎、肺癌など

機能診断

（呼吸機能検査）………….. 気管支喘息、慢性閉塞性肺疾患など

器質的、病理的診断

（喀痰検査、気管支鏡、生検など）

を進めていくことになります。

発熱についての診断手順

- いつからいつまで、何度で経過したか。

通常の感冒はウイルスの感染の当初に37度台の発熱があったりしますが１〜２日で解熱することがほとんどのようです。

なお続く発熱は合併症や別の疾患も頭に置く必要が出てきます。

- 一旦解熱して何日かしたあと**再び発熱した**経過は無いか。

経過中、一旦解熱したにもかかわらず再度発熱するようなら、これこそ合併症が出たと考えるのが妥当です。

扁桃炎かもしれないし、肺炎かもしれません。

- **高熱で悪寒戦慄**が伴うことはなかったか

悪寒戦慄を伴って出る高熱で多いのは、

肺炎

胆嚢炎、胆道炎

肝膿瘍

腎盂腎炎

などです。

呼吸器症状が先行していれば肺炎の可能性大です。

しかし、呼吸器症状が先行しないで、突然悪寒戦慄があり肺炎を認めるということがありますから注意です。

- 体温の記録

発熱の経過は大変重要です。本人に経過を聞いてもあいまいなことが多いので、体温を記録するグラフを用意しておいて発熱患者には以降の体温を日に２〜３回と、特別の発熱時の体温を記録してもらうのが一番で

す。

- **病巣の検査で判然としない場合**

判然とした病巣がない場合は、敗血症、心内膜炎、髄膜炎などの全身感染ないしは悪性腫瘍、膠原病なども念頭に置きます。

咽頭痛

- 喘鳴、呼吸困難を伴うほどか。
- 飲み込みができないほどの痛みかどうか。
- 口を開くことができるか。

この症状がある場合、急性喉頭炎（Killer sore throat）や扁桃周囲膿瘍、そして EB 感染症を考えて診察する必要があります。

咳についての診断手順

- 咳はいつから始まったか？
- 発熱など当初にあったか？

通常の感冒は喉がイガイガしたり、痛みが出たりして、然るのちに炎症が喉頭に至り咳になる過程を踏みます。

その過程を逸脱していないかチェックします。

- 時間的にはいつ頃が多いか、どんな状況の時に多いか？

「一日中」、「床に入ったとき」、「夜中」、「朝方」
「体が冷えた時」、「寒さを感じた時」
「季節の変わり目」
「タバコの煙などを吸い込んだ時」
「大きな声で話したり長話をした時」
「ミントやカレーなどの匂いを嗅いだ時」
「ペットがそばにいる時」

上のような時に出る咳は気管に喘息の素質をもった患者に咳喘息とか気管支喘息の形での咳が多い状態です。

摂食の途中に見られる咳は嚥下障害がある可能性があります。嚥下性肺炎に気を付けてください。

- 咳の程度はどうか、咳で夜も眠れないことがあるか？

  病態として咳が主ということのようでしたら、呼吸器疾患の咳が主となる疾患が基礎にあるということかもしれません。

  気管支喘息、百日咳、マイコプラズマ感染症、肺結核症、肺線維症、慢性閉塞性肺疾患などを疑う必要があります。

- 咳の時、単なるコンコンとした咳か、痰を伴う湿生の咳か、ヒーヒーとかゼーゼーとか喘鳴は伴わないか？

  問診でヒーヒーとかゼーゼーとかを聞けば閉塞性の肺疾患があるでしょう。発作のような症状の起伏があるかどうかで気管支喘息（BA）と慢性閉塞性肺疾患（COPD）の鑑別になります。

  喉頭炎や腫瘍、異物などの上気道の疾患の可能性もありますので、その中のどれかということにもなります。

- 咳は季節とか時期とか、なんらかの関係の時に繰り返して出ているということがあるか？

  咳喘息は喘息類似で状況で繰り返して出現するし、アトピー咳は喉のアレルギーであるから原因アレルギーと関連して繰り返すことになります。

  感染後、咳嗽の繰り返しはないかと考えます。

痰についての診断手順

痰は重要な証拠物品です。色を自己申告させたりせずに、痰をその場で出させて実際に医師自ら観察すべきです。情報量の多い証拠物品です。

- 咳は痰を伴うか、伴わないか？

  痰が出るようになれば、炎症が気管に至ったと考えます。

  副鼻腔炎とかアレルギー性鼻炎でも後鼻漏になって痰が出ますのでどちらかを見極める必要があります。

- 痰はいつから始まったか？
- **痰の色**はどうか？
- 痰の色はどう変化してきたか？

初期に出る痰は水様透明でしょう。粘稠化するかもしれません。
そのうち白く濁ってクリーム色に色付いてきます。
細菌感染が始まったかもしれないと考えます。
黄色味が増して緑がかってきたら細菌感染が進行したということです。
風邪に抗生物質はどうかという論争があるようですが、風邪の進行の段階によるのではないでしょうか。色づいた痰が見られるようであれば抗生物質が必要になってきます。
そのうち口腔粘膜や咽頭、喉頭の粘膜が炎症のため障害されやすくなり咳などをきっかけにして出血するかもしれません。
気管支拡張症に感染を伴った場合や肺がんなど気道の悪性病変の場合の血痰が関連します。

- **痰の量**はどうか？

喀痰の量はその原因になっている炎症の程度に関連します。また、気管支喘息発作、気管支拡張症に炎症を伴った時、慢性副鼻腔気管支症候群など疾患の種類や状態も考慮に入れておきます。間質性肺炎やウイルス性肺炎では喀痰の量は少なめのようです。

喘鳴

- **喘鳴**があるか？

喘鳴は気管支喘息のみでなく種々の疾患で出現します。
別の方向からの質問や検討も必要です。

上気道の疾患では

□ **急性の場合**

- 喉の痛みはないか、食物の飲み込みに問題はないか？

- 呼吸困難感はないか？

  急性喉頭炎は気道閉塞による窒息の危険があるため緊急の処置を要する救急疾患です。

  上記の症状で喘鳴があり呼吸困難を伴う場合は緊急に専門医に緊急紹介の必要があります。

  私は食物アレルギーで気管喉頭の浮腫をきたした症例を経験しましたがまさにこれです。

- 誤嚥はなかったか？

  気管内異物ではないか。

□ 慢性の場合

上気道の疾患では腫瘍、声帯機能不全、気管外部からの気管圧迫、その他のことがあります。

フローボリューム曲線の吸気相を確認する必要があります。

気管支鏡、CT などが必要の場合は病院へ紹介です。

下気道の疾患では

心不全、肺血栓塞栓症、慢性閉塞性肺疾患、アレルギー性気管支炎、肺癌、肺結核などとの鑑別を必要とします。

鼻に関した疾患では

- 鼻づまりはないか？

  アレルギー性鼻炎、慢性副鼻腔炎（好酸球性副鼻腔炎）、鼻茸などがある可能性があります。

- 後鼻漏はないか？

  慢性副鼻腔炎などがある可能性があります。

  慢性副鼻腔気管支症候群を発生させる可能性があります。

胸痛は伴っていないか？

咳が長期間続いたり、咳の程度が激しかったりすると肋間筋、肋間神経や腹筋に影響して疼痛をきたすことがあります。

べつに、肺炎を起こしている場合には胸膜に影響したりして胸痛を起こすことにもなります。

咳による腹筋の疼痛の場合は臥位で頭を上げてもらった状態で腹筋を押さえたりすることで腹筋が原因であることが証明されます。

肋間筋の場合も体を捻ったり、肋間を押さえたりすることでほぼ判断できます。

咳は別にして、突然の胸痛は自然気胸のときにも起こります。

心外膜炎のときには違った形の胸痛が認められます。

ときに、腹部臓器によっても胸痛を認めることがあり注意を要します。

- その胸痛は呼吸と関連するか？
  呼吸によってのみ胸痛が誘発されるなら胸膜炎とか肺と関連した胸痛の可能性が大きくなります。
- その胸痛は咳と関連するか？
  上と同様な状態と考えられます。
- その胸痛は心臓の拍動と関連するか？
  心外膜炎のことも念頭に置く必要があります。

心疾患はないか？

心不全による肺うっ血、心臓弁膜症や先天性心疾患などによる肺うっ血や肺高血圧などが関連した息切れ、呼吸困難、咳などがないか確かめます。

不整脈はないか？

右心系由来の上室性期外収縮や心房細動は種々の肺疾患が関与している場合

が多いので不整脈を手がかりにして肺疾患を疑うことも大事な行程です。

呼吸器疾患と心電図

肺性Ｐ（従来の波高の基準を緩めて、尖鋭な形のＰ波としてみて良いと思います）。

不完全右脚枝ブロック、右脚枝ブロック、上室性期外収縮など右房や右室の負荷所見があれば肺疾患を疑うこととします。

呼吸困難はないか？

夜間眠りについてからの呼吸困難

就眠後１～２時間後に呼吸困難で覚醒する場合には、発作性夜間呼吸困難と言われる急性左心不全の初期症状のことを考える必要があります。

起き上がったり（起座呼吸)、ちょっと歩いたりすると一旦症状は消失しまる。明くる朝、そして日中は全く正常に過ごせますが、また夜間に同様の発作性夜間呼吸困難が起こり、繰り返すということになり、ついにいわゆる心臓喘息発作が起こります。

これは、死に至る状態ですので要注意です。

夜中から朝方にかけての咳、呼吸困難、喘鳴は気管支喘息関連でもあります。

程度が強いと臥床して居れずに座位にならないと苦しくてたまらない状態になり、これを起座呼吸といいます。

安静時の呼吸困難

これも心疾患由来と、呼吸器疾患由来があります。

肺高血圧症など肺循環由来も念頭に置いておきます。

問診とともに、理学的検査や機器による検査によって鑑別します。

運動時の息切れ、呼吸困難については以下のことを参考にしてください。

呼吸困難の評価には次の評価が汎用されています。

▫ MRC scale (Medical Research Councilの質問票)

Grade I　強い労作で息切れを感じる。

Grade II　平地を急ぎ足で移動する、または緩やかな坂を歩いて登る時に息切れを感じる。

Grade III　平地歩行でも同年齢の人より歩くのが遅い、または自分のペースで平地歩行していても息継ぎのため休む。

Grade IV　約100 m 歩行した後息継ぎのため休む、または数分間平地歩行した後息継ぎのため休む。

Grade V　息切れがひどくて外出ができない、または衣服の着脱でも息切れがする。

気管支喘息の体質を持った人が運動したとき

気管支喘息の体質を持った人は、運動し始めには息苦しさや息切れの感じを覚えるが、そのまま運動を続けているとその感じは消えてくることが多いようです。例えば長距離を走る場合に最初と比べると、その感じが消えて楽に走れるようになったりするという具合です。

運動によるカテコラミン増加などが関係するのかと考えているのですが、分かりません。

睡眠時の状態で

- 鼾(いびき)をかくかどうか？　鼾が止まってしまうことはないか？
- 睡眠中に無呼吸を認めることがあるか？

その頻度はどうか。睡眠中に無呼吸を繰り返し、その回数が多い場合は**睡眠時無呼吸症候群**と診断されます。

夜間の睡眠時の呼吸を調べるのに、携帯用睡眠時無呼吸検査装置 SAS-2100（TEIJIN）などの簡易検査機器があります。

検査の結果、

無呼吸－低呼吸指数（AHI）による判定で、重症度が分けられます。

軽症	**5 <= AHI < 15**
中等症	**15 <= AHI < 30**
重症	**30 <= AHI**

重症では無条件に **NCPAP（nasal CPAP）療法**が適応となります。

本症は肥満の場合、下顎の後退、下顎が小さい場合、口峡が狭い場合などが関連するといわれます。

高血圧の原因、冠動脈疾患の増悪、心不全の誘発としても注目されています。

喫煙について

- 喫煙したことがあるか？
- 何歳から何歳まで喫煙したか？
- 何を、何本？

Brinkman index (BI)

ブリンクマン指数＝１日平均喫煙本数×喫煙年数

400以上は肺癌発生確率が高いといわれる。

(禁煙外来の体制も整えておく必要があります)

その他

- **浮腫**はあるか？

呼吸器疾患の浮腫は初期には早朝から午前中のうちくらいに顔や手に認められます。強度になると下肢などにも出現します。

心疾患の浮腫との鑑別を要します。

- **体重の変化**はどうか？

  どの疾患でもそうですが、体重の変化は増、減共に重要な情報です。

  浮腫などの増、癌などの減などです。

- **ツベルクリン反応歴、BCG 接種歴**について？

  結核についての既往歴、家族歴についても聴取します。

- **旅行について。国内、国外**？

  輸入感染症も考える必要が出てきます。

- **温泉入浴**について。**24時間風呂**について？

  レジオネラ症を鑑別しなければなりません。

- **家族、会社、学校、友人等の感染症などの情報？**

  現在流行している感染症の可能性があります。

既往歴、家族歴

- 家族歴として気管支喘息、肺気腫、慢性気管支炎、結核症、肺炎などの呼吸器疾患について
- 現在までの生活環境について

  家庭内で喫煙者の有無、居住地の煙害、道路沿いなどの排気ガス状況、その他アスベスト、化学物質などの工場

  職業に関して特別の化学物質の使用、周囲の喫煙者の状況など

- **肺炎の既往、肺結核の既往はないか？**

  既往で肺炎になったことのある人は元々肺に何らかの肺炎に罹りやすい基礎疾患などを持っている状況があるかもしれません。

  例えば、気管支喘息の素因があるとかいったことが多いです。

  また、心疾患のこともあります。何かほかに体力を落とす病気のときとか、特別な疲れがあるとき、それに病原菌が強力であったということもあるでしょうが、一応気管など肺に関する疾患の素因を探ってみるべきです。

- **小児期の気管支喘息（小児喘息）**はなかったか？

単刀直入です。

喘息の体質は生涯持ち合わせているものであって、何かの時に症状として顔を出すものです。

例えば、年齢によらず、いろんなことで体力が落ちた場合や、老齢になった時、風邪をひいたりその風邪が気管支炎に至ったりした時に症状として出てくるものです。

- **喘息様気管支炎と言われたこと**はなかったか？

  小児喘息を症状が不完全の時に喘息様気管支炎と言われることがあります。

  小児喘息と同様に扱います。

- アレルギー性鼻炎はないか？
- **副鼻腔炎、鼻茸**はなかったか？
- 父方、母方に気管支喘息の人はいないか、兄弟についてはどうか？
- それらの人に咳の長引く人、咳払いを続けている人はいないか？

  上の二つはあれば本人に遺伝的な要素が伝わっている可能性があります。

- ペットは飼っているか？
- 部屋に絨毯はあるか、動物の置物などはあるか？

呼吸器疾患の視診、触診

咽頭、口腔粘膜、扁桃腺、舌の視診

咽頭の発赤の状態

- ▫ 全体の発赤
- 新しい発赤か（赤みが新鮮か）

  咽頭発赤の原因疾患の発症が近日であるということです。

- 浮腫を伴った（透き通ったような）新しい発赤か

みずみずしいというより浮腫を伴っているということで、咽頭の病変が重症であるということです。

- 日にちの経った発赤か（少し紫がかった）

  炎症が古びてくるとその色が褪せて紫がかってきます。

  発症以来日にちが経っているということです。

- 発赤は島嶼状になっていないか。水疱性の発疹を伴っていないか。

  炎症が割合急で強い場合に見られると思っています。ヘルパンギーナなど。

- 発赤の部位が膨隆しているか（リンパ濾胞の腫脹があるか）

  リンパ濾胞が炎症を起こすと、咽頭の口から見て突き当たりの場所にまるでイクラが埋まっているような格好で数個見られます。

  やはり炎症が強い状態の時見られます。

扁桃の状態

- 発赤しているか

  扁桃が腫脹していても発赤がなければ現時点で病的意味はありません。

  発赤があって初めて病的に炎症があるということです。

  腫脹しているか、発赤を伴っているか、腫脹だけかを確かめます。

- 腺窩からの分泌物が見られるか（**腺窩生扁桃炎**）

  炎症を起こして、その炎症が化膿菌であれば腺窩が化膿して出てきます。

  膿が腺窩の入り口に分泌されて黄色い分泌物として見えます。

  溶連菌などの細菌によります。

  白い苔が覆うこともあります（べたっとした白色の膜 —— **伝染性単核症**）。

- 扁桃周囲膿瘍の可能性はないか

口腔粘膜の状態

- 軟口蓋の腫脹、下垂（下方への突出）

  同側の**扁桃周囲膿瘍**。uvula の反対側への偏位。

- **口内炎の有無**

  ウイルス性の口内炎が多い。

  繰り返すなら栄養の管理や、口腔内の衛生の管理を行う。

  唾液の量が足りない場合もあります。

- **水疱の有無**

  軟口蓋から口峡の部位に多数の水疱が見られることがあります。

  咽頭痛が激しく、飲食が障害される状態です（**ヘルパンギーナ、単純ヘルペス**）。

舌

- 舌の表面の味蕾の萎縮

  鉄欠乏性貧血や低栄養などの時に舌表面の味蕾が消失した状態になったりします。

- 味蕾の発赤

  味蕾は風邪などに伴う舌炎の時に赤く大きめになる。ブツブツした痛みを伴う状態です。

- 舌苔の状態

  舌苔の肥厚、変色して黒い舌苔になったりすることがあります。唾液の減少時や消化器疾患で認められたりします。

- 乾燥の有無

  口腔内の炎症、発熱や脱水などで口内が乾燥したりして水気のない舌を見ることがあります。

  この時は口腔粘膜全体が乾燥しています。

- 白板や潰瘍はないか

  あれば**舌癌**を疑います。歯牙との摩擦などでも発赤など同様の所見になることがあります。専門医に紹介です。

- 内粘膜や扁桃に白板（白い滲出物）はないか

口腔粘膜が白い膜状のものでところどころ覆われることがあります。炎症が強い時の状態で扁桃の強い炎症や咽頭のリンパ腺の腫れが見られるときは、伝染性単核症など EB ウイルスの感染も疑われます。EB ウイルスには抗生物質の AMPC が禁忌であるから要注意です（**伝染性単核症**）。

- 舌の萎縮

舌下神経麻痺で舌の筋萎縮が見られます。同時に舌の偏位など麻痺所見も認められます。

眼

- 結膜の充血（充血の形）はないか？

普通の結膜炎とは違った、眼球結膜の角膜寄りの部位の充血は**ブドウ膜炎**の可能性ありです。眼科に紹介してください。風邪ではウイルス性の結膜炎を生じます。

- 黄染はしていないか？

（診察室の中の壁や装飾品の色彩は注意して選ばないと色彩の錯覚をきたすことがあります。飾る花の匂いも診察には別の形で邪魔になります。また、結膜や咽頭などを見るのに使用するライトは LED の場合変色して見えたりしますので要注意です）

耳

- 外耳道炎、中耳炎、耳漏、耳鳴り、めまいはどうか？

何れにしても症状があれば耳鏡を使って覗いてみることが必要です。耳介を引っ張る、外耳道の入り口を押さえてみることで外耳道の炎症などが推測されます。

頸部リンパ腺の触診

触知されるリンパ腺の解剖学的位置を確認してください。

- **触知されるリンパ腺の部位、広がりはどうか？**

後頭リンパ節………後頭部

耳介後リンパ節……耳の後ろ

耳介前リンパ節……耳の前

扁桃リンパ節………耳下部（扁桃三角）

下顎リンパ節………下顎骨の下（下顎三角）

頤リンパ節…………頤の下（頤三角）

後頸リンパ節………ウイルス感染などの全身疾患のときに腫脹（後頸三角）

浅頸リンパ節………胸鎖乳突筋の表面にあたる部位

深頸リンパ節………胸鎖乳突筋の裏にあたる部位

各疾患と主張するリンパ節の関係は勿論その**侵されている疾患の領域リンパ節**が腫脹するのですが、リンパ節の腫脹部位としては、

麻疹、後頭部の湿疹や毛嚢炎……後頭リンパ節

扁桃炎、咽頭炎……………………扁桃リンパ節

感冒、インフルエンザ……………浅頸リンパ節、後頸リンパ節

う歯、歯肉炎、舌癌………………顎下リンパ節、頤リンパ節

外耳道炎、耳介の炎症……………耳介前リンパ節

顎下腺炎、副鼻腔炎………………顎下リンパ節

つまり、患部からのリンパ流の領域になります。

- リンパ腺の大きさはどうか？

扁桃炎では割合大きめのリンパ節が扁桃リンパ節に触れます。
炎症が長引くと範囲も下方に広がります。
普通感冒ではやや小さめのリンパ節が浅頸リンパ節に触れます。
その範囲は普通広くはないが、咽頭の炎症が強いと範囲が広がります。
インフルエンザでは細かいリンパ節が多数、浅頸リンパ節や後頸リンパ節が頸部の下部までの広い範囲に渡って触知されます。
EB ウイルス感染症では軟らかい大きめのリンパ節が扁桃リンパ節から浅頸リンパ節、後頸リンパ節にかけて広範に腫脹があります。
う歯や歯肉炎ではその炎症部位によって顎下リンパ節や、頤リンパ節の腫脹があります。

- リンパ腺の柔らかさはどうか？
  インフルエンザではやや硬めで小さく範囲が広い、EB ウイルス感染症では柔らかく大きいように感じています。
- リンパ節に圧痛を伴うか？
  通常炎症によるリンパ節腫脹は圧痛を伴う。
  炎症でも陳旧性のものは圧痛がない。腫瘍性のものも圧痛は少ない。
- **全身のリンパ腺腫脹はないか？**
  全身のリンパ節が腫脹する悪性リンパ腫、白血病、転移性がん、結核症なども考慮して、頸部、腋窩、肘部、鼠径部、膝窩なども点検しておくことが必要です。

耳下腺、顎下腺の観察

耳下腺炎、**顎下腺炎**では各々炎症のある唾液腺が腫脹し、圧痛があります。
原因がウイルス性でも、細菌性でも同様です。
唾石などで唾液の排泄管が閉塞すると唾液が唾液腺に蓄積して唾液腺（耳下腺、顎下腺）が急に有痛性に腫脹することがあります。
唾液腺の**悪性腫瘍**にも注意する必要があります。

副鼻腔についての観察

副鼻腔炎は風邪の合併症として急性に発症することがあります。

風邪の合併症として**副鼻腔炎を疑うこと**は大切です。

前頭洞、上顎洞の部位の表皮の観察で、発赤や腫脹がないか？　圧痛はないか？　叩打痛はないか？　などをみます。

副鼻腔気管支症候群、気管支拡張症に発展したりしますし、アレルギー性副鼻腔炎は気管支喘息と関係します。

- **痰の観察**　　　　　後述する。
- **鼻汁、後鼻漏の観察**　　後述する。

頭痛についての観察

- 頭痛の性質はどんなものか？

  ズキンズキン、ガンガン、締め付けられる、押さえ付けられる、歩くと響く

  ── 症候性頭痛、慢性頭痛、筋緊張性頭痛、偏頭痛、群発頭痛など

  ピリピリ、チクチク

  ── 頭皮に関した痛み（神経痛、帯状疱疹など）
- 頭痛の部位はどこか？
- 圧痛はないか？　どこにあるか？

  血管 ── 側頭動脈炎

  神経 ── 後頭神経痛、三叉神経痛
- **髄膜刺激状態**がないか？

  Neck Flexion Test、項部硬直

  ブルジンスキー徴候（Brudzinski's sign）

  ケルニッヒ徴候（Kernig's sign）

  Jolt accentuation of headache

  感染症と関連した頭痛でチェックすべきは髄膜炎である。

そのほかの観察について

腹痛、下痢、吐き気、嘔吐などはあるか？

- 吐き気、嘔吐 ── インフルエンザ（とくにB）、ノロウイルス
  上記以外のウイルス性上気道炎
  ウイルス性、細菌性急性胃腸炎
  薬剤性、悪性腫瘍
  急性膵炎、急性胆嚢炎、消化性潰瘍、髄膜炎
  急性冠症候群、中枢性脳疾患
- 下痢の性状 ── 色、硬さ、臭いなどはどうか？
  黒い（タール便）や鮮血色の便、水様、泥状、軟便、普通便
- 腐敗臭など

関節痛、筋肉痛

インフルエンザや新型コロナウイルス感染症の場合には発熱と全身症状が真っ先でその症状の中に筋肉痛や関節痛が入ります。

一般に発熱が強ければ筋肉痛や関節痛が出るようです。

関節リウマチ、リウマチ性筋痛症などの兆候ではないか鑑別します。

発疹

一般にウイルス感染によって発生する発疹は発熱があって、その後に解熱し始めた時に発疹が始まることが多いです。

麻疹（はしか）、風疹（みっかばしか）、手足口病などや膠原病などの発疹にも気をつけます。

チアノーゼ

血液中の還元ヘモグロビンが5g/dlを超えるとチアノーゼが生じるといわれます。

従って計算上SaO_2 60 mmHg以下、SpO_2 90％以下の状態でチアノーゼが出現するということです。貧血でヘモグロビン濃度が下がるとチアノーゼは出現しにくくなります。

中枢性チアノーゼでチアノーゼを観察しやすい部位は頬部、鼻尖、手指、爪、耳垂などです。

（循環器疾患「チアノーゼ」の項参照）

出現する部位は頬部、鼻尖、手指、爪、耳介などです。

太鼓ばち指

手指末節の皮膚と爪のなす角度は性状では160度未満ですが、180度を超す状態になれば太鼓ばち指と言われます。指先は太鼓のばちのようで柔らかい感じです。

原因疾患は、肺疾患として肺癌や肺線維症があります。COPDにはなりにくく、あればむしろ肺癌が合併したと考えて探した方が良いかと思います。

心疾患として先天性心疾患や感染性心内膜炎が挙げられます。

消化器系疾患では肝硬変症や炎症性腸疾患が挙げられます。

クローン病では38％、潰瘍性大腸炎では15％に合併するといわれています。

その他にも出る可能性のある疾患があります。循環器疾患の「太鼓ばち指」の項を参照してください。

脱水

一般的な脱水による症状、そして理学的所見としては、口腔粘膜や舌の乾燥の具合、腋窩や鼠径部の皮膚の乾燥の具合、皮膚のturgor、痰の粘稠度。心拍数増加、起立性低血圧～血圧低下。尿の濃縮による尿色の変化。血液では Hb 濃度上昇、電解質（Na, Cl）上昇、腎機能（BUN, Cr）の上昇などを参考にして判断します。

▪ **ハンカチーフサイン**については

上胸部の皮膚をつまんで引っ張った後離して、そのあとの状態を観察したばあい、次の所見を目安にします。年齢的なものや肥満、痩せも考慮に入れる必要があります。

３％脱水……つまんだ皮膚のしわの伸びが引く最終部分が見える。

５％脱水……皮膚のしわが少し残って、それが引いていくのが見える。

10％脱水……つまんだ皮膚のしわが残ってしまう。

（脱水状態の分類は腎臓の章を参照してください）

また、慢性閉塞性肺疾患においては SIADH が認められたりすることがあります。この点の観察も必要です。

呼吸器疾患の聴診について

呼吸音について

呼吸音聴取は強制呼吸のもとで行うことが基本です。

強制呼吸で呼吸音や呼吸による副雑音の音量を高めて聴取することで聴診所見の正確さが期されます。

普通呼吸では呼吸音が小さく判定に値しません。改めるべきです。

▫ 正常の呼吸音

Breath sounds

Tracheal breath sounds

Bronchial breath sounds

Vesicular breath sounds

Broncho-vesicular breath sounds

▫ 呼吸の時相

Inspiratory phase

Early

Middle

Late

Holo

Expiratory phase

Early

Middle

Late

Holo

▫ 異常の呼吸音

Rales

Fine rales (fine crackles) > Velcro sounds

Coarse rales (coarse crackles)

Rhonchi

Wheeze

Strider

Pleural friction rub

これらは音の性状、音の聴取される部位、異常呼吸音の発生原因などをインターネットのサイトの動画を探して確認してください。

呼気相についての聴診

強制呼吸を指示した時には患者はいろいろな形で反応します。一様ではありません。

気管内に空気圧をかけてしまうと細気管支が開いてしまい通常の呼吸と違った状態の呼吸音になってしまうため、患者が口を開けた状態、そして喉を詰めない状態で強制呼吸をしてもらう必要があります。

息を吐くとき「ハー」でなく「ホー」と吐いてもらうとよいでしょう。

下記の状態では呼吸音の聴取はできません。

例えば、次のような形で反応する場合です。

1）指示に応じないで淑やかな呼吸しかしてくれない。
2）浅い速い呼吸でしか応じてくれない。
3）呼吸を途中で喉をつめるようにして止めてしまう。
4）唇をつぼめて口腔内圧を上げる状態の呼吸をすることでの応じ方をする。
5）喉を閉めて気管内圧を上げる状態の呼吸をすることでの応じ方をする。

このような呼吸で指示に応じる患者は閉塞性の気管の疾患を持っていることが疑わしいのです。

フローボリューム曲線検査を施行することで、そのことが明らかになります。

呼気相の聴診

呼気相のみに rhonchi が聴取される場合、気管に閉塞性の病変を有しています。

吸気相と呼気相に渡って聞こえる rhonchi は粘稠な喀痰あるいは異物、腫瘍などが気管あるいは気管支にあって、吸気あるいは呼気の流れを乱している状態が窺えます。

一般に、呼気の時相で聴取されるラ音は気管や気管支の病的状態を表現していると考えてよいでしょう。

呼気に聴取される rhonchi は閉塞性疾患の軽、重によって聴取される時相などに相違があります。

聴取される時相によって軽症から重症までに並べると次のようになると思います。

フローボリュームカーブの所見と合わせて観察すると興味深いと思います。

p. 9、図９にフローボリューム曲線と呼気相の呼吸音との関連を示してありますので参照してください。

1）**呼気の延長**がある。

Broncho-vesicular breath sound は通常、呼気相の前期３分の１まで聴取され、以降は消失してしまいますが、より長く呼気全体にわたって聴取できるようになった状態をいいます。

2）繰り返し強制呼吸をするとそのうちに late expiratory phase に rhonchi が聴取される。

3）もっと重くなれば、この rhonchi が次第に早い時相から聴取される。

4）繰り返しの呼吸をしなくても、最初から middle ないし late expiratory phase までに rhonchi が聴取される。

5）繰り返し強制呼吸をすると expiratory phase 全体に rhonchi が聴取される。

6）繰り返しの呼吸をしなくても、最初から expiratory phase 全体に rhonchi が聴取される。

7）強制呼吸で wheezing が聴こえる。

8）通常呼吸でも wheezing が聴こえる。

9）通常呼吸でも呼気と吸気とも wheezing が聴こえる。

ただし次のことを覚えておくことが大切です。

1） 被検者の体調（疲労状態、睡眠不足、全身性の疾患の合併など）や、気道の状態（気道の感染、アレルゲンの暴露など）、そして、外界の気圧の変化（前線や低気圧の通過、台風など）によって、同一人であってもその日によって、聴取される呼吸音や記録されたフローボリューム曲線の所見に軽重の変化があるということです。

2） 通常**重症の喘息の場合には、呼気の量が少なくなっていて、呼気に量を含めいわゆる勢いがないために、そしてまた、気腫があるために音の伝わりが悪くなっていて、呼吸音が小さくしか聞こえない状態に**なっていることがあるのです。

従って、**rhonchi が聴取されにくいために、rhonchi がないものと誤った判断がなされがち**なのです。wheezing さえも聞こえにくくなっていることがあります。

この点間違わないようにすべきです。

呼気の rhonchi に関して言えば仰臥位で最も聴取されやすいように思われます。

ただし、呼気量が少ない場合は座位の方が呼気量が増えることにより聴取されやすい例があるかもしれません。

また、聴診部位も問題になります。

下肺野の聴診がなされるべきですが、肺全体に病変がある場合には両下肺野が rhonchi を聴取しやすい部位になります。

吸気相についての聴診

吸気相の聴診

呼気相では**気管に関しては喀痰の貯留の状態や、腫瘍、異物による狭窄**に起因した気流の乱れの音（rhonchi）が聴取されます。

しかし、重要なことと言えば、**吸気相では肺胞が広がる時の音を聴診している**ということなのです。

つまり、肺胞が広がる時の音が主として成り立った音なのです。肺胞間質の関係した音もまた聴取されています。

この時相においては肺胞および肺胞間質の音を聴診しているのですから、**肺胞及び肺胞間質の疾患が問題に挙げられる**ことになります。

肺胞の病変を示唆する fine crackles〜coarse crackles（fine rales〜coarse rales）

肺胞間質の病変を示唆する velcro sounds（fine crackles の一種）

であります。

- rales（crackles）

rales（crackles）は肺炎で炎症があって肺胞内に浸出液が溜まった場合や、心不全などで肺胞内に水分が溜まったりした時にその状態の肺胞が吸気の空気が入り込む時に発する音なのです。

聴診する際にはもちろん強制呼吸をさせて聴診する必要があります。

肺炎の場合にはその時点で肺炎を起こしている患部の肺病変の位置に rales（crackles）が聴取されます。

肺炎でもマイコプラズマ肺炎、ウイルス性肺炎、薬剤性肺炎の場合のように間質が関係する場合には rales（crackles）は聞こえません。

心不全の rales（crackles）は仰臥位で寝ている場合には背部に聴取されやすいし、座位、立位の場合には下肺野によく聴取されることになります。

心不全でも肺気腫や慢性閉塞性肺疾患、気管支喘息を有する場合には rhonchi が目立つ形の音になるため注意を要します。レントゲンではもともと肺が膨張して心臓が圧迫されている状態のために心臓の拡張が表現されません。この状態では診断がしにくいということです。このような場合には NTproBNP など別な観察方法が頼りになるのです。

▪ velcro sounds

間質性肺炎の時には velcro sounds が聴取されます。

病変のある部位で吸気時（特に late inspiratory phase）に聴取されますが、聴取の際には特に深吸気が必要です。

この音はウイルス性肺炎でも聴取されたりします。

吸気において聴取される rales（crackles）や velcro sounds については疾患によってそれが聴取される時期に特徴があります。聴取される時相とその疾患の関係は次のようです。

1）early inspiratory phase …………………… 慢性気管支炎
2）early-to-middle inspiratory phase ……… 気管支拡張症
3）late inspiratory phase …………………… 間質性肺炎、非定型肺炎
4）holo inspiratory phase …………………… 細菌性肺炎、心不全（肺水腫）

聴診の方法と診察時の注意としては、**呼吸音は必ず右と左を同じ高さで比較しながら聴診していくということ**が大切です。

また、患者の体位はねじれたりしていないように仰臥位とするか、座位で正面を向かせるかして**左右差のない形で聴診**する必要があります。

ねじれているとそのために呼吸音の左右差ができてしまうので間違いの元になってしまうからです。

呼吸器疾患についての検査

胸部Ｘ線写真、胸部透視

胸部レントゲンは読影の際には前回の写真と今回の写真との間違い探しのような所があります。

以前に撮影したことがあれば、二枚を並べて比較することを習慣にするべきです。

今日では二枚の画像を重ねて違いを評価してくれるソフトがあり便利です。

Ｘ線診断に関しては基礎的のものから疾患別のものまで成書を紐解いて、精進して読影の精度を高めるべきだと思います。

また、異常陰影が疑われて、それが**肋骨とか軟部陰影と重なっている場合**には、透視で重なりをとり去って観察すればはっきりするかもしれません。**向きを変えれば位置関係もつかめます**。後はCTなどで検査することになります。

呼吸機能検査

(『臨床呼吸機能検査　第７版』日本呼吸器学会、メディカルレビュー社参照)

▫ **ピークフローメーター**

ピークフローメーターを気管支喘息患者で使うとき、

ピークフローから見た喘息コントロール

	患者最上値の	変動	
グリーンゾーン	80%以上	20%以下	コントロール良
イエローゾーン	50〜80%	20〜30%	長期コントロール不良
レッドゾーン	50%未満		直ちにステロイド治療の追加

上記のような判定をします。

▫ **フローボリューム曲線**

フローボリューム曲線については、通常呼気相に関心が持たれがちですが吸気相にも関心を持つべきであると書いてあります。

▫ **呼気相**

パターンによる判断が重要です。

閉塞性の所見の数値に関しては研究で使用する基準よりも緩く判断する形で運用する方が実臨床に合っていると私は考えています。

厳密な診断確定というよりも診療所で患者を診るということにおいて、その患者の状態を早期に把握してあげるという観点からの考えです。

＊フローボリューム曲線のパターンによる判断について

下気道のいわゆる閉塞性肺疾患（気管支喘息、慢性閉塞性肺疾患）について考察してみますと、呼気相の呼吸音 (p. 238) との比較に於いて、p. 9、図９のように照合されるように考えています。実際に比べてみて評価を試みてください。

▫ **吸気相**

- 気管腫瘍や気管の瘢痕狭窄などの固定性閉塞
- 声帯麻痺などの胸郭外可動性閉塞性
- 気管軟化症、気管内異物などの気管内可動性閉塞

などによって吸気努力が障害されますから吸気相も観察してください。

▫ **呼吸機能**

- **FVC**：努力肺活量　通常は FVC＝VC

息をいっぱい吸い込んだ状態から、できるだけ早く息を吐き切った時の**最大吸気位と最大呼気位の差**です。

- **EFV1.0**：１秒量

息をいっぱい吸い込んだ状態からできるだけ早く息を吐き切る努力をした時に、**最初の１秒間に吐き出せた空気の量**を１秒量といいます。

- **%EFV1.0**：予測値に対する１秒量

性、年齢、身長から求めた１秒量に対する測定量の割合です。

病気であるという前提で病気の重さを表します。

- **EFV1.0%**：１秒率

努力肺活量（FVC）に対する１秒量の割合です。

病気があるかどうかを評価するのに使います。

血液ガス分析、経皮的酸素飽和度測定

血液ガス分析

外気と血液間の酸素 ― 炭酸ガス交換（外呼吸）の状態を観察するために安静状態にして橈骨動脈などからの動脈血採血を行います。採血後検体は空気に触れないようにして、なお至急の測定を行います。

SaO_2、$SaCO_2$、pH を測定し、酸素飽和度、重炭酸イオン、BE を求めます。

- 正常値

SaO_2（動脈血酸素分圧）	80～100 Torr
$SaCO_2$（動脈血二酸化炭素分圧）	35～45 Torr
pH	7.36～7.44
重炭酸イオン（HCO_3^-）	22～26 mEq/L
塩基余剰（BE）	−2～+2 mEq/L
SaO_2	93～98%

経皮的酸素飽和度測定

パルスオキシメーターを用いて動脈血内の酸素と結合しているヘモグロビンの濃度%を測定します。測定器の発光部位を爪の根元に当たるようにして装着

します。

状態によっては歩行とか、階段昇降などでの変化を見てもよいと思います。

この場合は経時的な記録がなされる機器を用います。

- 正常値

SpO_2（経皮的酸素飽和度）　　96％以上

酸素飽和度と酸素分圧の換算が必要な時には次の表を使っておおよその値を求めます。

SpO_2 — PaO_2　換算表

SpO_2 %	PaO_2 Torr		SpO_2	PaO_2 Torr
60	31		80	44
61	32		81	45
62	32		82	46
63	33		83	47
64	33		84	49
65	34		85	50
66	34		86	51
67	35		87	53
68	35	(HOT 開始可)⤴	88	55
69	36		89	57
70	37	(呼吸不全)⤴	90	59
71	37		91	61
72	38		92	64
73	39	(準呼吸不全)⤴	93	67
74	39		94	71
75	40		95	76

76	41		96	82
77	42		97	91
78	42		98	104
79	43		99	132

心電図

呼吸器疾患と心電図検査所見について

a．不完全右脚枝ブロック

b．右脚枝ブロック

c．肺性Ｐ（診断基準より波高について甘く判断した方が実際的である）

d．上室生期外収縮

e．心房細動、心房粗動（右房負荷より発生したもの、発生する前のＰ波が肺性Ｐ）

f．右室肥大

上の所見のうちのいずれかでもあれば肺疾患が潜んでいるかもしれないということを疑って、その患者を診察するべきだと考えています。

それらの心電図所見は右心室や右心房の負荷に関係する所見だからです。

喀痰検査について

喀痰は気道の状態を把握するうえでの大切な資料です。しっかりと観察及び検査をする必要があります。

喀痰検査は次のような内容で行われます。

- **量**　多い、少ない。増加する、減少する。
- **粘稠度**　水様～粘稠

粘液性の透明な痰 …………………… 気管支喘息
アレルギー性気管支肺アスペルギルス症

□ **臭い** 生臭い、腐敗したような臭い …… 嫌気性菌

□ **色彩** 透明、白色 炎症等のない分泌された
クリーム色 ……………………………… 痰の中に細胞が多い
薄い黄色、濃い黄色、緑色 ……… 細菌性、化膿性病変
血液が混じる（すじ状、点状、ドッペリと、
喀痰全体に)、赤い鮮血色 ………… 血痰
黒い血液 ………………………………… 古い血痰
鉄さびのような色 …………………… 肺炎球菌肺炎
オレンジジェリー様 ……………… クレブシエラ
ピンク、泡沫状 ……………………… 肺水腫
食物などが入っている …………… 誤嚥

□ **喀痰中の好酸球、好中球**

気管支喘息では好酸球が増加してみられます。しかし好中球が優位に増えている場合もあり混合している場合もあります。慢性閉塞性肺疾患でも同様の所見がみられます。いずれも**好酸球優位の場合**には気道のリモデリングが進行しやすいといわれます。

肺炎、気管支炎、気管支拡張症、びまん性細気管支炎などではもちろん好中球が喀痰中に見られます。

□ **喀痰細胞診**

胸部レントゲンないし喀痰の性状、症状などから肺癌などが疑われた場合や血痰のときに実施します。

精度を上げるため２～３回連続して検査する（保険での回数制限に注意)。

□ **喀痰細菌培養（細菌感染)**

できれば喀痰を染色して検鏡したいものです。

培養検査は抗生物質使用前に行ってください。

一般細菌

塗抹検査

細菌培養検査（副鼻腔炎、誤嚥性肺炎、肺膿瘍などでは嫌気性菌も検査が必要です）

菌同定検査

抗酸菌

結核菌をまず調べます（保険上のことです）。

塗抹検査

抗酸菌培養検査

結核菌 PCR 検査

結核菌でなければ、次いで、

非結核性抗酸菌

抗酸菌培養

MAC-PCR 検査

いずれか陽性の時 ── 感受性検査を追加して行います。

鼻汁、咽頭ぬぐい液、尿、血液の検査について

▫ 鼻汁好酸球

アレルギー性鼻炎の診断のために施行します。

▫ 咽頭ぬぐい液

新型コロナウイルス、インフルエンザ、マイコプラズマ、アデノウイルス、RS ウイルス、A群β溶連菌

検体の採取は遠慮せずに奥の方から確実に採取することが大切です。偽陰性防止です。

▫ 唾液

新型コロナウイルス

▫ 尿

肺炎球菌尿中抗原、レジオネラ菌尿中抗原

▫ 血液検査

末梢血血液一般、血液像

IgE（非特異的、特異的）

CRP

各種原因菌やウイルスの抗体検査

呼吸不全について

呼吸不全は動脈血酸素分圧の下がった状態で、肺胞低換気や、肺内の換気血流不均衡、解剖学的あるいは生理学的な右左シャント、拡散障害などが原因して生じます。もちろん外界の気体の状態も関連します。

呼吸不全の診断基準

呼吸不全　PaO_2 60 Torr 以下

（準呼吸不全　PaO_2 60を超えて70 Torr 以下）

発生の状況によって、

急性呼吸不全　（急性の経過で起こり、迅速な対応が必要な場合）

慢性呼吸不全　（呼吸不全の状態が少なくとも 1 カ月以上持続している状態）

に分けられます。また、**動脈血炭酸ガス分圧**の状況で、

Ⅰ型呼吸不全　（$PaCO_2$ 45 Torr 以下）

Ⅱ型呼吸不全　（$PaCO_2$ 60 Torr を超えるもの）

に分けられます。

酸素吸入について

酸素吸入は一般には PaO_2 60 Torr 以下の場合開始ということですが、急性呼吸不全の場合はその限りではありません。

慢性呼吸不全の場合は平生より低酸素状態に慣れていて、かえって急速な酸素の吸入は問題が出てきたりします。呼吸中枢の問題などです。状態を見てということになります。

II 型呼吸不全の場合は不用意に酸素吸入した場合 CO_2 ナルコーシスになる危険性が高いので $PaCO_2$ を観察しながら少量の酸素から徐々に上げていく形で開始するべきです。

在宅酸素療法（HOT）

医療診療報酬点数表を参照してください。

開始の基準は PaO_2 55 Torr 以下（SpO_2 88% 以下）が適応になります。PaO_2 60 Torr 以下で睡眠や運動によって著しい低酸素血症を呈する場合も医師の裁量で適応です。ほかに心疾患など場合が書かれています。

実際には酸素供給装置（室内用、携帯用）、費用のことなどがあって患者が状態を理解して承諾してくれれば開始されることになります。

呼吸器疾患について

風邪

風邪には**ウイルス性の風邪**と**アレルギー性の風邪**があります。

経過によって上記の炎症に細菌感染（二次感染）が加わります。

教科書には、風邪は数日間の経過で自然治癒するように記述してあります。

外来に来る風邪の患者をその通りに理解すると間違いが生じると思います。

数日で自然治癒するような患者は外来には来ない、ということです。

外来に来た時には既に何らかの合併症を起こしているか、または、起こしかかって外来受診をしているのが常です。

風邪には抗生物質を使うか、使わないかという話は風邪がどの程度の状況に置かれた風邪かということにかかっているのです。

話は、外来に風邪の患者が来院した時には風邪であるという診断と、その患者の風邪がどういう時期にあって、どういう合併症を起こすに至っているかという二段階の診断がなされて初めて抗生物質の話が出るべきです。

既に喀痰が黄色かったり、緑色をしていたりするようなら気管や気管支に炎症を起こしていると考えられるのですから、抗生物質の適応になると考えます。

二段目の合併症のある無しの診断が必要なのです。

風邪の熱は風邪に罹患した最初のうちに出るもので、風邪の経過中に改めて熱が出てくるようであれば、それは肺炎かもしれないなどと考えるべきです。

こういうことですから、再度の発熱があるようであれば、改めてしっかり聴診をするとか、時によればレントゲン撮影を行うべきなのです。

呼吸器疾患に関しては**異常なラ音とか、異常な経過とか、分かりにくい状態、不自然な経過を取る場合**とかにはレントゲン撮影を躊躇してはならないと心得るべきです。特に肺に慢性疾患を有する場合や免疫抑制剤、抗がん剤使用の場合は注意を払う必要があります。

風邪のウイルスは時期によって、例えば初夏にはライノウイルスが多いとか季節性があるようにも感じています。

風邪と関連のあるウイルス性などの疾患

新型コロナウイルス感染症、インフルエンザ、レジオネラ症、感染性胃腸炎（ノロウイルス、ロタウイルス）、RS ウイルス、アデノウイルスなどは**簡易に迅速に診断のための検査ができるようになっています**し、マイコプラズマや肺炎球菌、A群β溶連菌などもあります。用意しておくとよいでしょう。

簡易迅速検査については検体の取り方に十分注意することが大切ですが、感染からの時間の問題もあって偽陰性となることも否めません。症状からもしっかり診て判断して治療を開始するとか、再度の検査を予定するとかしたいものです。

EBウイルス感染症、急性肝炎、急性白血病、急性ウイルス性心筋炎、劇症1型糖尿病なども場合によっては鑑別すべき疾患として考慮する必要があります。

インフルエンザなどを見ていると、罹患しやすい人がいるようです。カルテ上なぜこの人は繰り返し毎年罹るのか、今年は二回目ではないか、ということがあります。予防接種を受けていてものことなので免疫生成の問題があるのかもしれません。このような人は予防接種を2回する必要があります。

ウイルスによる食中毒は学校給食などの食中毒に関係したりして従来の細菌によるものと違い予防にも問題が多いと思っています。

蚊によって媒介される感染症

海外からの様々な感染症が入ってきています。

その中でもウイルス感染症が特に問題になっています。問診で**海外渡航の有無**も問う必要があります。

呼吸器疾患と浮腫について

気管支喘息、慢性閉塞性肺疾患、肺気腫症などの気管の閉塞性疾患の場合に胸腔内圧が上昇すると、吸気時に**胸腔内が十分な陰圧にならず、静脈の還流が妨げられて**、また、肺動脈圧も上がったりすることも関連して、特に顔（上眼瞼）、両上肢（手）などが、時間的には気管の状態が不安定な時間帯、喘息の増強する朝（起床時から午前中の間）に目立つ浮腫が認められます。
強度になると下肢にも浮腫が出現することになります。

心不全は特に肺気腫があったりすると胸部写真では心拡大が表現されないこともあって所見が取りにくいのですが、心不全の浮腫と間違わないように注意はしたいものです。

長引く咳について

次のような疾患等を持っている場合には出てきた咳が長引いてしまうことになってしまったりします。咳の背後にある疾患をみる必要があります。

気管支喘息のある人
副鼻腔気管支症候群
後鼻漏のある人
逆流性食道炎による場合
感染後咳嗽
気管支拡張症
誤嚥
肺癌
アトピー咳嗽
咳喘息
慢性気管支炎
百日咳、マイコプラズマ感染症、肺結核症
肺線維症
薬剤性
心因性
習慣性
心疾患　など

注意深い問診と呼吸音をしっかり聴診することで、これらの疾患の診断の手

がかりをつかむことができるかもしれません。

小児期からの呼吸器疾患の既往はどうか。
気管支喘息はなかったか、喘息様気管支炎と言われなかったか。
父方、母方や兄弟に喘息は無いか、咳が長引く人はいないか。
常に咳払いしている人はいないか。
アレルギーの状態はどうか。花粉症は無いか。

などの家族歴や既往歴が手掛かりになるかもしれません。

この咳が発症した最初の症状を聴取して確かめること。
最初に発熱したのか、途中から発熱があったのか、発熱が無かったのか。
一旦熱が下がったのに途中から再び発熱したなら要注意です。肺炎を疑う必要があります。
喀痰の性状、色が黄色味がかっているか、濃いか薄いか、その経過はどのようであったか、ないしは出血は無いか、量は多いか少ないか、粘稠か水様か、泡沫が混ざるかどうかなど、現病歴をもう一度正確にとる必要もあります。

曖昧な時は躊躇せずに胸部レントゲン検査を行うことです。
更に不確実な陰影があればCT検査、喀痰の細胞診や細菌学的検査などを行います。
最初に発熱があった場合は特に百日咳やマイコプラズマなどの検査を行うことも必要です。
気管支喘息が周囲にあったり既往にあったりする場合はもちろんのこと、疑われれば**喀痰**の好酸球検査を行うこと、**フローボリューム曲線**を検査することも必要になってきます。

気道に閉塞性病変を有する疾患について

気管支喘息（BA: Bronchial asthma）

日本アレルギー学会喘息ガイドライン専門部会監修『喘息予防・管理ガイドライン2018』（2018）では喘息の定義は変わりないのですが。

喘息の定義

『気道の慢性炎症を本態とし、臨床症状として変動性を持った気道狭窄（喘鳴、呼吸困難）や咳で特徴づけられる疾患』

とされています。

Tリンパ球やBリンパ球とは異なった自然リンパ球が発見されて後の事でもあり、Tリンパ球と自然リンパ球を中に取り入れていて気管支喘息に関しての解釈を大きく変えています。

２型免疫、非２型免疫について

好酸球に関しては、

従来のTリンパ球の**Th2リンパ球**が関与する**２型免疫反応（炎症反応）**と同様のものが**２型自然リンパ球（ILC2）**でも認められ、双方共にIL-5、IL-3を産生し放出します。これによって**好酸球や胚細胞が活性化**されます。

また**好中球に関しては、**

Tリンパ球の**Th17リンパ球**が関与する**３型免疫反応（炎症反応）**と同様のものが**３型自然リンパ球（ILC3）**でも認められ、これも双方からIL-17、IL-32が産生され、これらのインターロイキンによって**好中球の動員**、上皮細胞の活性化が招来されます。

一方、**IgE に関しては、**

B細胞から分化した**形質細胞から IgE が産生**されます。この形質細胞からの IgE 産生が Th2 リンパ球から放出される IL-4、IL-13 によって促進させせる関係にあります。

マスト細胞から血管透過性を亢進させ炎症を惹起するヒスタミンが放出されるが、このマスト細胞からのヒスタミン放出に抗原蛋白と結合した **IgE がマスト細胞と抗原蛋白との架橋となってヒスタミン放出を促進**させます。

今のところ、IgE が関与しているアトピー性喘息と IgE が関与していない(非アトピー喘息)が好酸球が関与している２型免疫反応（炎症反応）の喘息を併せて「**２型免疫**」と呼び、好中球が関与した３型免疫反応（炎症反応）の喘息を「**非２型免疫**」と呼ぶことにしたということです。

なお将来には次の組み分けがなされるようです。

好酸球は IL-5 を介して気管の上皮細胞を傷害してしまうという悪行を働きます。気管内皮が好酸球によって障害されるということです。このため**好酸球性の気管支喘息は、気管のリモデリングが進みやすい喘息である**ということです。

気管支喘息をフェノタイプ分類する

この**新しい２型免疫と非２型免疫の分類によって治療の方法が具体性をもって仕分け**されることになります。

いろいろな病態生理的､､原因的などによって分けられていた気管支喘息を、個別にいろいろな方向から観察して**フェノタイプ分類**をして上の病態生理の分類すると原因とか状態があぶりだされて治療薬の薬理的効果と結びつけられるので治療に役立つことになります。

気管支喘息をフェノタイプ分類してみますと次のようです。

「２型免疫」

A）**アトピー性気管支喘息**（アレルギー素因としてTh2細胞や好酸球の浸潤が特徴づけられる。IgE、好酸球が関与）

1）**IgE 上昇あり、好酸球増加あり**

アレルギー性好酸球性気管支喘息

B）**非アトピー性気管支喘息**（アレルゲンに対しても感作されておらず、IgE 抗体の関与が明らかでない）

1）**好酸球増加あり、IgE 上昇なし**

（好酸球性気管支喘息）

非アトピー性好酸球性気管支喘息

職業性気管支喘息（高分子の物質が原因するもの）

NSAIDs 過敏気管支喘息（アスピリン喘息）

肥満誘発性気管支喘息

喫煙誘発性気管支喘息（一部の）

持続的な気流制限を伴う気管支喘息

増悪を起こしやすい気管支喘息

多発性血管炎合併好酸球性肉芽腫症

「非２型免疫」

2）**好中球増加あり、好酸球増加なし、IgE 上昇なし**

（好中球性気管支喘息）

職業性気管支喘息（低分子の物質が原因するもの）

喫煙誘発性気管支喘息（一部の）

大気汚染誘発性気管支喘息

感染症誘発性気管支喘息

胃食道逆流誘発性気管支喘息

気管支喘息の診断

『喘息予防・管理ガイドライン2018』では喘息の診断に関しては、

喘息診断の目安

1）発作性呼吸困難、喘鳴、咳の反復
2）可逆性の気流制限
3）気道過敏性の亢進
4）気道炎症の存在
5）アトピー素因
6）他疾患の除外

となっています。

1）については問診や聴診を行って確認します。

問診

問診事項としては、

- 呼吸困難や喘鳴、咳嗽は発作性に起こるか、繰り返し起こるか
- 安静時か運動時か
- 夜間睡眠と関係（床に入ったとき、睡眠中、朝方など）があるか
- 何か発作の誘因となるものがあるか（動物その他のアレルゲン暴露、風邪などの感染症、運動、過労、ストレス、気象変化、生理、鎮痛剤などの薬、等）
- 小児期の呼吸器疾患（小児喘息、喘息様気管支炎、肺炎、等）
- 喘息の遺伝性の有無（近親者の呼吸器疾患）
- アレルギー性鼻炎、副鼻腔炎、鼻茸、全身のアレルギー疾患などはないか

小児喘息は通常学童期に入ると軽快していきますが、体力がつくことにより一旦軽快するのであって、成人になってからでも体力の低下があると再出現してくるようです。老年になって出てくることもあります。

聴診

聴診については強制呼吸で聴診することや、重症の場合には換気量が少ないため呼吸音に反映されない場合があることに注意してください（p. 236「呼気相についての聴診」参照）。

気道の可逆性の評価

2）については可逆性の気流制限を確認するために**気道の可逆性の評価**を行います。

呼吸機能検査（フローボリューム曲線など〈p. 243参照〉**）**を使って、

＊β2刺激剤の吸入による変動（スパイロメトリーを用いた基準）

硫酸サルブタモール200〜300 μgを吸入して、30分後にFEV1.0を測定します。そして、

変化率%

＝[（吸入後のFEV1.0－吸入前のEFV1.0）/吸入前のFEV1.0]×100

によって算出。

変化率が20%以上または200 cc以上の変化があれば陽性とします。

＊日内変動（ピークフローを用いた基準）

変化率%＝[（夕のPEF－朝のPEF）/夕のPEF]×100

で評価します。

変化率が15〜20%以上で陽性。

変化率%

＝[（PEF最高値－PEF最低値）/（PEF最高値＋PEF最低値）]×100

変化率が20%以上で陽性。

気道の過敏性

３）については危険を伴う検査でもあり割愛します。

乾燥冷気で誘発したり気道過敏性試験を行うことがあります。

好酸球の炎症か？　好中球の炎症か？

４)、５）については、**好酸球の炎症か？　好中球の炎症か？**　という事ですので、

喀痰好酸球比率２％以上が陽性

先にβ2刺激剤を吸入。次いで３～５％の食塩水を吸入する。

そのあとの喀痰を採取して検査する。

喀痰好中球比率

同様に採取した喀痰。白血球の分画を見る。

血中好酸球数を測定

血中好酸球150～300/μl 以上で陽性

末梢血白血球分画

などを見ます。

アトピー素因

５）については、

家族歴、既往歴でのアトピー素因に関することの聴取

IgE（非特異的、特異的）の測定

６）他疾患の除外をします。

これ等のことを観察して診断してください。

喘息の治療

そのうえで前記のフェノタイプ分類をしていただきたいと思います。　そうすると、次の治療につながるいろいろのことが見えてくると思います。IgE、好酸球、それに繋がる色々なインターロイキン、ヒスタミンなどとつながった中身の見える治療です。

喘息の治療管理目標

そこで気管支喘息の治療についてですが、『喘息の予防・管理ガイドライン2018』ではその治療については、

喘息の管理目標

1）a　症状のコントロール
　　b　気道炎症を制御する
　　c　正常な呼吸機能の確保
2）将来のリスク回避
　　a　呼吸機能の経年低下制御
　　b　喘息死を回避
　　c　治療薬の副作用を回避

とあります。

症状のコントロール

a の**症状のコントロール**としては、喘息発作が起こった場合にはしかるべき治療が必要です。

そのほか増悪因子を取り除くことや合併症や随伴症を治療することを並行して行っていきます。

b、c の気道炎症を抑えたり、呼吸機能を確保したりのことは、通常やって

いることです。

喘息に使用される薬剤

気管支喘息に使用される薬剤は以下のようなものです。
それをあえて分類すると次のようにも分けられます。

1）**発作治療薬（リリーバー）**
喘息の発作回避に使用する薬剤をいいます。

2）**長期管理薬（コントローラー）**
喘息を安定した状態で維持していく薬剤をいいます。

＊**喘息に使用される薬剤**にはつぎのようなものがあります。
LTRA（ロイコトリエン受容体拮抗薬：オノンなど）
テオフィリン
ICS（吸入ステロイド薬：パルミコート、キュバールなど）
LABA（長時間作用性β2刺激剤：セレベント、オーキシスなど）
LAMA（長時間作用性抗コリン剤：スピリーバなど）
SABA（短時間作用性β2刺激剤：サルタノール、メプチンなど）
経口ステロイド
抗アレルギー薬：
メヂエーター抑制剤：インタールなど
ヒスタミン H1受容体拮抗薬：アゼプチンなど
トロンボキサン A2阻害薬：バイナス、ブロニカなど
Th2サイトカイン阻害薬：アイピーデイなど
生物学的製剤
抗 IgE 抗体、抗 IL-5抗体、抗 IL-5 α抗体など

喘息治療ステップ

治療ステップ1	ICS 低用量 上記が使用不可の時以下のいずれかを使用 LTRA、テオフィリン徐放性製剤
治療ステップ2	ICS 低〜中用量 上記で不十分の時次のうち一つを加える LABA、LAMA、LTRA、テオフィリン徐放性製剤
治療ステップ3	ICS 中〜高容量 上記に下記を1〜複数加える LABA、LAMA、LTRA、テオフィリン徐放性製剤
治療ステップ4	ICS 高容量 上記に下記を複数使用 LABA、LAMA、LTRA、テオフィリン徐放性製剤 抗 IgE 抗体、抗 IL-5抗体、抗 IL-5 α抗体 経口ステロイド薬

＊いずれのステップでも追加治療として抗アレルギー薬を使用できる

＊＊発作時には SABA 併用

上記は次のA、Bを抑えておく治療ですが、将来のリスク回避に関してはA、Bを続けることとCにも治療を及ぼすという事です。

A）気道の炎症

マスト細胞からのヒスタミン放出が血管透過性を亢進させて炎症を起こす。それを抗原蛋白と結合した IgE が促進させる。

B）気道の可逆性の狭窄（気道の過敏性、攣縮）

気管上皮細胞の傷害と剥離が好酸球と関連する。これにより同部位の知覚神経が露呈することになり気管が刺激を受けやすくなる。またロイコトリエンが平滑筋に作用し攣縮させる。1型免疫反応（炎症反応）のTh1リンパ球からのINF－γが平滑筋を攣縮させる。

C）気道のリモデリング

好酸球が気管の上皮細胞を傷害する。Th2やILC2からのIL-13やIL-4が平滑筋の増生、気道粘液産生、杯細胞化生を起こし気道の狭窄が進行する。これが経年的な呼吸機能の低下につながる。

気管支喘息の発作の重症度判定

感染症など増悪因子が加わると喘息は発作を起こしたりして状態が悪化します。発作時の重症度は次のように判定します。

気管支喘息の発作の重症度判定

	症状による判定	SpO_2による判定
小発作	苦しいが横になれる	≧96%
中発作	苦しくて横になれない	91＜SpO_2≦95%
大発作	歩けない　話すことが出来ない	≦90%
重篤	意識障害　呼吸減弱	≦90%

気管支喘息の増悪因子

喘息の増悪因子には次のようなものがあります。

アレルゲンの吸入
ペット
気道感染症（感冒、ウイルス感染、細菌感染、真菌感染症など）
喫煙、刺激ガス、煙、黄砂、屋外大気汚染（NO_2、SO_2、PM2.5など）

天候変化（気圧の変化、５度以上の気温の変化）
運動
ストレス
胃食道逆流症（胃酸の気管内流入）

これらのうちその患者に該当するものがあれば、注意を喚起するとか、その因子を除去するとかしなければなりません。

アスピリン喘息

「NSAIDs 過敏喘息」とも呼ばれます。

NSAIDs が COX1を阻害することによりプロスタグランジン E2が減少して、このことがマスト細胞を活性化させて強度の喘息発作を誘発させるとのことです。このことからも分かるように COX1阻害作用の強い NSAIDs ほど副作用が強いという事です。**アセトアミノフェンは比較的安全といわれますが使用量が多い場合問題があります。**

NSAIDs は塗布、貼付、内服、坐薬、注射の順に強く反応が出ます。

整形外科等他科にての処方によるものが多くみられます。患者には特に注意を喚起しておく必要があります。

アスピリン喘息の発作は強烈です。もう出くわしたくありません。

アレルギー性副鼻腔炎や鼻茸を持っている喘息患者はアスピリン喘息を持っている率が高いようですから要注意です。既往歴のある場合は勿論です。喘息の治療に際しては**副腎皮質ステロイドの急速な静脈注射は禁忌**です。またコハクサンなどの入った副腎皮質ステロイド製剤の使用はしないよう注意してください。

気道感染症を合併した気管支喘息の増悪について

気道感染を伴った喘息の増悪は軽快しにくいものです。そのうちに感染症も増悪したりします。悪循環になります。循環の輪を切るには症状、喀痰の性状、血液所見、レントゲン検査などで感染症の存否ををしっかり見てそれ相応の対処をむしろ先に立って並行しながら進めていくことが大切です。そうすることによって治療後がすっきりしたものになります

気象の変化と気管支喘息

人は生まれるのも死ぬのも病気になるのも潮の満ち干や気圧、温度の変　化に左右されます。

喘息は気圧の変化、特に気圧が下がることによってその状態が影響を受けます。

低気圧と高気圧が並んで日本列島を通過していく３～５月、９～10月、停滞前線が上下する梅雨期、秋梅雨の時期、それに台風の通過するときなどに具合が悪くなります。低気圧が前線を髭のように二本連れて通過するときは最悪です。

気管支喘息の合併症や随伴症

アレルギー疾患 …… アレルギー性鼻炎、アトピー性皮膚炎
上気道の炎症……… 慢性副鼻腔炎（好酸球性）、鼻茸、鼻ポリープ
アレルギー性気管支肺アスペルギルス症
アレルギー性肉芽腫性血管炎

などです。合併症はなるべく避ける必要があります。既に存在すれば改善させなければなりません。**気管支喘息を良好の状態に保つためには合併症や随伴症のコントロールないし対応が必要です。**

狭心症と気管支喘息

狭心症と気管支喘息が合併している場合があります。

通常、両者が合併している場合には、狭心症が出てくると気管支喘息が治

まってきたり、**喘息が出ると狭心症は治まったりとまるでシーソーのように行動するようです。**それぞれに**使用する薬剤もβ2刺激剤やアドレナリン製剤とβ遮断剤など逆に使うと禁忌となるものがあります。**

β2刺激剤を使用する際には狭心症への配慮が必要です。事によると心筋梗塞に至らしめることにもなりかねません。**状況を見て狭心症の根本的治療を先行する必要も出てきます。**

気管支喘息と鑑別すべき疾患

上気道疾患…………急性喉頭炎、喉頭腫瘍、喉頭浮腫、声帯機能不全
急性肺疾患…………急性気管支炎、喘息様気管支炎、気管支結核、気胸
慢性肺疾患…………COPD、肺気腫、慢性気管支炎、閉塞性細気管支炎、びまん性汎細気管支炎、気管支拡張症
慢性気管支疾患……気管、気管支軟化症、気管、気管支腫瘍、肺癌
気管内異物
心疾患………………心臓喘息、心不全
心因疾患

などがあります。適宜に病歴、胸部レントゲン、CT 検査、内視鏡検査などに進める必要が出てきます。

慢性閉塞性肺疾患（COPD: Chronic obstructive pulmonary disease）

喫煙刺激によって起こった慢性炎症病態です。

マクロファージや CD8 陽性リンパ球、好中球の集積と活性化が重要な組織学的所見です。

好中球由来のエラスターゼに代表される組織傷害性のメディエーターが肺実質の破壊に関与しています。

生理学的特徴としては、一般に気流制限には可逆性が乏しいことです。

病歴としての特徴

病歴としての特徴は、

- 中年以降に発症して、徐々に進行する呼吸困難であること
- 長期にわたる喫煙歴がある場合で、慢性に咳や痰があり、労作時呼吸困難などが見られること

です。このような患者に対してはCOPDを疑います。

▫ **タバコ喫煙などの有害物質暴露**

タバコ喫煙、調理や暖房などによる煙の暴露や職業性粉塵暴露があります。

▫ **呼吸困難**

- 進行性である
- 体動時に増強する
- 発作的でなく、持続的である

ことが特徴です。

▫ **慢性の咳**

間歇的で喀痰を伴わないことも少なくありません。

▫ **慢性の喀痰**

持続する喀痰はCOPDを示唆する一つの重要な事柄です。

▫ **家族歴にCOPDがある**

▫ **低血圧の場合**

低血圧症ではフローボリューム曲線が閉塞性の型を示すことが多いように私は観察しております。自律神経の緊張関係かも知れません。また、血圧を上げようとして喫煙をする習慣になっていることもあるかもしれません。

などのことです。

理学的検査

理学的検査としては、肺残気量が増加しているため樽状胸郭で肋骨が水平になり胸郭の前後径が大きくなります。

呼気延長があり、呼気の気道抵抗を小さくするために口すぼめ呼吸が見られます。

呼気は減弱します。

異常呼吸音は特徴的ではありません。気道分泌物の移動音などや気管支喘息のように rhonchi が入ったりします。

呼吸運動の異常が認められることがあります。

吸気時に肋間の筋肉が内側に陥凹する異常呼吸運動（Hoover 徴候）が見られます。

胸郭の異常として、胸部の変形や補助呼吸筋の肥厚が見られます。

チアノーゼを重症例では見ることがあります。

検査としてなされるべきもの

検査としてなされるべきものは、気管支拡張薬の吸入による変化や日内変動をみるためのスパイロメトリーです。

▫気管支拡張薬吸入後のスパイロメトリー

１秒率（EFV1/FVC）が70％未満であれば COPD と診断されます。

診断確定には次のような検査が必要です。類似の疾患と鑑別するためです。

喀痰検査（細胞診、好中球及び好酸球数、塗抹、培養）

末梢血液検査

Ｘ線画像診断

肺高分解能 CT 検査

肺換気、血流シンチグラム

呼吸機能検査
動脈血ガス分析
呼気ガス分析（NO、CO 測定）
夜間睡眠時呼吸モニター
心電図、心エコー、心カテーテルによる肺高血圧、肺性心評価

などにより、気流閉塞をきたす下記のような他疾患を除外する必要があります。

- 気道可逆性の大きい COPD
- 気道可逆性の乏しい難治性気管支喘息

COPD と気管支喘息が併存している症例（ACOS）では、気管支喘息との鑑別は困難です。

本当は診断のハードルが非常に高い疾患です。

鑑別すべきその他の疾患

鑑別すべきその他の疾患としては次のようなものがあります。

気管、気管支疾患………気管支喘息
若年より発症がある場合
日々変化する多様性の症状がある場合
アレルギー疾患を伴う場合
喘息の家族歴がある場合
びまん性汎細気管支炎
ほとんどが男性であって非喫煙者である
慢性副鼻腔炎の高頻度な合併がある
X線検査で、びまん性の小葉中心性の小結節陰影と肺の過膨張所見

　　　　　　　　　　副鼻腔気管支症候群
　　　　　　　　　　閉塞性汎細気管支炎
　　　　　　　　　　　若年者で非喫煙者である場合
　　　　　　　　　　　マイコプラズマやウイルス感染
　　　　　　　　　　　自己免疫疾患
　　　　　　　　　　　移植医療
　　　　　　　　　　気管支拡張症
　　　　　　　　　　　多量の膿性痰があり、細菌感染が関与している場合
　　　　　　　　　　　X線検査で気管支拡張像を認める場合
肺疾患……………………肺結核
　　　　　　　　　　　X線検査で浸潤陰影
　　　　　　　　　　　結核菌の検出
　　　　　　　　　　　生活環境
　　　　　　　　　　塵肺症
　　　　　　　　　　間質性肺炎
気管、気管支肺腫瘍……肺癌
心疾患……………………うっ血性心不全
　　　　　　　　　　　心陰影の拡張があって、NTproBNP 高値である
　　　　　　　　　　　呼吸機能検査では拘束性、気流閉塞はない

ACO: Asthma-COPD overlap（気管支喘息と慢性閉塞性肺疾患との合併症）

気管支喘息と慢性閉塞性肺疾患はどうも境目がはっきりしないということで、境界にあるもの、あるいはCOPDと診断をつけたが途中でBAの様相を呈してきたとかいうことへの対応ということです。

気管支喘息（BA）からこの疾患を見ると、喫煙歴があり、労作性呼吸困難が出現する状態で、安定期に閉塞性障害があり、胸部CTで低吸収域が存在する形のものということですし、**慢性閉塞性肺疾患（COPD）からこの疾患を**

見ると、アレルギー疾患の合併があり、夜間から明け方に症状の増悪がある状態で、好酸球増多、FeNO 高値、アレルゲン特異的 IgE 陽性である形のものを ACOS とするということです。最近は syndrome をとって ACO に変更されています。

前者は COPD の対応での考え方。つまり**気管支喘息に COPD が加わった**ということ。

後者は BA の対応での考え方です。つまり **COPD に気管支喘息が加わった**ということ。

この二つの考え方を加えて対処することになります。

もともと、重症喘息やウイルス感染による急性増悪した気管支喘息には好中球の集積があったりしたし、COPD の急性増悪期には好酸球の集積があったりしました。

BA と COPD が同一疾患ではないかというオランダ仮説があり興味があります。

私見では、上のようなこともあり、また特に診療所で診療している時には完成した疾患でない状態で受診することが多いので、

1）家系に気管支喘息がある患者が感冒に罹患した場合、咳が長引いた時の検査ではフローボリューム曲線に軽度の閉塞性の所見があったりします。
これらの患者は気流閉塞の点でも可逆性の点でも診断基準の数値にまでは至らなかったりしますが、後年には、または別の発作の時には基準値に至ったりすることもあるのです。

2）低血圧状態である人がフローボリューム曲線で閉塞性の所見があったりします。
低血圧の人は朝の低血圧を解消するためにタバコを吸う人が多いので

す。タバコ以前に低血圧という体質がもとになっている可能性もあります。

3）気管支喘息を有する人が肺気腫を合併することは多い。

ということもあり両疾患を慢性閉塞性肺疾患として、その中を発作性、非発作性とかに、また肺気腫を有する、アレルギーを有するなどと形容する形での病名はどうかと考えていました。

循環器疾患でもそういう病名のつけ方があります。

機能的、病因的、病理的と別な観点での診断があっても良いのではないかと考えているのです。

どうでしょうか。

なんだか大変なことになってきたように感じます。

肺炎

肺炎の種類に関しては、

原因菌により

細菌性肺炎

非定型肺炎

ウイルス性肺炎

肺炎を起こす状況的原因により

誤嚥性肺炎

に分けられます。

肺炎を診断する際には常に**肺結核を鑑別すべき疾患として頭の中に置いておく必要があります**。

市中肺炎

通常の生活の中で起こす肺炎のことです。病院の中とは違った環境（細菌学的に違った環境）で起こした肺炎ということです。

肺炎を起こすきっかけになるもの

風邪からの肺炎への移行の状態が過労状態や心臓や肺に基礎疾患のある人などの時に認められます。

通常の風邪は感染初期に発熱があっても１～３日で解熱して、後は一般的咽頭痛、咳や痰といった症状が短時日経過して治っていきます。

途中に扁桃腺の化膿などがあれば発熱が上下することがあります。

しかし、**一旦解熱した状態から再度発熱があって症状が増悪するようなことがあれば注意を要します**。気管支肺炎、肺炎を考えに入れて診療をすることです。

肺炎球菌などの強力な細菌の感染の時や多量に飲酒する人、心臓や肺の基礎疾患がある人では最初から肺炎ということもあります。

急の発熱を伴って発症する場合は胆嚢炎や腎盂腎炎と同じように悪寒戦慄ではじまります。

この場合は診断するのにそう問題はありません。

しかし**老人の場合は食思不振が主症状であって発熱や咳がないことも往々にあり**ますので注意してください。

肺炎の発生しやすい時期

市中においては、厳寒の時期というより春先に多いように思います。

肺炎に罹患し易い人

▫ 肺に基礎疾患を持った人

肺に基礎疾患を持った人が急性上気道炎に罹患した場合、例えば気管支喘息の場合、気管支喘息の症状が悪化してくることにより二次感染が起こり易くなって肺炎を惹起することとなります。
ステロイドや免疫抑制剤、抗がん剤を使用すればなおのことです。
同様のことがCOPD、肺気腫症、肺線維症、肺結核ないしその後遺症、非結核性抗酸菌症などにも考えられます。いろいろな心臓疾患では肺の血流がうっ滞していて、肺胞内が感染し易い環境になっています。
これらの疾患を持った患者には肺炎への進展を注意して見守り、予防すべきです。

▫ 心疾患のある人

心疾患のある人に関しては、心臓弁膜症、先天性心臓病や種々の原因による心不全状態の患者も急性上気道炎から二次的に肺炎に移行し易い肺うっ血という状態があります。注意を要します。

▫ 糖尿病を持った人

血糖が高いということは、侵入した細菌などの病原体が増殖、活動し易い環境を用意してあるということで、肺炎が発生し易いのです。
また重症化し易い状態でもあります。

▫ 副腎皮質ステロイド、免疫抑制剤、抗がん剤を用いている患者

関節リウマチやその他の膠原病では副腎皮質ステロイドの使用がなされることが多くなっています。また、がんに罹患するだけでも感染症に弱くなりますが、抗がん剤の使用はさらに追い打ちをかけることになります。

▫ 飲酒量の多い人

免疫異常をきたしていて、細菌に感染し易いし、進行が速く、回復しにく

く重症化しやすい状態です。

▫ **高齢者**

免疫力の低下や肺の換気不足、種々の疾患の合併などがあり感染に弱いのが一般的です。

また、肺炎に罹患しても発熱しなかったり咳や痰がなかったりして発症が分かりにくいため、食欲の低下とか、なんとなく元気がないとかいうことでも肺炎を疑わなくてはなりません。

▫ **誤嚥し易い脳その他の疾患を持った人**

嚥下機能はいろいろな脳の疾患や食道逆流症、経管栄養中の人などで食物や細菌が気管内に落ちて感染、腐敗することで肺炎が発生します（**誤嚥性肺炎**）。

食べ物を誤嚥しにくいため調理ないしは補正する工夫や、夜間に胃食道逆流により感染し易いことから、ギャッジアップして上体を起こすなどの体位の工夫をしたりすることが必要になります。また口腔内の清潔は欠かしてはいけません。

誤嚥性肺炎は重症になることが多いので予防的な処置が重要です。

▫ **平生から肺の換気量の少ない生活をしている人**

平生より体動が少なく、肺の換気量が少ない場合には、普段あまり膨らまない、使用されていない肺胞が感染を起こしやすい状態にあります。

肺炎への進展に注意する必要があります。

▫ **過労の状態にある人**

過労の状態にある人では、侵入した菌に対する抵抗力が低下していると考えられますので、この場合も肺炎への進展に注意すべきです。

これらの肺炎に罹患し易い人に関してはすでに風邪の段階から先を見越して、心しての診療を行うべきです。

肺炎の起炎菌として重要な菌

- 細菌性肺炎
  肺炎球菌
  インフルエンザ菌
  クラジミア
  肺炎桿菌
  黄色ブドウ球菌
  (MRSA に注意)

- 非定型肺炎
  マイコプラズマ
  レジオネラ菌

- ウイルス性肺炎
  インフルエンザウイルス（A、B）
  新型コロナウイルス

起炎菌の検査

喀痰のグラム染色での検鏡検査が勧められています。
最近は迅速検査がいくつか適応になっています。
簡易キットがあります。
迅速検査としては次のようなものがあります。

- 咽頭ぬぐい液、喀痰
  肺炎球菌……………「ラピラン、肺炎球菌」
  マイコプラズマ……「リボテスト、マイコプラズマ」
  インフルエンザウイルス（A、B）
  新型コロナウイルス

▫ 尿中

レジオネラ菌尿中抗原………「BinaxNOW レジオネラ」

肺炎球菌尿中抗原……………「BinaxNOW 肺炎球菌」

喀痰培養、薬剤感受性

喀痰を治療前に採取して検査に供することになります。

結果が出るまでには日数を要します。

その間にはガイドラインによって選択された抗生物質等を使用しておくことになります。

肺炎の重症度

肺炎を起こしやすい状態に留意して、もし上気道炎に罹患した時には状況を見て本格的な肺炎になる前に、早期に診断し治療を開始してあげたいと思います。同じような肺炎でも基礎疾患を持っている人といない人では重症度は異なりますので扱いは慎重にしたいものです。

肺炎の治療

肺炎の治療は患者の状態から見た、検査所見から見た、推測される起炎菌から見た初期治療に始まり、起炎菌の薬剤感受性から見た治療に移っていくということです。

肺結核症、非結核性抗酸菌肺感染症

時折、肺結核症の院内感染が報道されます。長引いている咳の職員がいたということが多いですが、途中の検査が残念ながらなされなくて、院内感染へと進んでいくようです。自分の家の人は死なないと思っている患者とさほど変わりません。

陳旧性の結核病変を抱えている人は多く、その人の体力が何かの原因で低下した場合には、その**陳旧性肺結核病変が活性化**して発病に及ぶことを忘れてはなりません。体力低下のその原因とはほかの疾患の罹患であったり、医原的に**副腎皮質ステロイド**、**免疫抑制剤**、**抗がん剤**であったりするのです。長引く咳には躊躇なくレントゲン検査を行うべきです。

また何らかの肺感染症と下肺の異常陰影があった時に、原因疾患が不明瞭の時には結核菌の検査も併せて行うべきです。

そうして出てくるものが非結核性抗酸菌（**非結核性抗酸菌肺感染症**）のこともあるかもしれません。わが国の非結核性抗酸菌症の80％はMycobacterium avium complex（肺MAC症）で、最近増加しています。中年以降の女性に多いようです。

間質性肺炎

特発性肺線維症

労作時の息切れに始まって安静時呼吸困難に至る呼吸不全となる進行性の疾患で、急性、亜急性、慢性の進行があります。聴診上は吸気の時相でvelcro soundsが聴取されます。レントゲン上は下肺野に始まることが多く、上肺野に及んで進行していくびまん性の陰影です。

息切れ、咳などの症状があったり、強制呼吸で吸気相をしっかりと聴診をしたときに、**velcro soundsが聴取された場合**には、**胸部レントゲンですりガラス影、粒状影、蜂巣影、線維状、網状影の陰影が確認**された時に肺線維症の疑いでCT検査にすすみます。

診断が確定すれば次は病因についての検査です。

以下のようなものがあります。

自己免疫疾患（膠原病など）
粉塵吸引（アスベストなど）
アレルギー性疾患（カビなど）
薬剤性

放射線性

原因不明

病理的には肺胞間質を病変とする炎症像と線維化像があります。

急性に進行するものが急性間質性肺炎、亜急性に進行するのが器質化肺炎を伴う閉塞性細気管支炎、特発性線維化肺胞炎、慢性化するものが非特異型間質性肺炎、特発性肺線維症です。

肺間質の線維化は**KL6、SP-A、SP-D、膠原病の検査など**で追跡すれば線維化の進行のスピードがある程度把握できます。

膠原病性間質性肺炎

関節リウマチなど膠原病の一症状として肺線維症が起こることがあります。

いずれの間質性肺炎でも感染に弱くなり繰り返して細菌性**肺炎**を起こすことになります。また、**肺癌**を合併することもあります。この場合、陰影が重なってくるために診断が非常に困難になります。注意が必要です。

薬剤性間質性肺炎

薬剤による間質性肺炎は医原性ということで要注意です。

1）免疫反応としての関与が考えられるものは、

抗菌薬、解熱消炎鎮痛薬、抗不整脈薬（アミオダロン）、抗リウマチ薬（金製剤、メトトレキサート）、インターフェロン、漢方薬（小柴胡湯）

があります。

発症までの期間は１～２週間といわれます。

2）細胞障害性薬剤としての関与が考えられるものは、

抗悪性腫瘍薬

があります。

発症までの期間は数週間～数年といわれますが、早い場合があるようです。

くれぐれも症状の観察とレントゲン検査によって観察をして、見逃さないことです。

細菌性肺炎の抗菌剤による治療の経過中に抗菌剤によって間質性肺炎を起こすことも有り得ますので観察が必要です。

肺癌

原発性肺癌と**転移性肺癌**とがある。

原発性肺癌

原発性肺癌には**腺癌**（40%）、**扁平上皮癌**（35%）、**大細胞癌**、**小細胞癌**（15%）などがあります。発生頻度については男女総合ではカッコ内の数値になります。

女性については腺癌が80%と多くみられます。

小細胞がんは特に進行が速いために、原発性肺癌を**小細胞癌**（15%）、**非小細胞癌**（85%）に分けることもあります。

原因としては男性の88%、女性の23%が喫煙です。扁平上皮癌が喫煙と関係が大きいということです。

ほかには、PM2.5、デイーゼル排気ガス、アスベストなどの化学物質、遺伝などがあります。

症状としては、咳嗽や痰が続く、肩痛、背部痛、胸痛、腰痛、血痰などがあります。

できれば咳嗽くらいでできれば無症状で発見されたいものです。

診断は胸部X線撮影がきっかけになることが多いのですが、偶然に他の目的で撮られるCTであることもあります。胸部X線の場合には、**正、側の撮影が望まれます**。

▫ **胸部X線の読影**としては

コントラスト、接線、シルエットサインをみていきます。

▫ **陰影の性状**としては

結節状、塊状陰影ですが、時には塊とならずに炎症と同じに浸潤性の陰影になることも多いようです。肺炎として治療されて治りが遅く気が付くこともあるといいます。塊にはこだわらない方が良いです。多くを見ればわかります。また、肺結核症、間質性肺炎などの合併では読影に困難が生じます。要注意です。

▫ **発生部位**からは

腺癌は気管支肺胞系の末梢で発生のため肺野の孤立性陰影として、**扁平上皮癌**は肺門部の主気管支や葉気管支の気管内腔の上皮に発生し広がるために、閉塞性肺炎、無気肺、肺容量減少などで発見されたりする。

大細胞癌は亜区域枝より末梢の気管内腔に発生するため部位は異なるが扁平細胞癌と似たような形になる。

小細胞癌では転移が早いため原発巣より転移した肺門リンパの陰影によって気が付くことにもなります。年に一回のレントゲン検査でもその間に発生して進行してしまうようなことになりかねません。時に末梢肺野発生のこともあります。

▫ **そのほかの所見**では

腺癌では比較的淡い陰影で辺縁不明瞭、腫瘍周囲の気管支末梢性収縮や胸膜嵌入像が伴ったりします。

小細胞癌では周囲の巻き込み収縮傾向は少ないようです。

▫ **そのほかの検査**について

肺癌が疑わしい場合には**CT検査**を行います。

以下、**気管支鏡検査**による生検、**経皮的生検**などにより診断されます。

▫ **自院での検**査では

喀痰細胞診が行われます。２～３回連続した検査が良いと思います。

▫ **血液検査**は

腺癌では CEA、SLX

扁平上皮癌では SCC 抗原、CYFRA21-1

小細胞癌では NSE、ProGFR

などですが偽陽性等があって経過を追うときには使えますが**診断の時にはあまり勧められません。**

アスベスト症

１）**石綿肺**

石綿の吸入によって引き起こされた塵肺である。肺線維症の形をとる。職業上などでアスベスト粉塵を10年以上吸入した者に起こるとされている。

潜伏期間は15～20年と言われる。

２）**肺癌**

肺細胞に取り込まれた石綿繊維によって引き起こされた肺がん。

アスベスト被爆から肺がん発生まで15～40年と言われる。

３）**悪性中皮腫**

肺を取り囲む胸膜、肝臓や胃腸などの臓器を取り囲む腹膜、心臓、大血管基部を覆う心膜にできる悪性腫瘍。若い時期にアスベストを吸い込んだものがなりやすい。潜伏期が20～50年と言われている。

甲状腺疾患

甲状腺疾患については割合頻度の多い疾患であります。診断に至る過程は割合簡単ですので、気がつけば教科書通りに検査、診断すれば良いのです。

この疾患が頭の中にないと、見逃します。診断のフィルターにかかるように**甲状腺疾患を常に頭の中に置いておく**ことです。

重要なことは、理学的検査をどのように確かに取るかです。手早く正確に取り、次の血液検査に結びつけることです。むやみに血液検査に頼るのは良くありませんが、理学的検査での診断根拠を持って的確な血液検査に移行することは患者さんの経済的な面を考えても必要なことです。勿論、日本の医療経済的な見地から見てもそうであります。

甲状腺疾患の問診、視診および触診

甲状腺ホルモンの過剰や不足によって生じる症状や状態についての問診です。

体重の変化 …………………………………… 増えてきていないか。
減ってきていないか。

浮腫（non-pitting edema）はないか、その浮腫は圧痕ができるか、できないか。

まぶたの腫れはないか。

知能の低下、認知症の発現などが認められないか。

精神状態はどうか ………………………… 落ち着きがなかったり、イライラしていたりしないか。

声の質についてはどうか ……………… 嗄声はないか。

話し方の速さはどうか。

髪の質 ………………………………………… 荒くて硬く、艶がないなどの異常はないか。
髪が細いようではないか。

眉毛の状態 ……………………………… 外側３分の１が薄くなっていないか。

冬や夏について ………………………… 寒さに耐えがたいことはないか。
暑さに負けやすいことはないか。

皮膚の turgor はどうか。

汗の状態 ……………………………………… 乾いてカサカサしていないか。
異常に汗が出やすい状態はないか。

眼の潤い、輝き具合はどうか。

眼球の突出はないか。

眼球のサイン（von Graefe、Moebius）はどうか。

手指の震え（fine tremor）はないか。

手指を全部開いて、伸ばして（パー）手指に細かい振戦がないか見る。

分かりにくければ、示指と中指に数センチ四方の紙を挟んで振動を観察する。

手掌の状態について …………………… 温かくて湿った手のひら（warm and sweating）。

心臓に関して …………………………… 心拍数に頻脈や徐脈はないか。心音に異常はないか。

甲状腺の大きさはどうか。

甲状腺の硬さ、柔らかさはどうか。

甲状腺に ………………………………………… 腫瘤、結節はないか。

甲状腺の領域リンパ節の腫脹はないか。

甲状腺に ………………………………………… 圧痛はないか。

甲状腺の聴診 ………………………………… 血流音 bruit が聴取されないか。

などを観察します。

甲状腺疾患の検査とその考え方

血液検査の種類は通常使用されるのは以下のようなものです。

TRH ………………… 甲状腺刺激ホルモン放出ホルモン

TSH ………………… 甲状腺刺激ホルモン

FT_3 …………………… 遊離トリヨードサイロニン

FT_4 …………………… 遊離サイロキシン

TRAb ……………… TSH 受容体抗体

TSAb ……………… 甲状腺刺激抗体

TgAb ……………… 抗サイログロブリン抗体

TPOAb …………… 甲状腺ペルオキシダーゼ抗体

…………… 抗ペンドリン抗体

TGPA ……………… サイロイドテスト

TPO ………………… 甲状腺ペルオキシダーゼ

PTH ………………… 副甲状腺ホルモン

Tg …………………… サイログロブリン

calcitonin ………… カルシトニン

CEA …………………がん胎児性抗原

FT_4、FT_3、TSH 検査は甲状腺機能検査の第一歩であり、甲状腺機能を推定するものです（事実はそう単純ではないようです）。

検査結果の考え方としては下垂体と甲状腺の間には次の関係があるということです。

下垂体（TSH）が甲状腺（FT_4、FT_3）をコントロールし、逆に甲状腺（FT_4、FT_3）が下垂体（TSH）をコントロールするというネガティブフィードバックがなされています。

正常甲状腺機能では	TSH 正常	FT_4 正常	FT_3 正常
顕性甲状腺機能亢進症では	TSH 低値	FT_4 正常ないし高値	FT_3 (※) 高値
潜在性甲状腺機能亢進症では	TSH 底値	FT_4 正常	FT_3 正常
顕性甲状腺機能低下症では	TSH 高値	FT_4 低値	FT_3 低値または正常
潜在性甲状腺機能低下症では	TSH 高値	FT_4 正常	FT_3 正常

※FT_4高値でFT_3正常の場合もある。

非典型的な例としては、

TSH 高値　FT_4 高値　FT_3 高値　の甲状腺機能亢進症がある。

また、　TSH 低値　FT_4 低値　FT_3 低値　の甲状腺機能低下症がある。

この場合は持続性の確認をして**精査を専門医に相談**することになります。

理学的検査の所見で**甲状腺機能異常が疑わしい時には**まずTSHのみでも先に検査します。

そこで、

TSHが低ければ……FT_4、FT_3とTRAbを追加検査する。

TSHが高ければ……FT_4、FT_3とTgAbまたはTPOAbを追加検査する。

甲状腺機能異常が確かなようであれば最初からTSH、FT_4、FT_3を揃えて検査すればよいと思います。

FT_4は脱ヨード酵素によってFT_3に転換されます。

FT_3がTSHやFT_4と並行しないこと、すなわち**FT_3が乖離をする場合**があります。

1）TSHやFT_4が正常であるにもかかわらずFT_3が低値である場合は、重篤な疾患で全身状態の悪い時、低栄養の状態の時などです。

甲状腺疾患との関係はありません。

2）T_3優位型バセドウ病

難治性のバセドウ病で見られる。甲状腺が大きい。

抗甲状腺剤では治療困難であるのでほかの方法での治療を考えます（後出）。

甲状腺機能が高い時（甲状腺機能亢進症）

甲状腺機能亢進の原因疾患

1）甲状腺が甲状腺ホルモンを過剰に生産した場合

（刺激型のTRAbが増加すると甲状腺が過剰に甲状腺ホルモンを分泌する）

バセドウ病

頻脈、体重減少、手指振戦、発汗増加などの甲状腺中毒症状を認める。

びまん性の甲状腺腫大がある。

眼球突出などの特有の眼症状がある。

FT_4、FT_3の一方または両方が高値。

TSH低値（0.1 μIU/ml以下）。

TRAb（TSH受容体抗体）またはTSAb（甲状腺刺激抗体）が陽性。

I^{131}摂取率高値、シンチグラフィーびまん性に摂取される。

TRAb陽性（典型的な眼所見がある場合はほぼ間違いない）。

無痛性甲状腺炎との鑑別にTRAbが必要である。

TRAbが陰性の場合は無痛性甲状腺炎も考えて、I^{131}uptakeを行うか無治療で経過観察する。

甲状腺機能亢進症の眼症状はTSAbと相関する。

治療の効果を見る時にはTRAbで経過を見ます。

→ TRAb が順調に低下すれば経過良好です。
TRAb が不規則な変動、高値は寛解に至りにくいということです。

T_3優位型バセドウ病

バセドウ病の治療にてFT_4正常化にもかかわらずFT_3が改善しない例があります。バセドウ病の12%にみられるということです。

甲状腺腫大が強く、TRAb も優位に高値です。

難治性で抗甲状腺薬での寛解率が悪い。

抗甲状腺薬で甲状腺腫大が通常と逆に、なおの腫大傾向に向かいます。

手術療法かアイソトープ治療とします。

専門医に紹介することになります。

妊娠中

胎盤が作る hCG というホルモンによって甲状腺が刺激されるためと考えられています。

機能性結節性病変（プランマー病）

甲状腺の結節が TSH 受容体機能獲得異変などにより TSH フィードバック調節を受けずにホルモンを過剰に分泌するために起こります。

2）甲状腺の破壊によって甲状腺ホルモンが増加した場合

TRAb 正常、血清 Tg 高値になります。

破壊性甲状腺中毒症

▫ 無痛性甲状腺炎

橋本病を背景にしていることが多い。バセドウ病の寛解期に発症することもあります。

出産、ステロイドの急激な中止、インターフェロンの使用などが誘因となります。

TRAb 正常。

無治療で軽快する。抗甲状腺薬は禁忌です。

▫ 亜急性甲状腺炎

発症後にムンプス、エコー、EBV、インフルエンザなどのウイルス抗体の上昇を見るため**原因がウイルスと考えられています**。ムンプスが多いとのことです。

急性に発症します。副腎皮質ステロイドが著効します。

圧痛がある疼痛性の結節があります。

CRP 陽性、FT_4に比べてFT_3が低く、Tg の上昇があります。

エコー上虫食い状の低エコー域が認められます。

3）不適切TSH分泌症候群（SITSH）

甲状腺ホルモンが上昇しているにもかかわらず不適切に TSH が高値または正常である場合。

4）外因性に甲状腺ホルモンが増加した場合

TRAb 正常、血清 Tg 正常～低値です。

- 痩せ薬などで**甲状腺ホルモンを過剰**に摂取した場合。
  甲状腺ホルモン薬、痩せ薬（甲状腺ホルモン含有）
- **ほかの疾患の治療に使った薬剤**によってバセドウ病や無痛性甲状腺炎を起こした場合。
  アミオダロン、インターフェロンα、インターロイキン２、GnRH 誘導体、炭酸リチウム、分子標的治療薬

甲状腺機能が低い時（甲状腺機能低下症）

甲状腺機能低下には次のような症状があります。

無気力、易疲労感、眼瞼浮腫、寒がり、体重増加、動作緩慢、嗜眠、記憶力低下、便秘、嗄声など

びまん性の甲状腺腫（治療後状態は除く）。

コレステロールが高値です。

FT_4、FT_3、TSH の３項目で判断されます。

甲状腺機能低下の原因疾患としては次のようなものがあります。

原発性甲状腺機能低下症

▫ 原因となるものは

バセドウ病の手術、アイソトープ治療。甲状腺腫ガンの手術。

頸部への放射線治療。── などの甲状腺疾患の治療後状態。

ヨードの過剰摂取。

昆布の過量摂取（とろろ昆布、根昆布、昆布の佃煮など）。海辺の人に多いように思います。

イソジンガーグル、ヨード使用の検査などで惹起されます。

橋本病

TgAb を検査→ TgAb が陽性なら TPOAb 検査をします。

TgAb　陽性……橋本病では陽性率が高い。

（Tg を測定する時 TgAb があると Tg は値が低く出るため注意が必要です。この場合には TgAb も同時に測定が必要です）

TPOAb　陽性……甲状腺機能低下症の予知因子です。

橋本病が存在し、急速に増大する甲状腺腫がある場合、**悪性リンパ腫を疑います。**

その他に甲状腺機能の低下する疾患または状態として次のようなものが挙げられます。

- 甲状腺切除後、放射性ヨード治療後（前出）
- 薬剤による（前出）

- 甲状腺腺腫を伴わない甲状腺機能低下症
  TSAb（甲状腺刺激抗体）が原因であることがあります。
- 中枢性甲状腺機能低下症

- 潜在性甲状腺機能低下症
  心疾患の発症などにより死亡率に影響を及ぼすということで、治療の対象です。
  FT_4、FT_3が正常でTSHが軽度高値を示す場合（4.5〜10.0 μIU/ml）です。
  急性の変化の場合は除外します。

甲状腺の結節あるいは腫瘍

甲状腺の超音波検査

甲状腺結節の検査は超音波検査が最も有用です。
所見によってクラス分類が行われています（隅病院資料）。

超音波所見のクラス分類

クラス分類	超音波所見	主な腫瘍
I	円形または類円形の無エコー域	嚢胞 腺腫様結節
II	嚢胞変性を伴う形状整の腫瘤（充実部のエコーレベルは正常甲状腺と同じレベル、しばしば多発性）	濾胞腺腫 腺腫様結節
III	充実性の形状整な腫瘤（内部エコーは均一、しばしば内部または皮膜に石灰化）	濾胞腺腫 腺腫様結節 分化癌
IV	充実性の形状不整な腫瘤（内部エコーは低下、しばしば内部に砂状石灰化）	分化癌（乳頭癌）
V	甲状腺外に浸潤する充実性の形状不整な腫瘤	分化癌（乳頭癌） その他の悪性腫瘍

甲状腺疾患のエコー所見

▫ 慢性甲状腺炎（橋本病）

甲状腺腫大または萎縮。

内部エコーのレベル低下（びまん性、斑状、限局性）。

結節様所見を呈することがあります。

▫ バセドウ病

甲状腺腫大。

ドプラー法で血流シグナルが豊富（未治療の場合）。

▫ 亜急性甲状腺炎

圧痛、結節部位に一致して低エコー域があります。

経過とともに低エコー域が大きく移動して、対側に及ぶことがあります。

（クリーピング現象）

▫ 急性化膿性甲状腺炎

甲状腺周囲から内部にわたり広範に境界不明瞭な低エコー域が認められま

す。

甲状腺と筋層の境界不鮮明。

▫ 腺腫様結節、腺腫様甲状腺腫

結節の内部は多彩（嚢胞性、混合性、充実性）。

高エコー（石灰化）が多発することがあります。

▫ 乳頭癌

甲状腺癌の92.5%を占めます。

リンパ節転移し易い。反回神経浸潤で嗄声。

血液検査得意な所見なし。Tg も上昇しない。

根治手術で stage 4a までは比較的良好。

- 通常型

  形状不整、境界明瞭粗雑、内部エコーは低レベル不均一、微細高エコーあり。

- 嚢胞形成型

  嚢胞内に突出する充実部は微細多発高エコーと血流シグナルを認める。

- びまん性硬化型

  腫瘤形成を伴わず、びまん性に微細多発高エコーを認める。

  頸部リンパ節腫脹あり。

▫ 悪性リンパ腫

甲状腺癌の１〜３％を占める。

橋本病が存在し、急速に増大する甲状腺腫がある場合。

形状不整、ブロッコリー状、内部エコーは極めて低い（low echoic mass）。

▫ 未分化癌

甲状腺癌の1.4%を占める。

高齢者に多い。

急速に増大する甲状腺腫瘍。

しばしば皮膚に赤み、痛みを伴う。

大きな腫瘤で充実性、周囲臓器への浸潤像。

内部粗大高エコー（塊状、卵殻状石灰化）。

▫ 髄様癌

甲状腺癌の1.3%を占める。

触診上硬い。

遺伝性のことがある。自覚症状ほとんどなし。

カルシトニン上昇、CEA 上昇。

術後カルシトニン値で follow-up。

腫瘤内部の中心よりに小点状高エコー認める。

しかし、乳頭癌や濾胞性腫瘍と類似性があり鑑別困難。

▫ 濾胞性腫瘍（濾胞腺腫、濾胞癌）

甲状腺癌の4.8%を占める。

比較的柔らかい。リンパ節転移は稀。

遠隔転移があれば Tg が著明に上昇。

時に遠隔転移がある。遠隔転移がなければ良好。

術後 Tg 値で follow-up。

広範浸潤型濾胞癌は不整な形状を示すため悪性と診断しやすい。

微小濾胞癌は濾胞腺腫と超音波所見に差がなく鑑別困難。

特徴とされる所見として、

内部エコーは不均質な充実性、濾胞化は少ない。

境界は不整で、低エコー帯である。

微細高エコー（石灰化）は少ない。

腫瘍内部を貫通する豊富な血流を認める（血管が多い）。

甲状腺のそのほかの検査

- 甲状腺 I^{131} 摂取率
- 甲状腺シンチグラフィー
- 甲状腺穿刺細胞診
- 甲状腺針生検

甲状腺疾患に合併する状態について

甲状腺疾患と浮腫について

▫ 甲状腺機能亢進の患者では

Thyrotoxic heart disease

Thyrotoxic heart failure（高心拍出量性の心不全より始まる心不全）

Thyrotoxic cardiomyopathy

Thyrotoxic atrial fibrillation

などの心臓の合併症を起こすことがある。これらの合併症による心不全型の浮腫が認められることがあります。

私はバセドウ病の患者の心臓に対して交感神経、副交感神経、甲状腺ホルモンそのものがそれぞれどのように影響を与えているのかを知る目的で研究をしたことがあります。興味のある方は以下を参照してください。

Toshirou Funatsu:

Hemodynamics of hyperthyroidism the effects of autonomic nervous blocking and anti-thyroid drug treatment.

Jap.Heart J. 17, 12-24. 1976.

https://doi.org/10.1536/ihj.17.12

▫ 甲状腺機能低下の患者では

特有の浮腫である。Non-pitting edema と称されるごとく圧迫痕ができません。

腫れぼったい感じの浮腫です。皮膚には turgor がないのが分かります。

心のう液貯留の時には心不全と同様の浮腫になります。

甲状腺機能亢進症/バセドウ病と低カリウム性周期性四肢麻痺について

甲状腺中毒症特にバセドウ病に5～10%の率で周期性四肢麻痺が認められるということです。男子に多いようです。

食後、飲酒後、運動後の安静時、起床時に発生しやすいようです。

何らかの合併症でステロイド薬の使用の際にはステロイド低カリウム血症と合わさって発生したりもします。

骨格筋の筋力低下で、上下肢に力が入らなかったり、起き上がれなかったりすることになります。

私は低カリウム性周期性四肢麻痺の発作時の心血行動態を測定したことがありますが、麻痺時に心拍出量が低下します。低カリウムによる心室性不整脈も重篤なことがあり要注意です。

▫ 参考

低カリウムをきたす状態：カリウム摂取不足、腸管排泄（下痢)、甲状腺機能亢進症、家族性周期性四肢麻痺、原発性アルドステロン症、腎血管性高血圧、クッシング症候群、インスリン投与、アルカローシス（嘔吐、利尿剤)、尿細管性アシドーシスなどがあります。

甲状腺機能亢進症と不整脈

上記の低カリウムによる心室頻拍や心室細動のほかに、低カリウムとは別の原因で上室性期外収縮、発作性上室性頻拍、心房細動、洞不全症候群などが発生することがあります。

β遮断剤を使用したりするとこれにより誘発されることがありますので注意してください。

妊娠、分娩と甲状腺について

甲状腺機能亢進症では流産などの問題があり低下症では不妊症が問題になり

ます。

甲状腺機能亢進症では妊娠中の内服薬が催奇形や内服の量のことで問題になります。

特に甲状腺機能低下症は不妊症の原因疾患として重要です。

不妊症の場合、一応のチェックが必要です。私は不妊治療中の患者が甲状腺機能低下（橋本病）であることで診断・治療して後、妊娠し喜ばれた経験があります。

妊娠中には甲状腺ホルモンは通常少々上昇傾向です。

甲状腺ホルモンの必要量が増加しているのです。

機能低下症で治療中の場合、妊娠中はチラーヂンSを30％増量。

その後妊娠初期はTSH 2.5 μIU/ml 未満、妊娠中期、後期は3.0 μIU/ml を目安にして内服量のコントロールが必要です。

バセドウ病の患者が妊娠を希望した場合には、種々の問題があるため専門医に紹介した方が良いと思います。

バセドウ病の治療について

抗甲状腺薬の使用について

主流はメチマゾール（MMI）── メルカゾール。

メルカゾール5 mg/錠、３錠分１/日で開始します。

FT_4正常化したあとすぐには減量しないで維持し、TSHが回復、正常化前に減量します。

FT_4が1.2 ng/dl でメルカゾール10 mg/ 日に減量します。

TSH 正常化によりメルカゾール5 mg/日に減量します。

最終的に甲状腺の大きさやTRAbを参考にしてメルカゾール隔日5 mg に減量します。

あとは状況で微調整します。

メルカゾール5mg/日以下の維持で6カ月経過でも正常域であれば内服中止を考慮します。

TSH正常化するまで減量しないと重度の機能低下と甲状腺の肥大をもたらしますので注意してください。

プロパジール、チウラジールはメルカゾールにアレルギーがあったり、ほかの副作用があったりした場合に使用します。

内服薬での副作用が多いので、その監視が大切です。特に顆粒球、肝臓についての監視をしてください。

- アイソトープ治療
- 手術療法

などの治療法もあります。

原発性甲状腺腫機能低下症の治療（補充療法）

ヨード過剰摂取がある場合には、ヨードの材料になるものを制限して経過観察してください。

T_4製剤のレボチロキシン（チラーヂンS、レボチロキシンNa）を使用。

T_3は半減期が1日、T_4は半減期が7日であるためT_4製剤の方が使いやすいのです。

チラーヂンS 25〜50μg/日で開始します。

通常25〜150μg/日で維持します。

眠前の服用の方が吸収が良いようですが、飲み忘れのことも考えて服用時を決めてください。

FT_4、FT_3を指標にしてチラーヂンSをコントロールする基準値になったら

TSH の値でチラーヂン S の量を調節します。

TSH の高値の場合はチラーヂン S を増量、低値の場合は減量します。

内服が中断されないよう説明し、管理します。

めまい、ふらつきについて

医学部の専門課程に入って解剖学が始まったときに、解剖学の山田致知（むねさと）教授が話されたことを今でも覚えています。先生はいろいろな動物の内耳についての比較解剖学を研究されていたのですが、「人間にとって最も弱点になっているのは内耳です」と言われたのです。腰と同じで立位歩行のためだとのことです。

めまいは近年、特に増加している疾患の一つです。めまいの患者は**めまい以外の副症状の方が目立ってしまうことがあって、循環器科、消化器科、泌尿器科などにかかって異常なしの診断を受けたりすることも多いようです**。はっきりしためまいの発作があれば明瞭であって、その原因疾患を探すということになります。しかし**曖昧なめまいはこちらから斟酌して症状を聞いて検査で明確な原因を探してやらなければならないことが多い**のです。患者はめまい以外の症状でも非常に苦しんでしまうことになるのです。人生全体がなよなよした張りのない人生で終わってしまうことにもなりかねません。

めまいは軽い場合ふらつきと訴えたりします。回転するめまいだけを考えていると間違いがおこります。以下ではめまい、ふらつきをめまいと表してあります。

めまいの原因となる疾患

中枢性前庭障害は前庭に関連するその上位中枢の障害であって、生命にも関係することがあるために、まず、最初に除外診断をすることが重要です。

中枢疾患でめまいを呈するもの

▫ 前庭神経から上位に病変部位があるもの

前庭神経核

脳幹	椎骨脳底動脈血流不全
	脳幹部梗塞
	Wallenberg 症候群
	上小脳動脈障害（橋上部外側症候群）
小脳	小脳梗塞
大脳	脳出血
	脳梗塞
	脳腫瘍
	脳の圧迫によるもの（水頭症、慢性、急性硬膜外血腫）

▫ 前庭神経から下位に病変部位があるもの

延髄	後下小脳動脈障害（延髄外側症候群）

などの前庭経路（求心及び遠心経路）が関連する神経系経路の障害がその障害の部位に絡んだ症状を示してきます。

原因は血管性のものが多いのですが、炎症性、腫瘍性、変性性のものもあります。

血管性のものとほかのものでは、進行状況に特徴があります。

血管性のものは、急速に進行性であって症状も激しいものになります。

腫瘍性のものなどは徐々進行性であって、症状も目立たないものになります。そのため腫瘍性や変性性の疾患では発見が遅れることにもなるのです。

前庭神経と迷路の障害によるめまい

- 前庭神経炎
- 末梢性めまい症（メニエール病、遅発性内リンパ水腫、その他の内耳性

めまい）
- 外リンパ瘻
- 突発性難聴
- 聴神経腫瘍……聴神経鞘腫（内耳道第８脳神経の前庭部から発生、緩徐で進行性の聴力障害と耳鳴）

頭位性めまい

- 良性頭位めまい症
- （悪性頭位めまい症）

心臓血管性めまい

脳血流が一時的に低下することによって中枢神経の機能が一時的に低下することで眼前暗黒などふらつき、めまいが生じるものです。

▫ 片頭痛（脳底動脈型片頭痛）
良性反復性めまいともいわれます。
片頭痛の一種で、後頭葉にも影響を及ぼして、閃輝暗点や視野がジグザグに欠ける症状を呈することがあります。片頭痛の前兆、頭痛発作中に見られます。
▫ 梗塞または出血
迷路、前庭神経、前庭神経核、視床中間外側部、橋、延髄、橋中脳接合部などの部位で血管障害が起こります。
それぞれ特徴のある症状を呈してきます。
▫ 椎骨動脈血流不全
▫ 血圧の異常
高血圧でも低血圧でもめまいを惹起します。
▫ 心臓の異常
徐脈性あるいは頻脈性の不整脈で脳血流が低下して起こるめまいが生じま

す。

外傷性めまい

▫ 頭頸部外傷
迷路、前庭神経、脳幹または前庭小脳への外傷
むち打ち性めまい

薬剤性のめまい

▫ 迷路に作用する物質
アミノグリコシド系（ゲンタマイシン、ストレプトマイシン）
ループ利尿剤、サリチル酸、抗がん剤、アルコール

▫ 脳幹、小脳に作用する物質
向精神薬等、アルコール

非前庭性めまい症候群

▫ 視覚性めまい
視力障害、老眼鏡が強すぎる、左右差があります。
瞳孔間距離とレンズの中心点が一致していないことが原因することがあります。
▫ 体感覚性めまい
▫ 頸性めまい
頸椎や頸筋の異常、頸動脈の走行異常などが関係するめまいです。
頸部の回転や過伸展の際、頸椎、頸筋などの機械的圧迫が頸椎動脈や交感神経に作用してめまい発作が誘発されるものです。

心因性めまい

▫高所恐怖症、広場恐怖症
見た感じと実際のところとが一致しない感じがめまいになります。
▫不安神経症、抑うつ、ヒステリー

生理的めまい

▫動揺病
いわゆる車酔いです。

めまいの理解のために、いろいろな視点での分類方法に基づいて分けためまいの種類を見てみましょう。

めまいの性状種類（1）

重複して記載されているものは、その記載通り複数の特徴があるということです。
その目で見ていただくと、よりその特徴をつかめると思います。

▫持続性回転性めまい
末梢性 ………………… メニエール病、急性迷路性病変、前庭神経炎
前庭神経 / 核病変、聴神経腫瘍
中枢性 ………………… 橋－延髄、脳幹病変（梗塞など）

回転めまい発作……メニエール病、脳底動脈血流不全
脳底動脈型片頭痛、前庭性てんかん
良性反復性めまい

▫ 頭位性および頭位変換性めまい

末梢性 ………………… 良性発作性頭位めまい（MPPV）
外リンパ瘻、メニエール病、頭位アルコール性眼振
中毒、脳底動脈血流不全

中枢性 ………………… 中毒、脳底動脈血流不全
前庭核、小脳小節、小脳虫部

めまいの性状種類 ⑵

⑴とは異なった視点からの分類です。
別の面からの理解に役立ててください。

▫ 自発性……

回転性……………

前頭面……前庭系の急性偏在性病変
矢状面……前庭系の急性中心性病変
水平面……天幕上の急性病変に多い

浮動性…………………………前庭系病変の亜急性期
動揺性…………………………中心性病変の亜急性期
眼前暗黒………………………循環障害
失神発作………………………不整脈、てんかん、頸動脈洞症候群

▫ 誘発性……

頭位性……………

良性………耳石器を中心とする内耳部分障害
悪性………前庭小脳を中心とする障害

頸部捻転性……………………頸椎異常、頸部軟部組織異常、動脈硬化
眼前暗黒感……………………広く前庭系障害の慢性期、循環障害
Jumbling 現象…………………両側内耳、前庭小脳障害

▫ 一過性、自発性、反復性動揺視……
心疾患、髄膜腫や類上皮腫などの後頭蓋窩良性腫瘍に多い

めまいの診察方法

1）来院した患者の**一般的な観察**（歩けるか、歩き方は、嘔吐、麻痺はないかなど）

2）**問診**

発症の状況、症状、随伴症状（しびれ、麻痺、その他）について聴取します。

今までに一過性脳虚血発作や意識障害はなかったか、めまいの経験はどうか、音響機器の使用、大きな音のする場での職業、中耳炎の罹患などについても聴取しておきます。

3）**中枢性めまいの検査**

理学的検査については**中枢性疾患由来でないかどうかの判断が優先されるべきです**。従ってこの方面に対しての検査を優先的に行うことにします。

神経学的に**脳神経麻痺や脊髄神経麻痺**はないか
Barre 徴候などの**錐体路系麻痺の有無**
頭蓋内圧亢進の徴候の有無

特に**第８神経とそれに隣接した神経**、第５、７神経、眼筋麻痺の有無

小脳疾患を疑わせる錐体外路系の所見はないか

- **構語障害（ゆっくりとした歯切れの悪い言語、断綴言語、爆発性言語）**
- **finger-to-finger、finger-to-nose、heel-to-knee（できるだけ速く）**

- dysmetria（膝立て）
- 手の回内、回外運動（できるだけ速く）
- Stewart-Holmes 試験など

もし認められれば救急外来へ手配する。

4）**迷路反射の観察**

前庭 ── 脊髄反射………Romberg テスト
重心動揺計などで前庭と脊髄神経によって支配されている筋との連絡状態を観察する。

前庭 ── 眼反射…………眼振の状態を観察する。
自発性眼振
静止目標注視眼振
運動目標注視眼振
その他
臥位頭位性眼振
座位頭位性眼振

5）**末梢性めまいの検査**……耳鏡検査
聴力検査

めまいについての検査

耳鏡検査

中耳炎や真珠腫など鼓膜や中耳の疾患の有無を観察する。

眼振検査

眼を開いた状態で観察すると、眼振があれば観察される（自発性眼振）。
眼振の方向（水平、上下、右回転、左回転）を見ておく。

頭を固定した状態で、眼より70〜80センチ離れたところで手指を中心よりまず左の方向へ次に右の方向へゆっくりと持っていきその間の眼球の動きを観察すると、眼振が認められることがある（運動目標注視眼振）。

急速相は指の動いている方向とは反対の方向になる。

同じように上下方向も見ておく。

視点を止めて眼振をみる（静止目標注視眼振）。

臥位や座位で頭位を変えて眼振を観察する（頭位性眼振）。

フレンツェル眼鏡を用いて行います。誘発されてより明瞭に観察されます。

開眼、閉眼の立位での上体の揺れを観察する

▫ 静止時

Romberg テスト

重心動揺計

▫ 運動時

足踏み検査

重心動揺計（グラビメーター）での検査

静止時の状態での体の揺れでめまいの状態を観察する。

所見を読む。

聴力検査

私は250ヘルツ、1000ヘルツ、4000ヘルツで簡易聴力検査を行っている。

グラフにすると、この方が分かりやすいと考えています。

メニエール病や遅発性内リンパ水腫では低音域での聴力の低下が認められ、めまいの状態によって聴力も増悪や改善を繰り返す。良性発作性頭位めまい症や血管性のものでは聴力に異常は出ない。

聴力計を持ち合わせない時には、250ヘルツを親指と人差し指を擦り合わせた時に出る音で代用、4000ヘルツをスプーンを擦り合わせた音で代用することもできる。

250ヘルツの聴力低下は三半規管の機能低下によると考えられる。

めまいが改善すると聴力も改善傾向し、めまいが増悪すると聴力も低下するという変化が認められる。これは重要な所見であることから、聴力の経過もまた見る必要があるのです。

めまいの検査所見による原因疾患の推定

まず、めまいなのかどうか？
どういうめまいか？
どこから来た、どこが原因のめまいか？

1）回転性めまい、動揺性めまい
2）失神性めまい
　まず、1）、2）の内のどちらかを判定する。

A）1）の回転性や動揺性めまいであるならば、次の過程で疾患を鑑別していきます。

緊急性を考えて中枢性めまいから鑑別します。

a）中枢性めまいについての神経学的検査及び鑑別

大脳疾患　錐体路系障害所見
小脳疾患　錐体外路系障害所見
脳幹部疾患　嚥下障害、眼運動障害、顔面神経障害などを伴う
椎骨脳底部循環不全　首を回したり、大きくひねったりしたときにめまいがする
Wallenberg症候群　発声嚥下の障害、対側温痛感覚障害、ホルネ

ル症候群

悪性頭位めまい　縦眼振、特定頭位で吐き気嘔吐、頭痛

b）末梢性めまい（耳性）についての検査及び鑑別

錐体系並びに錐体外路系の神経症状所見はない。

▫ **耳鏡検査**

中耳炎所見があれば

中耳炎から内耳への炎症の波及によるめまい（前庭関連）

▫ 耳鳴、聴力障碍はあるか（**聴力検査**）

低音域の聴力低下があれば

メニエール病その他の前庭蝸牛疾患

前庭症状（吐き気、嘔吐）、聴力低下が変化、繰り返しの発作

全域の聴力低下があれば

突発性難聴（音域については例外あり）

（難聴が主体、耳鳴、吐き気、嘔吐を伴うことあり）

聴神経腫瘍

（耳鳴、難聴、顔面神経症状。めまいは軽い、突難類似のことあり）

▫ **耳鳴聴力障碍がなければ**

ある特定の頭位でのめまいか？（頭位変換眼振検査）

頭位を変換してからめまい、眼振が起こるまでに時間差はあるか？　持続は短時間か？

そうであれば

良性発作性頭位めまい症

（特定頭位めまい、潜時あり、慣れあり、短時間）

そうでなければ

前庭神経炎

（耳鳴や難聴はなし、感冒などが先行）

B）２）の失神性めまいであるならば、

起立性低血圧、糖尿病性神経障害、降圧剤過剰、てんかん
心臓性（洞不全症候群、Adams-Stokes症候群、発作性頻拍症など）

以上の過程で診断に至るが、もし癲癇や中枢の血管性、腫瘍性など、または心臓性疾患が少しでも疑われればCTやMRその他の検査も必要になることがあります。

めまいの種類と症状、所見

末梢性迷路性めまい

良性発作性頭位めまい症（BPPV: benign paroxysmal positional vertigo）

耳鳴、難聴といった蝸牛症状を伴わないのが特徴です。
頭部の位置、向き等を変化させることによりめまいが発生する疾患です。
例えば、棚のものを取ろうとした時、寝返りをした時などがそれにあたります。
頭をある一定の方向に変化させるとめまいが生じます。
例えば寝返り、臥位から座位、上方を見上げるなどの時にめまいが起こります。時間的には頭位を変換してから数秒の遅れでめまい、眼振がはじまります。そのめまいは、長時間は続かずに慣れがあるため割合短時間の持続です。
30秒から1分程度です。
随伴症状としては、**蝸牛症状としての聴力低下や耳鳴はありません**。前庭症状は通常ないのですが伴うこともあります。

良性発作性頭位めまい症の特徴

1）頭位の変化に（ある一定の〈頭位陽性頭位〉にて）よって誘発される

回転性めまい発作（Dix-Hallpike 試験……Epley 法の中に記載）。

2）眼振は純回旋性のものが多い。

頭位をめまいの出る向きに変換してから眼振が見られるまで、即ち発作が出る前には潜伏時間がある。

めまいの持続は短い（30〜60秒程度）。

発作中でも元の位置に戻すと眼振は消失する。

Crescendo から decrescendo を経て消失する。

3）検査の反復によって反応する眼振の減衰がある。

4）頭位検査を行うと、一過性反対回旋性眼振が見られることが多い。

5）蝸牛症状（耳鳴、難聴）はこの発作には関連しない。

（聴力検査で低音域の聴力障害は認められない）

6）中枢神経症状を伴わない。

7）音響外傷、頭部外傷、ストマイ中毒、低血圧、慢性中耳炎後遺症が見られることが多い。

このめまいは Epley 法などでセルフコントロールができるので患者に習得させたい。

Epley 法について（右後半規管型良性発作性頭位めまいの場合）

1）ベッドに脚を伸ばして座位になる。後で仰向けになるので足をベッドの端に置く。仰向けになったときに背中にあたるところに厚さ 13 cm 程度に重ねた座布団を置いておく。

2）頭を45度右に向ける（顔が45度右を向く）。

3）その状態で仰向けに倒れる（背中が座布団につく。顔の向きはそのまま）。

4）顔の向きはそのままで、頭を更に後方へ20〜30度後屈する（右耳三半規管に原因がある場合にはここで眼振がみられる）。

—— **この方法で良性発作性頭位めまい症の診断ができます**（Dix-Hallpike 試験）。

5）この姿勢を30〜60秒保っている。

6）頭を後屈させたままで90度左に回す。

7）この姿勢を30〜60秒保つ。

8）つぎに、頭をそのまま後屈させた状態で（体と頭の関係を変化させずに）体全体を左に90度回転させる（左側臥位となる)。
（この時首は20〜30度後屈で顔は45度下向きである）

9）この姿勢を30〜60秒保つ。

10）座位になる（股関節と膝関節を90度屈曲して下腿がベッドに下がるようになるようにして起き上がる)。

以上で耳石がもとの位置に収まってくれるはずです。

左耳に原因がある場合はこの記載の左右反対のことを行えばよいことになります。

診断のための誘発としてはこの方法の1)〜4）で行ってください。

#悪性発作性頭位めまい

小脳虫部の中枢疾患（出血、腫瘍）が原因して起こるめまいである。

ある頭位（陽性頭位）をとると、めまい、吐き気、嘔吐、頭重が誘発される。

頭位変換後に潜伏時間をおかずに眼振が始まる。眼振は減衰せずに持続する。

小脳症状を認める。

間歇期はほとんど無症状である。

健側が下に来ると発症するので、患側を下にして臥床する。

良性のそれと鑑別を要する。

前庭神経炎

- ウイルス感染が疑われている。
- 急性に発症して遷延する（1〜6週間で徐々に回復していく)。
- 高度の回転性めまい。

- 自発性眼振。
- 平衡障害。
- 悪心嘔吐を伴う。
- 耳鳴、聴力障害は伴わない。
- 眼振は水平 — 回旋性で純粋な直線性は示さない。
- 固視で減弱、閉眼やフレンツェル眼鏡で増強。
- 患側の反対側の注視で増強。
- 急速相と反対方向への Romberg 転倒が起こる。

Ramsay Hunt症候群

ヘルペスウイルスの感染によります。

激しい耳痛に続いて顔面神経麻痺が起こります。

第８神経も侵されると耳鳴、難聴（蝸牛症状）のほかに回転性のめまいをきたします。

外耳道に帯状疱疹ができます。

内耳炎

急性ないし慢性の中耳炎から内耳への炎症の波及によって起こります。

激烈なめまいとともに頭痛、耳鳴り、発熱、嘔吐を伴って発病します。

メニエール病

蝸牛症状としては、耳の閉塞感で始まることが多いようです。

聴力低下と耳鳴が認められます。

聴力低下は低音域の低下です。

聴力低下はめまい発作で増悪し、めまいの改善で聴力も改善する関係にあります。

めまいが慢性化すると聴力低下の可逆性は乏しくなります。また、高音域の障害も合わせて出るようになります。

前庭症状としては、回転性のめまいと平衡障害、眼振、悪心嘔吐などが起こってきます。

自発性眼振が発作中常に観察されます。眼振は患側耳と反対方向に向かうのが一般的です。

立ったり、座ったり、寝返ったりすることでの頭位の変化によっても眼振やめまいの強さが影響されます（**良性頭位めまいは一定の頭位の時である**ことの違い)。

発作の時には上記の症状に伴って、悪心、嘔吐、腹部膨満感、腸のグル音、下痢、便意などの消化器症状、動悸、頻脈、血圧の上昇などの循環器症状や尿意、頻尿などの泌尿器科的症状、発汗などの自律神経の症状と思われる症状が認められます。

本人が、めまいが起こった時の状態を失神様に感じたりすることもあるようです。

発作は数時間後には徐々に改善しますが、軽いめまいと不安定さは数日間残ります。

発作は間隔がごく短かったり、数年と非常に長かったりしますが反復することになります。

繰り返すうちに反対側にも同様な状態が起こってくることになります。

繰り返すうちに聴力の低下が高音域にも認められるようになり（中音域は正常で、低音域と高音域とが下がった形)、そのうちいつしか全域での聴力低下になっていきます。

これらの聴力低下はめまいの改善時には低音域の聴力低下が少々改善したりしていますが後には常態になってしまうことになります。

発作は繰り返し起こります。途中の間歇期は年余に及ぶこともあります。

発作は時期としては、初春、初秋の気圧の変動の大きい時期に出ることが多いようです。

また、時間的には早朝に発作を認めることが多いようです。

低気圧の接近、前線の接近や台風などに関連してめまい発作が誘発されるようです。

体調の上では、月経期の前後に出やすいようですし、疲労やストレスとも関連するようです。

メニエール病は、病態としては内リンパ水腫が原因であるということです。

同じ病態で同じような症状を呈する状態のものがあります。メニエール病と区別するために次のように分類されています。

1．特発性であるものを**メニエール病**とする。
2．後天性であって内耳障害の原因の分かっているものを**遅発性内リンパ水腫**としてメニエール病と区別する。この中には中耳炎、歯牙疾患の炎症、音響外傷がはいる。
3．胚胎病性のものもある。

あくまでもメニエール病は1．に関しての病名です。

遅発性内リンパ水腫

先行する高度感音性難聴（若年性一側性聾、側頭骨骨折、ウイルス性内耳炎、突発性難聴）の数年から数十年後に回転性めまい、平衡障害を反復する。聴力は高度障害のため不可逆性です。

突発性難聴

短時間に高度の感音系難聴を引き起こす疾患です。

原因は不明の状態で、睡眠中とかに発症します。朝起きたら難聴になっていたというふうです。

作業中とか何時なったかは自分で分かることが殆どですが、気がつかない人もいるようです。

頑固な耳鳴りを残します。

めまい、および吐き気、嘔吐を難聴の発生と前後して伴うことも少なからずあります。
メニエール病のように激しいめまいを繰り返すということはないようです。
最近ストレスやイヤホン、ヘッドホンなどの使用で増えてきているようです。
ヘルペスなどによる神経炎、内耳出血、内耳血栓塞栓、薬物中毒などが原因になります。できるだけ発症早期からの治療開始が必要となります。
大量ステロイド治療などが必要であり病院への緊急手配が必要です。
ヘルペスウイルスなどに対する治療も併せて行われます。
聴神経腫瘍の場合、突発性難聴と同様な症状で発症するということもあるので鑑別に注意を要します。

脳血管疾患によるもの

椎骨脳底動脈血流不全

首の屈曲、伸展、捻転などによって椎骨動脈が伸張ないし屈曲、圧迫などの状態が起こされる結果となり、動脈硬化などで狭窄がある部位などに強く影響して血流の通過が障害されて一時的に中枢に酸素欠乏が起こってめまいに至ります。
本症のめまいの特徴としては、回転性のめまいが主体で、そのほか、drop out、同名性半盲、一過性の目のかすみ、眼前暗黒、失神、脳神経麻痺などがあります。めまいは一過性のことが多いです。

脳底動脈の動脈硬化やスパスムスでも中脳、間脳、小脳などの血流の異常をきたすことになりめまいが発生します。

Wallenberg症候群

椎骨脳底動脈の閉塞あるいは出血でめまいが出現します。後下小脳動脈の血栓性閉塞はWallenberg症候群と呼ばれます。前庭神経外側核の障害によるものです。小脳症状、舌咽迷走神経障害、顔面の温痛覚障害、Horner 症候群、対側の下半身の温痛覚脱出などの症状が出ます。

上小脳動脈障害（橋上部外側症候群）

- 蝸牛症状の随伴症状の少ない激しい回転性のめまい発作
- 頭痛、吐き気、一過性意識障害などの随伴
- 中枢障害の存在を示す各種の眼振
- 複視、振戦、痙攣などの随伴
- 患側に著しい運動障害と知覚障害（反対側温痛覚障害）

後下小脳動脈障害（延髄外側症候群）

- 発作性の頭痛、回転性めまい、嘔吐（蝸牛症状を伴わない）
- 交代性解離性知覚障害、患側小脳症状、嚥下障害、嗄声（舌咽神経、迷走神経）
- 患側 Horner 症候群

片頭痛（脳底動脈型片頭痛）

片頭痛が原因する場合があり脳底動脈型片頭痛といわれます。

この疾患の症状として次のようなものが出ます。

- 一過性、突発性、反復性の回転性めまい（自発性、誘発性）、吐き気、嘔吐
- 蝸牛症状の随伴症状は少ない（ある時は両側）
- 時に痙攣、振戦を伴う、fainting attack の形
- 中枢障害の存在を示す眼振
- 筋運動低下、glove、stocking type の知覚障害
- 視力障害、瞳孔異常、複視、動揺視、構音障害、嚥下障害などの随伴
- 各種の巣症状

▪ 異常血圧

血圧の異常によるもの

血圧が異常に高くなった時、自分がフワフワする、見るものがチラチラするという不定の症状を訴えます。めまいで高血圧に気づくこともあります。

高血圧に起因した中枢疾患で脳出血、脳梗塞などが派生して起こります。

高血圧治療の血圧の下げすぎ、低血圧症などで、体動時の眼前暗黒発作を見ることがあります。

徐脈性あるいは頻脈性の心臓の異常、不整脈などで眼前暗黒、失神ないしそれに近い状態になります。Adamus-Stokes 症候群などです。

腫瘍性のもの

小脳 — 橋角腫瘍（聴神経腫瘍〈前庭神経腫瘍、蝸牛神経腫瘍〉）

99%が前庭神経のシュワン細胞から発生する聴神経鞘腫です。普通進行はゆっくりです。そのため発見しにくいことがあります。最初は聴力低下や耳鳴りですが自分で気が付かないことがあります。腫瘍が増大すると持続性のめまいやふらつき、更に小脳への圧迫による症状、交通性水頭症に至ります。

徐々に進行する難聴と耳鳴りが主で、めまいは軽度の持続性のめまいです。

随伴症状として顔面神経が影響されることがあります。

症例によっては急激な発症過程をとることがあるといいます。

その他**小脳、大脳などの腫瘍、腫瘍ではないが硬膜外血腫や水頭症も頭の中に入れておく必要があります。**

薬剤性によるもの

耳毒性などの薬物中毒によります。

心因性のもの

心因性のものではCMIなどの検査を行ってみることがよいかと考えます。本人もその方が納得がいくようです。

メニエール病、中耳炎（内耳炎）後、音響障害、遅発性内リンパ水腫に随伴する症状

診療所で診察していると中耳炎（内耳炎）後、音響障害、遅発性内リンパ水腫などがわりあい多くみられます。特に最近では音響障害が例えば家の中に誰か一人がめまい、難聴がいたりすると、テレビなどの音が大きくなるためか、家人が同様な症状をきたしてくることが見受けられます。

副症状として

蝸牛症状としては、

- 難聴

  発作時には低音の感音性の聴力低下があり、寛解期には元に戻ります。しかし、繰り返しているうちに低音の聴力低下がそのまま残るようになり、増悪してくるようになります。次第に高音域の聴力がつられて認められるようになり、全領域の難聴にまで進展するに至るようになります。

- 耳鳴り

  耳鳴も初期には一時的な耳鳴であるが、病気の進行とともに持続性の耳鳴になります。

- 耳閉感

  耳閉感はめまいの症状と同期して認めるようです。

前庭症状としては、

▫ 悪心嘔吐、頻尿など

自律神経関連の不定愁訴には

前庭症状と関連すると思っていますが、
▫ 循環器系
動悸、頻拍、血圧上昇
▫ 消化器系
食思不振、吐き気、嘔吐、軟便、下痢
▫ 泌尿器科系
頻尿
▫ その他
脱力感、発汗などがあります

いずれもめまいの治療によって治るのが特徴であり、症状全体のコンダクターが内耳にあることを窺わせます。

メニエール病や遅発性内リンパ水腫の患者の訴えは様々であるので、それらを実際の例から挙げてみます。

音に敏感になる（特に茶碗が当たるときのカチャカチャする音や、セロハンや紙のカシャカシャする音など）。
テレビの音や人の大きめの声などが不快に感じる。
聴力が変化する。聞こえにくい日は体全体の調子も悪い。
本人はいつもより耳が遠くなったように感じる。
多くの人がいる時にはなお一層そのように感じるとともに、一人ひとりの声の区別が困難になるし、声の一語一語の輪郭がはっきりしないボンヤリした感じで聞き取りにくいと感じる。
相手の人もこの人は耳がいつもより遠いと思う。診察時に医師もそのように感じる。

そのような時には、「この二、三日耳の聞こえが悪くないか？」と質問してみるべきである。

この数日間何もしたくなくて、横になっていたい。
元気が出ない。
だるい。
人によっては下肢がだるいとも言う。
症状の長い人はいつもダラダラしているので、病弱な人の印象を持たれる。
肩がこる。
後ろ頭が痛い。
頭がボーッとする。
頭痛がする（筋緊張性頭痛）。
目が見辛い。
目がボヤける。
目がボーッとする。
目の周りが重い。
目が重い。
目を塞いでいたい。

耳が遠い。
耳がふさがった感じだ。
耳鳴りがする。
人によっては頭が鳴る。

フラつく。
なんとなく横になりたい。
横になっていることが多い。
何にもしたくない。
日中ブラブラしていることが多い。

だわもんだと言われる。
病(やまい)持ちだと言われる。
歩いていると右のほうへ（または左のほうへ）斜めに行ってしまう。
夜トイレに行こうとして起き上がるとフラつく。
夜トイレに行こうとして歩き出すと転ぶ。
棚の上のものを取る時にふらつく。
自転車で転んでしまった。
テレビを観ている時に、画面が横に流れるとフラついたりめまいがしたりする。

尿が近い。
食欲がない。
ムカムカする。
吐き気がある。
嘔吐する。
吐き気があったり、嘔吐したりするが、ほかにお腹の症状がない。
胃の検査を受けたが異常がないと言われた。しかし食欲がない。
お腹が張る。
お腹が鳴る。
動悸がする。
血圧が非常に高くなる時がある。
自律神経失調症と診断された。

ギザギザの光が見えたりする。
目が回る。
自分が回る。
周囲が回る。

上記の症状から原因部位および原因疾患を鑑別する目安を作ります。

騒音と末梢性めまいについて

テレビがめまいを拡大させている（音響外傷）ということについて

機屋(はたや)のこと

以前、機屋（織物を織る工場で、騒音が強度であった）で働いている人にめまい、嘔吐を起こす人が多く、騒音による内耳の障害と考えられました。

また、大工そのほか多くの周囲に騒音のある職業の人で同様のことが見られます。

イヤホン、ステレオ、テレビ

近年音響機器を使うことが多くなって、若年者はイヤホンで音楽を聴いたり、語学学習したり、長時間の使用があるようです。ステレオも大音量で聞いたりするようです。

老人も聴力が落ちてくるためテレビの音量が大きくなります。こういうことで、耳への、内耳への負担が増しているという事です。

イヤホン、ヘッドホン

イヤホン、ヘッドホンによっても使い方によって内耳の障害がもたらされます。

ステレオ

音量を大きくしないと音楽を聴いた感じがしない、という人がいますがそれは問題で、内耳を傷めることになります。

テレビ

テレビも同じことです。

例えば、夫婦のうちの一人が聴力の低下した人だとすると、当然大音量でテレビを観ることになって、また、CMの時は、どういうわけかより音量が大きくなっていますので、その結果、もう一人の相棒も内耳を傷めてしまうことになるのです。まるで伝染するがごとくです。

難聴が出現して、そのうちめまいの症状を呈するようになるということです。

このように**テレビは難聴を拡大させる**し、**内耳障害によるめまいも拡大させると考えられます。**

検査すると低音域の聴力低下が見られることで、耳石器からのものとは区別できます。

気圧の変化とメニエール病、音響障害、中耳炎（内耳炎）後、遅発性内リンパ水腫との関連

内リンパの圧と外界の圧の差が関係するかと思われますが、気圧の変化がめまいとその随伴症状の消長と密接に関係するようです。

特に気圧が降下する時、降下し終わって上昇に転じる時にめまいが増悪することが多いようです。

外来での診察で、このような気圧の変化のある日に同じ疾患を持った患者が重なって受診することが見受けられることでもそれが分かります。

偏頭痛などと同じ行動をとるようです。

頭痛、脳神経系、脊髄神経系

頭痛についての診断手順

頭痛の原因はさまざまで、中には生命に危険を及ぼす頭痛が含まれています。**先ずは危険な二次性頭痛の可能性を疑って患者の状態を一見する**とともに、その目で質問し診察をすべきです。

バイタルサインはもちろんチェックして、全身の状態を見て、脊髄神経系や脳神経系の麻痺所見が出ていないか？　髄膜刺激症状の所見はないか？　頭痛の経験、今回の頭痛の状態、頭痛の強さなどについて、「**これまでに今回と同じような頭痛がありましたか？　こんな頭痛は初めてですか？**」などの質問をします。

これらによって大筋の診断をつけるのです。

危険な、または緊急を要する頭痛

危険な、または緊急を要する頭痛としては次のようなものがあります。

急性頭痛の場合は

▫ **くも膜下出血**

項部硬直、頭痛、意識混濁や痙攣などを通常認めることになります。しかしながら、くも膜下出血にもごく軽症から重症までいろいろな段階があり、これらの典型的所見を伴わない時もあるので注意を要します。

もし疑いがあるようなら頭部CT検査又は脊髄穿刺で髄液を検査し、少なくとも結果が判明するまでは安静を保ちます。勿論、症状、所見が明瞭であれば病院に早急に転送です。

▫ **髄膜炎**

通常は発熱などの感染症状、髄膜刺激症状に悪心嘔吐などを伴います。通常項部硬直、頭痛、羞明、衰弱、発熱を伴いますが、認めないこともあるので注意を要します。

▫ **頭蓋内出血**

片麻痺などの脊髄神経の脱落所見や構語障害、嚥下機能障害などの脳神経脱落所見などがみられます。頭痛より神経脱落所見の方が目立つかもしれません。

小脳出血のこともありますから、錐体外路系も注意して点検します。

▫ **緑内障**

多くは激しい眼痛、目の充血などを認めます。

▫ **側頭動脈炎（巨細胞性血管炎）**

片側性の拍動性の頭痛で、しばしば視覚変化を伴います。当該血管に圧痛があります。50歳以上の発症が多いです。

▫ **椎骨動脈解離**

脳底動脈の血流の異常で、脳底動脈支配領域の脳神経核についての症状や小脳症状が発現します。

これらを緊急性が高い疾患として鑑別しておくことが大切です。

慢性頭痛の場合

慢性頭痛の場合は脳静脈血栓症、頭蓋内圧亢進状態（脳腫瘍、頭蓋内血腫、水頭症、脳浮腫など）、低髄圧症候群そのほかを鑑別します。

危険な二次性頭痛

危険な二次性頭痛を疑うための質問のポイントは次のようなものです。

1）突然の頭痛、数日から数週にわたる亜急性頭痛ですか。
2）今まで経験したことのないひどい頭痛ですか。
3）いつもと様子の異なる激しい頭痛ですか。
4）頭痛が始まってから異常神経所見や、神経脱落症状が出てきましたか（実際には医師が神経学的検査を行うことになる）。
5）頭痛より先に嘔吐がありましたか。
6）頭痛は体を曲げたり、物を持ち上げたり、咳によって誘発されますか。発熱はありますか。
7）頭痛は睡眠障害または起床直後に起こりますか。
8）頭痛は50歳以降になって初めて出てきたものですか。
9）がんや免疫不全を医師から指摘されていますか。
10）精神症状がありますか。

まず最初に、これらの緊急を要する疾患の徴候があるかどうかに注意を向けて診察します。

髄膜炎やくも膜下出血の理学的検査

髄膜炎やくも膜下出血などの髄膜刺激症状の理学的検査としては次のものがあります。

項部硬直：患者を仰臥位にさせ、頭部を持ち上げると抵抗がある状態。

Neck flexion test：自発的に頸部を前屈させ、下顎が胸まで十分に接近できるようであれば異常なし。

Jolt accentuation of headache：子供が「イヤイヤ」をするように、頭部を素早く（1秒に2～3回）左右に振り、頭痛が増悪すれば陽性。

Kernig's sign（ケルニッヒ徴候）：患者を仰臥位にさせ、膝を曲げた状態で大腿を腹部方向に屈曲させ、膝を受動的に伸展させる。この時、髄膜刺激があれば膝を伸展できない、また疼痛を感じる場合陽性。

Brudzinski's sign（ブルジンスキー徴候）：患者を仰臥位にさせ、頸部を受動的に屈曲させる。この時、股関節部及び膝関節部で自発的な屈曲が起これば陽性。

などで点検します。

一般的な**脳神経の点検**を順次手早く行い、次いで、**脊髄神経の点検**を行います。

これらに異常所見が見出されれば、次の段階で頭部CTなどの検査に進むことになります。

頭痛の種類

日常起こる普通の頭痛

1）日常起こる普通の頭痛

風邪や二日酔いなどの時に起こる頭痛。

一時的で自然に軽快するものがこの中に入ります。

特殊な頭痛としては、以下のA）からL）まであります。

2）慢性頭痛

A）片頭痛、B）緊張型頭痛、C）群発性頭痛その他があります。

A）片頭痛

日常生活に支障のある頭痛を繰り返し、悪心、嘔吐や光過敏、音過敏等の随伴症状を見るのが特徴の神経疾患です。

若年から中年の女性に多いようです。

次のような問診を行います。

- 自分の頭痛について自由に話してもらって、その経過や頭痛の特徴をつかむ。
- 頭痛により生活に何らかの支障がありますか。
- 寝込む、仕事や家事ができない、学校に行けないなどのことはどうですか。
- 頭痛の部位はどの辺ですか。
  どの辺が痛みますか。
  片側の頭痛。時に両側ですか。
- 頭痛の性状はどのようですか。
  どんな頭痛ですか。
  痛みの程度はどうですか。
  拍動性の頭痛ですか。
  中程度から重度の頭痛ですか。
- 頭痛の持続時間はどうですか。
  頭痛はどのくらいの時間続きますか。
  割合長時間の持続ですか。
  その間は何もしたくない状態ですか。
- 頭痛に随伴する症状はありますか。
  頭痛の時にテレビや音楽、人の声などが邪魔になりませんか。
  日光や照明を不快に感じたり、部屋を暗くしたりしませんか。
- 頭痛の誘因はありませんか。
  いつもどういう状況下で発作が始まりますか。
- 頭痛前に前兆はありませんか。
  頭痛の前に何か変わった症状はなかったですか。
  前兆と頭痛の間の時間はどのくらいでしたか。
- 最近３カ月間の頭痛の日数、服薬の回数はどうですか。

片頭痛を厳密に定義すれば次のようになります。
診療所での診断では、基準の真髄を考えての診断で良いと思われます。
一応確認のため挙げておきます。

片頭痛の分類と特徴（国際頭痛分類III版による）

1-1　前兆のない片頭痛

A）Ｂ～Ｄを満たす発作が５回以上ある。

B）頭痛発作の持続時間は４～72時間（未治療または治療が無効の場合）。

C）頭痛は以下の４つの特徴の少なくとも２項目を満たす。

1．片側性。

2．拍動性。

3．中程度～重度の頭痛。

4．日常的な動作（歩行や階段昇降など）により頭痛が増悪する、あるいは頭痛のために日常的な動作を避ける。

D）頭痛発作中に少なくとも以下の１項目を満たす。

1．悪心または嘔吐（あるいはその両方）。

2．光過敏および音過敏。

E）ほかに最適なICHD-III（国際頭痛分類Ⅲ版）の診断がない。

1-2　前兆のある片頭痛

A）ＢおよびＣを満たす発作が２回以上ある。

B）以下の完全可逆性の前兆症状が１つ以上ある。

1．視覚症状。

2．感覚症状。

3．言語症状。

4．運動症状。

5．脳幹症状。

6．網膜症状。

C）以下の４つの特徴の少なくとも２項目を満たす。

1．少なくとも１つの前兆症状は５分以上かけて徐々に進行するか、または２つ以上の前兆が引き続き生じる（あるいはその両方）。

2．それぞれの前兆症状は５～60分持続する。

3．少なくとも１つの前兆症状は片側性である。

4．前兆に伴って、あるいは前兆発現後60分以内に頭痛が発現する。

D）ほかに最適なICHD-IIIの診断がない、また、一過性脳虚血発作が除外されている。

1-3　慢性片頭痛

A）緊張型頭痛様または片頭痛様の頭痛（あるいはその両方）が月に15日以上の頻度で３カ月を超えて起こりＢとＣを満たす。

B）1-1「前兆のない片頭痛」の診断基準Ｂ～Ｄを満たすか、1-2「前兆のある片頭痛」の診断基準ＢおよびＤを満たす発作が、併せて５回以上あった患者に起こる。

C）３カ月を超えて月に８日以上で以下のいずれかを満たす。

　１．1-1「前兆のない片頭痛」の診断基準ＣとＤを満たす。

　２．1-2「前兆のある片頭痛」の診断基準ＢとＣを満たす。

　３．発作時には片頭痛であったと患者が考えており、トリプタンあるいは麦角誘導体で改善する。

D）ほかに最適なICHD-IIIの診断がない。

片頭痛の予防と治療

片頭痛はいろいろなきっかけで頭痛発作が出現することになります。そのきっかけになる因子はなるべく避けたいものです。本人も分かっていないことがありますので質問用紙とかを用いて点検しておくとよいでしょう。

片頭痛の誘発因子は次のようなものです。

精神的因子……ストレス、精神的緊張、疲れ、睡眠不足、睡眠過多（朝寝坊、昼寝）

内因性因子……月経周期

環境因子………天候の変化、温度差、炎天、閃光、頻回の旅行、時差、高度、激しい運動、人混み、臭い、有機香物

食事因子………アルコール（赤ワイン）、空腹（低血糖）、亜硝酸化合物（ベーコン、ソーセージ）、グルタミン酸ナトリウム（調味料、ファストフード、スナック菓子、冷凍食品、中華料

理)、チラミン（チョコレート、ココア、チーズ)、柑橘類、カフェインなど

合併症…………アレルギー性鼻炎、気管支喘息、副鼻腔炎

上記のことを常に心において注意し、なるべく本人に回避させるようにします。

例えば、ギラギラする光の環境ではサングラスを着用するのも一つです。

予防

予防薬としては次のようなものがあります。

Ca 拮抗薬	ミグシス（ロメリジン塩酸塩）	5 mg
抗うつ薬	トリプタノール（アミトリプチリン）	5～10 mg
β遮断薬	インデラル（プロプラノロール）	10 mg
抗てんかん薬	デパケンR	200～400 mg

予防薬の投与は有害事象がなければ3～6カ月継続するのが望ましいと思います。

良好にコントロールされれば、徐々に減量して、可能なら中止します。

急速には中止しないこと。リバウンドがあるので注意を要します。

片頭痛予防療法の目標

1）発作頻度、重症度と頭痛持続時間の軽減。

2）急性期治療の反応の改善。

3）生活機能の向上と、生活支障度の軽減。

4）急性期治療薬使用過剰の抑制。

片頭痛急性期の治療

【誘因】	月経、ストレス、不規則睡眠、人混み、炎天、運動、飲酒、天候の変化、食べ物、臭い、空腹
【予兆期】	過食、あくび、疲労感、集中困難、抑うつ感、頸部や肩のコリ、感覚過敏
【前兆期】	視覚、感覚、言語
【頭痛期】	←「トリプタンの最適服用期」→ （軽度）食欲減退、悪心、嘔吐 （中等度）光、音、嗅覚過敏 （強度）動作で増悪
【回復期】	睡眠
【寛解期】	食欲減退、疲労感、うつ、躁

B）緊張型頭痛

Trapezius, Semispinalis capitis, Rectus capitis, Obliquus capitis, Sternocleidomastoid, Splenius capitisなどの胸椎や頸椎、肩甲骨、鎖骨などから起こって、頭蓋骨の後頭部に至る筋群と、後頭部から始まり途中腱膜になり、また筋肉に連なって外眼筋や前額部の皮膚、眉上部に至る筋や側頭筋らが関係するようです。

これらの筋群は精神的な原因や疲労、整形外科疾患でも緊張しますが、補助呼吸筋も含まれているため**気管支喘息、慢性閉塞性肺疾患など**も、これらの筋緊張と関連があると考えられます。

また、**内耳性のめまいの時**には頭部の安定した位置の支持のために活躍する筋肉でもあることから内耳性のめまいの場合にも筋緊張が高まると考えられます。

片頭痛との混在ということもあります。

上に列記したようないろいろな事柄が緊張型頭痛を招来させると考えられますので、考えを広範にしてみる必要があります。

この頭痛は筋の緊張のため頭が締め付けられるような感じになります。

ハチマキで締め付けられるような痛み、ともいわれます。高じると持続的な痛みに移行するのです。

緊張型頭痛の分類

1）稀発性反復性緊張型頭痛（1カ月に1日未満）
2）頻発性反復性緊張型頭痛（1カ月に1～15日）
3）慢性緊張型頭痛　　　　（1カ月に15日以上）
4）緊張型頭痛の疑い

反復性は軽度～中等度の強さの圧迫感ないし締め付け感で非拍動性の頭痛、日常的な動作（歩行、階段の昇降など）での増悪はありません。

悪心、嘔吐はありません。光、音の過敏はあってもどちらか一方のみです。慢性は反復性と同様の頭痛で、頭痛は数時間～絶え間なく続く。年180日以上の頻度です。

片頭痛との鑑別

緊張型頭痛は片頭痛と混在（合併）することがあるために全くの分離は困難かもしれませんが、**片頭痛の場合には、**

- 日常生活がいろいろな形で支障になること（支障度）があります。
- 日常動作によっての頭痛の悪化があります。
- 悪心、嘔吐、光過敏、音過敏などを伴います。
- 拍動性の頭痛である。

ということですので、たいていの場合鑑別できます。

混在するときは片頭痛が原因した緊張型頭痛であると考えて片頭痛から治療を開始すれば良いと思います。

緊張型頭痛の治療

生活習慣の改善。

- ストレスから解放されること
- 運動をすること
- うつむき姿勢を持続しないようにすること

です。原疾患（めまいや喘息など）があれば、その治療とともに緊張型頭痛の治療を行うことです。

緊張型頭痛の治療としては、

- 安定剤
- 筋弛緩剤
- NSAIDs（NSAIDsの使用で慢性化する場合があるので注意を要します）
- 原疾患があればその治療

などを用いた筋緊張の改善および頭痛の鎮痛です。
片頭痛との混合があれば片頭痛の治療から行います。

C）群発性頭痛

20〜40歳代の男女比が５対１と男性に多いのですが、女性でも増加がみられます。**眼窩部とその周囲の激しい頭痛です。**

片側の眼の奥を錐でえぐられるような極度に激しい痛みになります。

発作中、痛みにもかかわらず落ち着きがなく、あるいは興奮したような状態になります。

15〜180分間続く頭痛で、１日に１回から数回あり、夜間から明け方のほぼ一定の時間に起こってきます（２時、４時など）。時には日中にも起こることがあります。

１〜２カ月間、毎日のように群発的に続きます。

長期に見ると、これが年に１〜２回から数年に１回起こることになります。

飲酒で必発します（ヒスタミン、ニトログリセリンで誘発される）。

性的活動性の高い人にかかりやすいともいわれます。

遺伝的要素があります。

片頭痛との鑑別として、**群発性頭痛は、**

- 群発期がある
- 眼窩から側頭部の激痛が15〜180分続く（片頭痛は４時間にも及ぶ）
- 目の充血や流涙などの自律神経症状を伴う
- 若年男性に多い（最近女性にも増加している）

ということが挙げられます。

群発性頭痛は片頭痛と混在している場合があります。

群発性頭痛の治療と予防

▫ 急性期の治療

100％（７L/分以上）の酸素吸入

イミグラン注射（皮下） 3 mg
イミグラン点鼻 3 mg

▫予防

ワソラン（ベラパミル）40 mg 3～6錠（できれば6錠)/日……有効60%

プレドニン 5 mg 12錠/日から開始日に1錠ずつ減らして1カ月間継続

その他（頭痛の種類の続き）

D）器質病変を伴わない各種の頭痛

寒冷刺激頭痛、良性咳嗽頭痛、性交に伴う頭痛など

E）頭部外傷に伴う頭痛

急性ないし慢性外傷後頭痛

F）血管障害による頭痛

頭蓋内出血、くも膜下出血、未破裂脳動脈瘤、椎骨動脈解離、急性虚血性脳血管障害、高血圧など

G）非血管性頭蓋内疾患に伴う頭痛

頭蓋内腫瘍、脳脊髄圧異常など

H）頭蓋内の感染による頭痛

髄膜炎、脳炎など

I）頭部以外の感染に伴う頭痛

全身的なウイルス感染や細菌感染など

J）代謝障害に伴う頭痛

低血糖、低酸素血症、二酸化炭素中毒など

K）顔面、頭蓋部位の障害に伴う頭痛、顔面痛

眼、耳、鼻、副鼻腔、歯牙、顎など

L）頭部神経痛、神経幹痛、求心路遮断性疼痛

三叉神経痛、舌咽神経痛、後頭神経痛など

脳神経系についての診断手順

三叉神経痛について

▫ 三叉神経の解剖

右および左の、

第１枝（前額神経）……Supra-orbital notch を通って出る。

第２枝（上顎神経）……Infra-orbital foramen を通って出る。

第３枝（下顎神経）……Mental foramen を通って出る。

▫ 三叉神経痛の原因

典型的三叉神経痛……………………原因が明らかでありません。

有痛性三叉神経ニューロパチー……二次性三叉神経痛。

▫ 典型的三叉神経痛の症状と所見

三叉神経痛の診断は医療面接によって得られる症候学によってなされます。

通常の診察では三叉神経の第１ないしは第３の痛みを疑った場合、それに**該当する神経の出口を押さえて過敏の状態の有無を検査する**と良いでしょう。

その際には左右を比べながら験することです。

発作の状態として、片側の三叉神経知覚支配領域であって、主に第２枝、または第３枝に強い間欠痛を繰り返します。

通常痛みが出る三叉神経領域の非侵害刺激でもって電撃痛が誘発されます。

▫ 治療

テグレトール（カルバマゼピン）の定常状態維持です。

三叉神経痛の分類を挙げておきます。参考程度です。

三叉神経痛の分類と特徴（国際頭痛分類Ⅲ版による）

13-1-1　典型的三叉神経痛

A）ＢとＣを満たす片側顔面痛発作が３回以上ある。

B）１つ以上の三叉神経枝に生じ、三叉神経領域を越えて放散しない。

C）痛みは以下のうち少なくとも３つの特徴を持つ。

　１）激痛

　２）患側顔面への非侵害刺激により突然に起こる。

　３）数分の１秒から２分続く発作性の痛みを繰り返す。

　４）電気ショックのような、ズキズキする、刺すような、または鋭いと表現される性質の痛み。

D）臨床的に明らかな神経障害はない。

E）他の診断ではよりよく説明されない。

13-1-1-1　典型的三叉神経痛、純粋発作性

B）13-1-1「典型的三叉神経痛」の診断基準を満たす片側顔面痛の繰り返す発作。

C）発作間に持続痛がない。

D）他の診断ではよりよく説明されない。

13-1-1-2　持続性顔面痛を伴う典型的三叉神経痛

A）13-1-1「典型的三叉神経痛」の診断基準を満たす片側顔面痛の繰り返す発作。

B）患部に中等度の持続性顔面痛を伴う。

C）他の診断ではよりよく説明されない。

13-1-2　有痛性三叉神経ニューロパチー

13-1-2-1　急性帯状疱疹による

13-1-2-2　帯状疱疹後
13-1-2-3　外傷後
13-1-2-4　多発性硬化症プラークによる
13-1-2-5　占拠性病変による
13-1-2-6　その他の疾患による

舌咽神経痛について

三叉神経痛様の痛みが喉、**舌の付け根から耳に向かって発する痛み**で、一側性に数秒から数分、発作性に出現する痛みです。神経根部が血管や腫瘍によって圧迫されて起こる痛みです。

後頭神経痛について（これに関しては脊髄神経です）

後頭神経は第２頸髄より発して項部から後頭部を上行します。この疾患の疑いのある時は、この神経の走行に沿っての圧痛で診断されます。大後頭神経、小後頭神経があります。

嗅覚異常について

嗅覚が消退あるいは消失する状態で、**急性あるいは慢性の鼻や副鼻腔の炎症性の疾患で起こる**ことが多いようです。腫瘍が原因することもあります。

有名なのは嗅覚異常が**パーキンソン症候群の初期症状**として見られることがあるということです。最近では、新型コロナウイルス感染症での症状、後遺症としての話題があります。

視神経障害について

視神経は両眼球から両後頭葉に神経伝達されますが、途中で右方視と左方視が分かれて伝達されるため障害された部位によって複雑に異なる**半盲**症状となります。有名な半盲の図があるので成書を参照してください。

また、視野の簡易的診察法を会得しておいてください。

動眼神経麻痺、外転神経麻痺について

滑車神経と並んで外眼筋を支配して眼球を動かしている神経ですが、これらの神経の麻痺によって外眼筋が麻痺して複視をきたすことになります。

糖尿病性神経障害の時に単ニューロパチーとして発症することがあります。

糖尿病による場合、動眼神経麻痺、外転神経麻痺の順に多いようです。

別の話ですが、糖尿病の場合、同様にして顔面神経麻痺も起こることがあります。

聴神経について

蝸牛神経と前庭神経の二つが含まれます。

めまいの項で詳述します。

顔面神経麻痺について

末梢性顔面神経麻痺は冬などに耳を露出した状態でいたため**耳に直接冷たい風が当たったりして**、このことをきっかけにして急性に発症したりします。

そうした際に**ウイルスの感染**を起こすためと考えられています。

感染部位は顔面神経の膝神経節が考えられます。

初期治療に副腎皮質ステロイドに加えて抗ウイルス薬を使用する必要が出てくるのです。

顔面神経の解剖

▫顔面神経麻痺の分類

1）中枢性顔面神経麻痺

顔面の上部（額、眼瞼など）は顔面神経核が左右両方の大脳からの支配（二重支配）を受けているので、片方の中枢麻痺では（反対側の健常な中枢からの支配が残るために）顔面上部の麻痺が起こらないことになります。

顔面下部（鼻唇溝、口囲筋など）では片側支配となっているため患側と反対側に鼻唇溝が浅くなったり口角下垂が起こる麻痺が発生します。

2）末梢性顔面神経麻痺

顔面神経核より末梢では障害された顔面神経側の全体（片側顔面の上部も下部も）に麻痺が生じることになります。

患側の額のしわ寄せ、眼瞼の閉鎖ができなくなり、鼻唇溝や口角の異常も出てくることになります。

上記のことは顔面神経麻痺が中枢性か末梢性かの鑑別に重要です。

顔面神経麻痺の原因と症状、所見

▫ **末梢性顔面神経麻痺**

原因として

腫瘍……前庭神経鞘腫

中耳炎、またその術後

耳下腺腫瘍またその術後

Ramsay-Hunt 症候群（帯状疱疹が膝部を侵した場合）

Bell 麻痺（感染症？ ── ウイルス？）

少ないが糖尿病性単ニューロパチーとして

症状は

患側の眼瞼下垂、顔面筋の弛緩

鼻唇溝の浅化ないし消失

口角下垂。患側の流涎

頬と歯の間に食物が溜まる ── ということです。

所見は

a）観察すると、**患側の眼瞼が下がっている**。同側で閉眼がしにくくなります。

患側の鼻唇溝が浅いか消失します。

患側の口角が下がって、口に締まりがなく、流涎があります。

この２項は力を入れて口を閉じてもらうと所見が明瞭になります。

b）閉眼によって患側の眼球が上方を向く（Bell's phenomenon）。

（両方の親指で両側の眼瞼を少しだけ持ち上げて、本人には眼を瞑るように指示します。この時の眼球の動きを観察します）

c）健常では眼を上方に向かせると額にしわができますが、**末梢性顔面神経麻痺の患者では、患側では顔面上部の筋麻痺のためにこのしわ（forehead wrinkling）は出現しません。**

d）ほかの脳神経や脊髄神経の所見も取っておきます。

上のｂ）、ｃ）が末梢性麻痺の証左になる ― ということです。

▫ **中枢性顔面神経麻痺**

錐体路障害の一分症として、血管性ないしは腫瘍性その他の病変が原因となります。

第８神経核周辺及び、より中枢の血管性、腫瘍性疾患が原因する場合があります。

病変側と反対側の片麻痺の一環として上下肢の麻痺と同側の麻痺として発生します。

橋において顔面神経核が障害された場合は患側の顔面麻痺と反対側の上下肢の麻痺が起こります（核性）。

核上では顔の上部の神経支配が二重であるため顔面での所見としては、顔面上部では末梢性の麻痺に見られるような特異的な所見がないことで中枢性の麻痺であることが考えられます。

上方を見上げたときの額のしわは両側ともにできます。眼球の異常な動きもありません。

顔の下部（鼻唇溝、口角）では中枢の患側と反対側の麻痺所見が認められます。

味覚異常について

味覚に関しては舌の前３分の２が顔面神経味覚枝、後ろ３分の１が舌咽神経支配です。

味蕾の異常（加齢、鉄欠乏性貧血、舌炎）、**亜鉛欠乏症**（食事による、食品添加物）、**腔内異常**（口内乾燥、舌苔の肥厚）、**全身疾患**（糖尿病、腎臓病、肝臓病、消化管疾患など）、**薬剤性**（鎮痛消炎剤、向精神薬、降圧剤など）が関係することがあります。

嗅覚障害があるとこれに味覚障害が合併したりします。

舌咽神経麻痺、迷走神経麻痺について

脳血管障害などによって舌咽神経核ないしはその神経経路に影響が及んだ時に症状が出現します。**軟口蓋挙上**があり、**口蓋垂の健側へ偏位**する。発声すると明瞭になります。

迷走神経症状として咽頭後壁が健側に引かれる**「カーテン徴候」**があります。

その他には低音のしわがれ声（嗄声）、異常に鼻にかかった声（閉鼻声）、涎が垂れる、物が飲み込みにくい、のどがごろごろする、咳反射の障害などがみられます。

舌下神経麻痺について

舌を前方に突き出させるとまっすぐ前に出せずに**核上の病変では麻痺と反対**

側に偏位します。

核下の病変では麻痺側に偏位します。この場合は麻痺側の**舌の萎縮**があり、**線維束攣縮**が認められることが核上麻痺との違いです。

脊髄神経系についての診断手順

吃逆について

第４頸髄神経、第４頸椎椎骨、横隔膜神経に関してのいろいろな原因による神経障害で吃逆が発生します。

吃逆が長く持続する場合には、横隔膜周辺（横隔膜上、下にある肺、胸膜、食道、胃、肝臓、膵臓、脾臓などの臓器）**の炎症性ないしは腫瘍性の病変が原因疾患**となっている可能性があるため除外が必要です。

原因究明のために、血液検査やレントゲン検査、内視鏡検査、CT 検査などの必要に応じた検査が行われることになります。

後頭神経痛

頸椎 C2 よりでて後頭部を上向する後頭神経の神経痛です。神経根部の刺激などが原因します。後頭神経の走行に一致した圧痛を認めれば判明します。

帯状疱疹によるものを鑑別するために頭髪を分けて観察する必要があります。

上肢、下肢、体幹のしびれ、熱感、疼痛について

これらはいずれも知覚異常ないしは疼痛などを呈する部位と広がりを、診察を行って特定、確認します。

確認された異常部位の広がりを末梢神経の支配領域の図と比べ合わせて、その神経の神経根を特定します。

そのうえで更にその神経根の部位に何らかの疾患病変がないかを確かめます。

以上の作業を行うことで診断の確定となります。

最初のうちは大変ですが、慣れれば末梢神経の支配領域も頭の中に入るので簡単になります。

慣れるまでは末梢神経の領域の図を手元に置いて使うとよいでしょう。

▪p. 7、p. 8、図録の図７、図８を参照してください。

知覚、痛みを感じる部位、筋肉支配については次の表を参考にしてください。

局所診断までして神経内科や脳外科、整形外科に紹介し、そこでCTやMRの検査を行ってもらいます。自分の局所診断と一致すれば患者や紹介先から尊敬されること間違いなしです。

頸部神経根障害

頸部神経根	知覚	痛みの分布	反射
C5	三角筋側面	上腕外側	上腕二頭筋
		肩巾骨内側	
C6	拇指、示指	前腕外側	上腕二頭筋
	手の橈側 / 前腕	拇指、示指	
C7	中指	上腕後側、前腕背側	上腕三頭筋
	前腕背側	手の外側	
C8	小指	薬指、小指	指の屈筋
	手と前腕の内側	前腕内側	
T1	腋窩と上腕内側	腋窩、上腕内側	指の屈筋

腰仙部の脊髄神経根障害

腰仙部神経根	知覚	痛みの分布	反射
L2	大腿上前面	大腿前面	
L3	大腿下前面	大腿前面、膝	
L4	膝前面	膝、ふくらはぎ内側面	大腿四頭筋
	ふくらはぎ内側面	大腿後面	膝蓋腱反射
L5	背面 ── 足	ふくらはぎ外側面	
	ふくらはぎ外側面	足の背面、大腿後側面	
		臀部	
S1	足底 ── 足	足底、大腿後面、臀部	腓腹筋 / ヒラメ筋
	側面 ── 足	ふくらはぎ後面	アキレス腱反射

内科で訴えられる整形外科的疾患について

▫ 足底筋膜炎

動きはじめの一歩目が痛い。歩く、走るで足の裏やかかとが痛む。足が地面に着くとき、離れるときが痛い。立ちっぱなしでいると痛む。足の裏がしびれる。足の裏や指の付け根に違和感が常にある。足の裏を押すと痛い部位がある。

▫ こむら返り

アキレス腱の腱紡錘と腓腹筋の筋紡錘のバランスが崩れたときに足がつった状態（こむら返り）になったりします。寝ている間、運動中、体が冷えたとき、疲れているとき、カルシウム不足、脱水のときなどに起こりやすくなります。閉塞性動脈硬化症、深部静脈血栓症、腰部脊柱管狭窄症、糖尿病、肝硬変症などの疾患で認める場合があります。芍薬甘草湯は即効性もあり、予防にも使えます。

□ **腓骨神経麻痺**

麻痺によって足関節と足趾の背屈ができなくなり、下垂足になります。歩くときに足先を引きずるようになるということです。患側下肢の外側から足背、足趾の第五趾を除いた足趾の背側のしびれを認めます。膝の外側の腓骨神経の経路の圧迫で発症することが多いようです。

糖尿病による単神経麻痺が原因することもあります。

□ **坐骨神経痛**

腰椎椎間板ヘルニア、変性椎間板症、脊椎すべり症などが原因して坐骨神経を圧迫ないし刺激して、その神経領域に疼痛を生じる状態をいいます。実際の疼痛の領域を調べてL1〜L5、S1〜S5の神経の領域分布図とを対照することによって原因部位を推定できます。

足趾の親指が痛むという患者がいますが、聞くと下腿外側も痛むとも言いますのでL5がもとと推定します。

坐骨神経痛はLasegue試験を診断の補助として用います。

□ **変形性膝関節症**

関節炎の一種ですから局所熱感があります。両側の膝関節部を手のひらで触って比較することにより確認されます。また、関節内に滲出液が貯留します。左手の第１指と２指を広げて患者の膝蓋骨の上の方を押さえ、膝蓋骨の下の方を右手の人差し指で押してみると、いかにも液体の上に膝蓋骨があるという浮動感を認めれば滲出液ありということです。

膝部の熱感の左右差を比べることも必要です。

□ **股関節疾患**

右手で足を持ち、左手で膝をとって、大腿が股関節を支点にして回るように膝を回してやる。股関節が原因の痛みであれば、その動作で痛みが増します。

▫手根管症候群

初期には示指、中指のしびれ、痛みから始まり、拇指、環指にまで広がります。明け方目を覚ました時に症状が強い。手のこわばり感もあります。手を振ったり、指を動かすことによって症状が軽減します。手首を打腱器でたたくとしびれや痛みが指先に響きます。両手の手背を合わせて手関節を屈曲すると症状が悪化します。

▫五十肩

肩関節を構成する骨、軟骨、靭帯、腱などの老化で肩関節の周囲に炎症を起こした状態と考えられています。**肩関節の関節包や滑液包の炎症のほかに、上腕二頭筋長頭腱炎、石灰沈着性腱板炎、肩腱板断裂などがあります**。これらのどれにあたるのかは整形外科に紹介して診てもらう必要があります。

▫頸椎症性脊髄症

頸部の椎間板ヘルニア、椎骨の変形その他によって**頸髄そのものやその部位から出る脊髄神経が圧迫される**ことによって神経障害の症状が出る疾患です。軽ければ、主に**圧迫された神経領域**の上肢のしびれや疼痛、運動障害ですが、重症になるとその圧迫を受けている脊髄より下部の知覚及び運動神経の症状が発生します。弓道など首を極端に曲げたりすることが多いとなりやすいようです。テレビを見る位置などが関係することもあります。整形外科か脊髄外科に紹介です。

パーキンソン病、認知症

パーキンソン病

パーキンソン病は進行性の疾患です。

進行すると身体行動的にあるいは精神神経的に非常に悲惨な状態になっていくので、**できるだけ早期に診断**して治療を開始していきたい疾患です。

殺虫剤や除草剤への暴露、農業への従事、牛乳などのカルシウムの過量摂取、井戸水の飲用などが危険因子とされ、遺伝的要素も関連するといいます。

通常は**振戦**があることで疑われたりします。

次いで**固縮**や**寡動・無動**などが現れます。そのうちに**姿勢反射障害**をきたすようになってくることになります。

この振戦、固縮、寡動・無動、姿勢反射障害が**4大症状**と呼ばれているものです。

A）振戦

振戦は4～6Hzのリズミカルな安静時の震えです。**筆記用具を持たせて10秒間直線を書かせることで振戦のHzが計測**できます（本態性振戦では6～10Hzです）。

企図時ではなく、安静時に認められます。安静時振戦はパーキンソン病に特徴的症状です。

振戦は上肢、下肢、口の周囲、下顎の部位に見られます。

Pill-rolling（丸薬丸め様 ── 第1と2指をすり合わせるような振戦）などの振戦がパーキンソン病の発見のきっかけになるのですが、身体所見ではcog-wheel rigidityがそれに替えることができる所見です。

できればパーキンソン病でない通常の患者にも、外来での診察のたびに上肢、特に左上肢で観察をしてほしいと思います。

そして、**ごく軽度の振戦でも分かるように感覚を高めてほしい**と思います。

cog-wheel rigidityは、診察室においてはしばしば振戦よりも先に認められたりする所見ですので、**rigidityを観察するルーチンがあれば診断が早まる**と考えているのです。

是非ルーチン化して頂きたいと思います。

cog-wheel rigidityの検査では（これは次の「固縮」とも関連する）次のようです。

肘を最大限に屈曲してもらう
力を抜いてもらう
片手で肘を支え、もう一方の手で手首を持って徐々に肘伸展をしていく

この肘を伸ばしていく過程で、手首をつかんだ手にカクカクないしガクガクとするrigidityを感じます。

病気がはっきりした時には明瞭なrigidityになりますが、病初期では伸展の中程以降に微かに感じられる程度であるので見逃しやすいと思います。これが分かるようにしてほしいのです。

B）固縮

パーキンソン病においては安静時でも筋肉の緊張が亢進していて硬い。

この状態を固縮と呼びます。

上記のようにrigidityの検査を行うと、**鉛のパイプを伸ばすように常に抵抗がかかっているように**に肘が伸びてきます。

これをleade-pipe rigidityと呼びます。

固縮ではこのleade-pipe rigidityがあるその上に前記したcog-wheel rigidityが重なってあります。

C）寡動・無動

無動は**動作の速度が緩徐になり、動作の頻度が乏しくなる現象**です。

手、指……ボタンがかけづらい、調理器具が上手く使えない。
字を書いていくうちに次第に字が小さくなっていく。

咽頭筋……声が小さくなる（小声症）。

顔面筋……表情が乏しくなる（仮面様顔貌）。

歩行………小刻み歩行（小歩）、すり足歩行、加速歩行、前のめり歩行。
最初の一歩が出しづらい、方向転換時の一歩が出しづらい。
人混みの場所や物と物の間など狭い場所で足が出ないということになる。これを「すくみ現象」という。

全身的……椅子からの立ち上がり困難や、寝返り困難がある。

D）姿勢反射障害

急な外力に対して（検者の手で患者の肩を前方から後方へ押すと）自分の姿勢を保持する筋肉の反応が起こらずに体勢が崩れてしまう状態をいいます。

パーキンソン病では瞬時の筋肉の反応ができない状態になります。

E）その他

- **嗅覚低下**……ごく最初の症状として出てきたりする。
- **便秘**…………ごく最初の症状として出てくることがある。
- 夜間頻尿、尿失禁
- 立ちくらみ
- 不眠、**レム睡眠行動障害、むずむず脚症候群**
- うつ、不安症、痛み、無欲症状、疲労
- 幻視
- **認知症（レビー小体型）……夜間などにいない人が見えると言ったり、大声を出したり、興奮して暴れたりする状態が出てくればレビー小体型**

認知症とパーキンソン病を疑います。

パーキンソン病の発症は運動症状の発症の４～６年前からで、中脳黒質のドーパミン神経細胞脱落が始まっているといわれます。

この頃から非運動症状が先行して始まっている可能性があるのです。

Braak の病態仮説では、

１期　　　　　　　２期

延髄背側核（便秘）

嗅球（嗅覚低下）　　→扁桃体（嗅覚低下）

→青斑核（うつ、レム睡眠障害）

３期

→中脳黒質（運動症状〈錐体外路症状〉）

４～６期

→前頭葉、頭頂葉、後頭葉などの後半の広がりに至る

この様相から非運動症状の時点でパーキンソン病を発見して治療を開始することが求められます。

疾患としては進行性です。

進行の速さは各患者で相違がありますが、非常に速いものがあるので注意を要します。

以前とは違って最近では早期からの治療が勧められています。

便秘から発見されることもあるので、便秘を訴えた際にも一応チェックが必要です。

便秘以外のその他の項目も同様です。

診察方法としてルーチン中に入れておくと便利です。

指タップ ── 手の回内と回外 ── 足タップ ── 立ち上がり ── 歩く ── 姿勢

の安定性、言語の異常、振戦の有無、そして rigidity です。

cog-wheel rigidity は**左上肢に始まることが多いよう**です。

心臓の **MIBG 心筋シンチグラフィーが診断の根拠**になります。

この検査で心筋の自律神経の状態を見ると MIBG の集積が少ないことが分かります。

L-DOPA（レボドパ）に良好な反応を呈する。

L-DOPA を内服すると反応は良好で、症状の改善を認めます。これもパーキンソン病の根拠になります。

進行のスピードの件もありますので、診断濃厚であれば早期に専門医にコンサルトする方が良いと思います。

パーキンソン病の生活機能障害度とホーン・ヤールの重症度分類

A）１度　日常生活、通院に殆ど介助を要しない。

１）ステージ１　障害は片側のみ。

- 振戦が始まる
- 固縮が始まる
- 寡動・無動
- 手足の震え、動作が遅い、手先を動かしにくい
- 歩くのが遅い、字を書くと小さくなる、歩くときの腕の振りが少ない
- 便秘、うつ

２）ステージ２　障害は両側、または身体中心部。姿勢反射障害なし。

- 姿勢が前傾になる、しっかり歩けない、喋りにくい

B）２度　日常生活、通院に部分的介助を要する。

３）ステージ３　軽〜中等度の障害。姿勢反射障害あり。日常生活に介助不要。

- 姿勢反射障害始まる

▪転倒しやすい、声が小さい、涎が出る

▪歩くと止まらなくなる、だんだん早口になる、立ちくらみ

4）ステージ4　高度の障害。かろうじて介助なしに起立。歩行が可能。

▪飲み込みにくい、認知障害

C）３度　日常生活に全面的介助を要し、独立では歩行起立不可能。

5）ステージ5　介助がない限り寝たきり、または車椅子の生活。

▪立てない、歩けない、床ずれ、関節の動く範囲が狭い

認知症

認知症は厄介な病気です。患者が一人で診療所にやってくるときには、患者の脳は少し活動状態が良くなっていて行動態度や会話においては症状が隠された状態になっているためです。

それで、診察室ではなく、受付や、会計の場所での観察情報が必要になってくるのです。

事務職員との連携が必要なのです。

できれば家族の協力があればと思いますが、診察室で疑わなければ家族への問い合わせも生じません。疑ったときには家族に連絡をとって来院してもらいます。

積極的な家族がいればいいのですが、皆さん忙しいのでままなりません。

認知症にはどんなものがあるのでしょうか？

認知症の分類

A）脳血管性認知症

多発脳梗塞性認知症広範脳虚血型

多発脳梗塞型

限局脳梗塞型

B）変性性認知症

アルツハイマー型認知症

アルツハイマー型認知症

アミロイド沈着、神経原線維の変化、神経細胞の連結の消失、海馬の萎縮

▫ 中核症状

記憶障害

思考能力低下

▫ 周辺症状

妄想 ── もの盗られ妄想

易刺激性

脱抑制

興奮

暴力

徘徊

抑うつ

記憶の全体が塊で失われる。

問題を指摘されると、取り繕う。

新しいことが覚えられず、何度も同じことを聞く（アルツハイマーの初期症状）。

一方で、古いことは覚えている（遠隔記憶）。

年月日などの時間的感覚があやふやになる。

買い物などの準備、計算、支払いができなくなる。

近所以外で道に迷う。

置き場所などを忘れる、盗まれたと思ってしまう。

身近な人の顔を忘れる。

衣服を着られない。

C）レビー小体型認知症

レビー小体型認知症

幻覚が出る。いないはずの人がそこに見えると言う。動物や小人が見えると言う。

大声で寝言を言ったり、叫んだりする。

眠ったまま歩き回ったりする。

など、**レム睡眠行動障害**が認められる。

長谷川式簡易知能スケールでは割合**点数が良い**。

認知症の程度が変動する。

妄想がある。

- 自宅にいるのに今から帰るとか
- 退職しているのにまだ会社で働いているとか
- 戦争がまだ続いているとか

自律神経症状として便秘や尿失禁がある。

無表情である。

アルツハイマー型と鑑別するため**MIBGによる心筋シンチグラフィー**を行う。

→ MIBG の取り込みが少ない。

D）認知症を伴うパーキンソン病

パーキンソン病にはレビー小体型が合併したりします。

E）前頭側頭型認知症

前頭側頭型認知症

▫ 側頭型の症状

利き手、長所などの知っているはずの言葉の意味が分からない。

知人や友人などの知っている人の顔が分からない。

▫ **前頭型の症状**

他人の庭のものや、店のものを勝手に持っていく。

一時停止違反や信号無視などの違反を繰り返す。

毎日のように急に出かける。

▫ **側頭型、前頭型どちらでもある症状**

毎日おなじ料理を食べる

甘いものが過剰に好きになる

食べ物をあればあるだけ食べてしまう

などの異常行動をする。

会話の能力は比較的保たれている。

指摘されても気にしない。

記憶は維持される。

一人で出かけても道に迷わない（場所、年月、時間感覚は失われない）。

F）感染症による認知症

クロイツフェルトヤコブ病など

G）治療可能な認知症

甲状腺機能低下症

慢性硬膜下血腫……たまにあってびっくりする。頭部の軽い外傷の既往に注意する。

正常圧水頭症………たまにある。

上二つは疑いがあれば頭部CT検査を行います。

治療可能な認知症については、医師がその疾患を見つけてあげることの一言です。常にこれらの疾患を念頭に置いておくことです。**脳腫瘍**も治療可能かどうかは別として同様の疾患として頭においてください。

これらの種類のどれにあたるのかは一応見当がつきますが、**確診は CT、MR、SPECT などの検査が必要**ですので専門に紹介します。

［付録１］　立体的診察法 (Stereoscopic Diagnosis)

近年画像による診断法が進歩して、画像一辺倒の診断になりがちではあるが、機能的な面からの診断も大切であると考えています。二刀流の診察・診断をしたいということです。私はこの観点から立体的診察法（Stereoscopic Diagnosis）と銘打って以下のような見方をしてまいりました。参考にしていただけたらと思っています。

患者の状態を診察室で診ようとするときに、患者の日常の時間的変化や状態による変化の把握に問題が起こることになります。また、各臓器をダイナミックな機能的評価が必要になってくるとき、これを解決して患者を静的、動的そして日常動作を意識した角度から疾患の全体像を診る為に、以下のような方法でその肉付けを行って観察しています。

循環器について

1）血圧について

静的状態　比較的安静状態にして座位で血圧測定（p. 140）
臥位と立位で血圧測定してその変化を評価する（p. 156）

動的状態　マスター二階段試験などの運動負荷の前、直後、３分、６分で血圧測定（p. 158）結果を評価する。

時間的経過　24時間自由行動下血圧測定（p. 154）

2）心電図について

静的状態　安静時心電図検査

動的状態　運動負荷心電図検査
マスター二階段（シングル、ダブル、トリプル、クアドリプル）
又はトレッドミル負荷心電図

時間的経過　24時間ホルター心電図検査
運動（長〜短距離走、球技など）している最中の心電図記録
発作（不整脈、胸痛など）最中の心電図記録

3）心機能について

静的状態　安静時超音波及びドップラー検査
動的状態　ハンドグリップ負荷で超音波及びドップラー検査

呼吸器について

1）フローボリューム曲線、ピークフローメーター（p. 242）

静的状態　来院時の安静時の測定
動的状態　薬物（β刺激剤の吸入）の負荷前後
時間的経過　毎日１〜３回のピークフローメーターによる測定記録

2）経皮的酸素飽和度測定（SPO_2）（p. 244）

静的状態　来院時の安静時の測定（状態により血液ガス分析）
静及び動的状態　O_2吸入最中時、O_2吸入の休止した状態の時
動的状態　運動（平地歩行、階段昇降）負荷時に記録器のついたパルスオキシメーターで測定
時間的経過　睡眠時無呼吸症候群を疑う場合（p. 223）
携帯用無呼吸検査装置（SAS2100）を装着しての検査を行う

3）呼吸音

強制呼気を繰り返し行い、呼吸音を精査（p. 237）フローボリューム曲線と比較検討する

糖尿病について

1）血糖検査

静的状態　早朝空腹時の血糖、インスリン測定（発見早期、治療開始前に行い、HOMA-IR 資料にする〈p. 182〉）

動的状態　労働後、運動後など生活状況をみて測定が必要と考えられる時に、また、低血糖などの症状があるとき血糖を測定する

時間的経過　一日血糖（空腹時、朝、昼、夕食前後等）家庭生活の中で自己血糖測定

24時間の持続的な血糖測定（皮下間質液のブドウ糖濃度の経時的測定）

腎臓について

1）尿検査

静的状態　早朝起床時尿

動的状態　運動後尿（ヘモグロビン尿など）

時間的経過　24時間尿（一日排泄蛋白量、食塩摂取量、尿中カテコラミンなど）

（24時間尿比例採尿器を用いて採尿）

［付録２］　体重を減らしたいときのスケジュール

1）食事による減量について

体重を減らしたい場合には、例えば飲食の量を減らすだけでの減量を考えると次のように考えることができます。

減量の原則的な考え方としては、例えば体重を100ｇ減らす場合について考えてみると、つまりは、体についている脂肪を100ｇ減らすことに置き換えることにすればよいのです。

　　脂肪は　　　１ｇが９Kcal であるから
　　100g で900ｇ.Kcal となる。
飲食物を900 Kcal 通常の量より減らすことにより実現できそうである。

▫炭水化物だけで体重を100ｇ減量するなら
　　１ｇが４Kcal であるから
　　900ｇ.Kcal/４kcal ＝225ｇ
炭水化物を現在食べている量より225ｇ減らして食べることにより目的を達成できることになる。

▫たんぱく質だけで体重を100ｇ減量するなら
　　１ｇが４Kcal であるから
　　900ｇ.Kcal/４Kcal ＝225ｇ
たんぱく質を現在食べている量より225ｇ減らして食べることにより目的を達成できることになる。

▫脂肪だけで体重を100g減量するなら
　　１ｇが９Kcal であるから
　　900ｇ.Kcal/９Kcal ＝100ｇ

脂肪を現在食べている量より100g減らして食べることにより目的を達成できることになる。

日本酒	だけで体重を100g減量するなら	825cc
ビール	だけで体重を100g減量するなら	2250cc
発泡酒	だけで体重を100g減量するなら	2000cc
ワイン	だけで体重を100g減量するなら	1232cc
焼酎	だけで体重を100g減量するなら	
	甲で	436cc
	乙で	616cc

現在飲食している量よりこの分減らさなければ達成できないということになります。

炭水化物か、たんぱく質か、脂質かということに関しては、それぞれ分け合っても構いません。

1日あたりに減らす食べ物の量は何日で何グラム減量するかということに関わってくることになります。

何をどのくらい減らすかということは本人の食事調べをして決めることでもあります。

もちろんこの計算はカロリー計算だけのことであって、このことを基にして栄養素のバランスも考えて減らすべき食品を選択すべきです。

たんぱく質、炭水化物、脂肪の一日必要量とかビタミンなどの栄養素のバランスも考えて減らすべき食品を選択すべきです。

この上に運動による方法も取り入れて一緒に行うことになります。

2）運動による減量について

生活活動や運動におけるカロリーの消費については次のように計算されます。

安静時の消費カロリーを1.0Metzとした場合、活動の度合いによって安静時の２倍のカロリー消費のある場合を2.0 Metz、３倍を3.0 Metz とします。

4.0 Metz の運動を体重60 kg の人が30分間行った場合を例にすると、**その消費カロリーは次のように計算されます**。

消費カロリー（kcal）＝メッツ×体重（kg）×時間的（h）

消費カロリー＝4.0 Metz × 60 kg × 0.5 h ＝ 120 kcal

体脂肪を１ kg 減らすためには9000 kcal のカロリー消費が必要です。

１ g の脂肪消費に９ kcal の運動量、１ kcal の運動量で１/９ g の脂肪消費です（体重を１ kg 減らすためには7000 kcal のカロリー消費を要するといわれます。１ g の体重減量に７ kcal の運動量、１ kcal の運動量で１/７ g の体重減量です）。

ですので、**その運動で消費された体脂肪は、**

120 kcal/9000 kcal/kg ＝ 0.013 kg………13 g の脂肪を消費した。

体重は、

120 kcal/7000 kcal/kg ＝ 0.017 kg………17 g の体重減少であった。

ということになります。

１日なり１週間なりのいろいろな運動の運動量の合計を積算して計算してください。

生活活動のメッツ表

メッツ	３メッツ以上の生活活動の例
3.0	普通歩行（平地67 m/ 分、犬を連れて）、電動アシスト付きの自転車に乗る、家財道具の片づけ、子供の世話（立位）、台所の手伝い、大工仕事、梱包、ギター演奏（立位）
3.3	カーペット掃き、フロア掃き、電気掃除機、電気関係の仕事：配線工事、身体の動きを伴うスポーツ観戦

3.5	歩行（平地、75〜85 m/ 分、ほどほどの速さ、散歩など）、楽に自転車に乗る（8.9 km/ 時）、階段を下りる、軽い荷物運び、車の荷物の積み下ろし、荷造り、モップかけ、床磨き、風呂掃除、庭の草むしり、子供と遊ぶ（歩く / 走る、中程度）、車いすを押す、釣り全般、スクーター、オートバイの運転
4.0	自転車に乗る（約16 km/ 時未満、通勤）、階段を上る（ゆっくり）、動物と遊ぶ（歩く / 走る、中強度）、高齢者や障碍者の介護（身支度、風呂、ベッドの乗り降り）、屋根の雪下ろし
4.3	やや速足（平地、約93 m/ 分）、苗木の栽培、農作業（家畜にえさを与える）
4.5	耕作、家の修繕
5.0	かなり速足（平地、速く＝107 m/ 分）、動物と遊ぶ（歩く / 走る、活発に）
5.5	シャベルで土や泥をすくう
5.8	子供と遊ぶ（歩く / 走る、活発に）、家具家財道具の移動運搬
6.0	スコップで雪かきをする
7.8	農作業（干し草をまとめる、納屋の掃除）
8.0	運搬（重い荷物）
8.3	荷物を上の階へ運ぶ
8.8	階段を上る（速く）

メッツ	3メッツ未満の生活活動の例
1.8	立位（会話、電話、読書）、皿洗い
2.0	ゆっくりした歩行（平地、非常に遅い＝53 m/ 分未満、散歩または家の中）、料理や食材の準備（立位、座位）、洗濯、子供を抱えながら立つ、洗車ワックスがけ
2.2	子供と遊ぶ（座位、軽度）
2.3	ガーデニング（コンテナを使用する）、動物の世話、ピアノの演奏
2.5	植物の水やり、子供の世話、仕立て作業

2.8	ゆっくりした歩行（平地、遅い＝53m/分)、子供・動物と遊ぶ（立位、軽度）

【出典】「健康づくりのための運動基準2006改定のためのシステマティックレビュー」（研究代表者：宮地元彦）

運動のメッツ表

メッツ	3メッツ以上の運動の例
3.0	ボウリング、バレーボール、社交ダンス（ワルツ、サンバ、タンゴ)、太極拳、ピラティス
3.5	自転車エルゴメーター（30〜50w)、自体重を使った軽い筋力トレーニング（軽・中程度)、体操（家で、軽・中程度)、ゴルフ（手引きカートを使って)、カヌー
3.8	全身を使ったテレビゲーム（スポーツダンス）
4.0	卓球、パワーヨガ、ラジオ体操第一
4.3	やや速足（平地、やや速めに＝93m/分)、ゴルフ（クラブを担いで運ぶ）
4.5	テニス（ダブルス)、水中歩行（中程度)、ラジオ体操第二
4.8	水泳（ゆっくりとした背泳ぎ）
5.0	かなり速足（平地、速く＝107m/分)、野球、ソフトボール、サーフィン、バレエ（モダン、ジャズ）
5.3	水泳（ゆっくりとした平泳ぎ)、スキー、アクアビクス
5.5	バドミントン
6.0	ゆっくりとしたジョギング、ウエイトトレーニング（高強度、ボディビル、パワーリフティング)、バスケットボール、水泳（のんびりと泳ぐ）
6.5	山を登る（0〜4.1kgの荷物を持って）
6.8	自転車エルゴメーター（90〜100w）
7.0	ジョギング、サッカー、スキー、スケート、ハンドボール

7.3	エアロビクス、テニス（シングルス）、山を登る（約4.5～9.0 kg の荷物を持って）
8.0	サイクリング（約20 km/ 時）
8.3	ランニング（134 m/ 分）、水泳（クロール、普通の速さ＝46 m/ 分）、ラグビー
9.0	ランニング（139 m/ 分）
9.8	ランニング（161 m/ 分）
10.0	水泳（クロール、速い＝69 m/ 分）
10.3	武道、武術（柔道、柔術、空手、キックボクシング、テコンドー）
11.0	ランニング（188 m/ 分）、自転車エルゴメーター（161～200 w）

メッツ	３メッツ未満の運動の例
2.3	ストレッチング、全身を使ったテレビゲーム（バランス運動、ヨガ）
2.5	ヨガ、ビリヤード
2.8	座って行うラジオ体操

【出典】「健康づくりのための運動基準2006改定のためのシステマティックレビュー」（研究代表者：宮地元彦）

参考文献一覧

▫一般

福井次矢、黒川清日本語版監修『ハリソン内科学　第２版』メディカル・サイエンス・インターナショナル、2003

杉浦和朗『神経検査法の理解』医歯薬出版株式会社、1993

北川泰久ほか監修「神経・精神疾患診療マニュアル」『日本医師会雑誌』142（特別号２）：2013

Joseph G. Chusid et al. *CORRELATIVE NEUROANATOMY and FUNCTIONAL NEUROLOGY*, 1964

▫循環器

阿古潤哉、片岡有、安田聡ほか「エビデンスに基づく虚血性心疾患二次予防」『日内会誌』106（2）：199–258、2017

中谷晴昭、古川哲史、山根禎一『そうだったのか！　臨床に役立つ不整脈の基礎』メディカル・サイエンス・インターナショナル、2012

森博愛、丸山徹『J 波症候群』医学出版社、2013

富野康日己監修『専門医のための薬物療法Q&A　循環器』中外医学社、2008

村川裕二編「不整脈診療Q&A」『救急・集中治療』25（5, 6）、2013

山下武志編「不整脈診療」『日本医事新報』4670：1–117、2013

村川裕二編「循環器診療の疑問、これで納得！」『レジデントノート』羊土社、14（14）：11–240、2013

小林洋一監修「心原性失神の対応マニュアル」『日本医事新報』4802：27–51、2016

磯部光章、北風政史ほか「心筋症：診断と治療の進歩」『日内会誌』103（2）：273–429、2014

西慎一ほか「慢性腎臓病と心血管系疾患」『日内会誌』105（5）：791–856、2016

永井良三、今井靖ほか「大動脈疾患 ── 大動脈解離と胸腹部大動脈瘤：診断と治療の進歩」『日内会誌』99（2）：219–327、2010
広川雅之『いきなり名医！　これでわかった下肢静脈瘤診療』日本医事新報社、2009

▫高血圧

日本高血圧学会高血圧治療ガイドライン作成委員会編『高血圧治療ガイドライン2019』日本高血圧学会、2019
桑島巌監修「見直し！　高齢者高血圧治療」『日本医事新報』4847：28–71、2017
梅村敏、島本和明ほか「高血圧：全ての内科医が知っておくべき高血圧治療のポイント」『日内会誌』104（2）：197–281、2015
伊藤裕編『降圧薬俺流処方』南山堂、2011
岩尾洋、雪村時人『循環器の薬理学』メディカル・サイエンス・インターナショナル、2009
苅尾七臣編「血圧コントロール不良への対処」『治療』94（7）：1205–1321、2012

▫糖尿病

京都大学糖尿病・内分泌・栄養内科「膵β細胞の生物学、病態学」（http://www.metab-kyoto-u.jp）
「糖尿病ネットワークニュース」資料：インスリン抵抗性のメカニズムを解明　肥満が炎症を引き起こす（http://www.dm-net.co.jp）
渥美義仁「境界型糖尿病の進行予防：ライフスタイル介入の意義と実際」『日本医事新報』4706：19–24、2014
益崎裕章、柏木厚典ほか「糖尿病と関連する内科疾患：診断と治療の進歩」『日内会誌』102（4）：833–954、2013
益崎裕章、春日雅人ほか「肥満症の改善はなぜ、難しいのか？　～ここまで明らかになった！　病態解明と治療の最前線～」『日内会誌』104（4）：687–762、2015

梶尾裕監修「糖尿病合併症の早期先制治療」『日本医事新報』4737：19–32、2015
坂根直樹編「二人三脚糖尿病診療」『日本医事新報』4666：6–127、2013

▫ 腎臓病

長井幸二郎、土井俊夫「CKDとAKIの臨床検査」『日内会誌』102（12）：3125–3132、2013
海津嘉蔵編『あなたも名医！　透析まで行かせない！　CKD診療』日本医事新報社、2013
湯村和子『あなたも名医！　危ない蛋白尿・血尿』日本医事新報社、2011
成田一衛ほか「腎臓病と代謝障害 ― 内科医に求められる基礎と応用 ―」『日内会誌』104（5）：901–974、2015
谷口茂夫『考える腎臓病学』メディカル・サイエンス・インターナショナル、2011
Wynn Kapit et al. 永田豊、坪井實訳：*The PHYSIOLOGY COLORING BOOK* 廣川書店、1995
丹羽利充編『腎臓病薬物療法実践ガイド』中山書店、2013
日本腎臓病学会作成のガイドライン（https://www.jsn.or.jp/guideline/guideline.php）

▫ 呼吸器

伊賀六一、小林龍一郎監修『呼吸音のアセスメント　正常音と異常音』へるす出版、1998
川畑雅照編「いつもの治療を見直すかぜ診療パーフェクト」『レジデントノート』羊土社、13（14）：16–210、2012
渡辺彰、河野茂ほか「肺炎の診療 ―― ガイドラインの進歩」『日内会誌』100（12）：3481–3606、2011
寺本信嗣監修「誤嚥性肺炎への抗菌薬適正投与の方法」『日本医事新報』4841：27-50、2017
橋本修、秋山一男ほか「気管支喘息：診断と治療の進歩」『日内会誌』102

(6)：1323–1446、2013
小川賢二監修「肺MAC症マネジメント ── より良い症状コントロールをめざして」『日本医事新報』4810：25–44、2016
田中裕士編『喘息・COPD・ACOSの外来診療』羊土社、2016
高橋和久ほか「肺がん治療の最前線」『日内会誌』106（6）：1079–1146、2017
日本呼吸器学会肺生理専門委員会編『臨床呼吸機能検査第7版』日本呼吸器学会、2008
日本アレルギー学会喘息ガイドライン専門部会監修『喘息予防・管理ガイドライン2018』協和企画、2018

▫甲状腺

隈寛二編著『隈病院における甲状腺診療ガイド』メディカル・コア、1997
深田修司編『あなたも名医！　外来でどう診る？　甲状腺疾患』日本医事新報社、2011
吉田明監修「甲状腺癌の手術適応を見きわめる」『日本医事新報』4745：19-37、2015

▫めまい

北口哲雄、後藤幾生ほか「めまい ── そのしくみ治療まで」*CLINICAL NEUROSCIENCE* 3（4）：12–97、1985
坂田英治『めまいの臨床』新興医学出版社、2003
Thomas Brandt著、寺本純訳『めまい』診断と治療社、1999
城倉健『外来で目をまわさないめまい診療シンプルアプローチ』医学書院、2013
21世紀耳鼻咽喉科領域の臨床8『めまい・平衡障害』中山書店、1999
箕輪良行『もう怖くないめまいの診かた、帰し方救急・ERノート1』羊土社、2012
中山杜人『プライマリーケア医のためのめまい診療の進め方』新興医学出版社、2006

▫パーキンソン病、認知症

中島健二ほか「Parkinson病の治療　内科医に必要な新しい知見」『日内会誌』104（8）：1543-1606、2015

服部信孝『いきなり名医！　パーキンソン病Q&A』日本医事新報社、2009

中川正法、岩坪威ほか「認知症：診断と治療の進歩」『日内会誌』100（8）：2089-2239、2011

索　引

アルファベット

あ

か

さ

た

な

は

ま

や

ら

わ

舟津　敏朗（ふなつ　としろう）

1943年　東京に生まれる
1968年　金沢大学医学部卒業
1970年　金沢大学第２内科入局
　　　　日本循環器学会会員、日本内科学会会員
1972年　金沢医療短期大学部非常勤講師
1975年　文部教官（金沢大学助手医学部）
1976年　医学博士号取得
　　　　福井循環器病院内科部長
　　　　日本呼吸器学会会員
1980年　舟津内科循環器科医院開業
1988年　日本内科学会内科認定医
1989年　日本循環器学会循環器専門医（～2015年）

1972年　カルシウム拮抗薬に降圧効果があることの臨床
　　　　報告を世界で初めて発表した論文に参画
1974年　特発性右室拡張症を発見、発表
同　年　心外膜炎でのPQ部降下所見を発表（本邦初出）

クリニックの診断学
求められる開業医のために
増補改訂第３版

2018年８月21日　増補改訂版発行
2021年９月10日　増補改訂第３版発行

著　者　舟 津 敏 朗
発行者　中 田 典 昭
発行所　東京図書出版
発売元　株式会社 リフレ出版
　　　　〒113-0021　東京都文京区本駒込 3-10-4
　　　　電話 (03)3823-9171　FAX 0120-41-8080
印　刷　株式会社 ブレイン

ISBN978-4-86641-478-2 C0047
Printed in Japan 2021
落丁・乱丁はお取替えいたします。

ご意見、ご感想をお寄せ下さい。

［宛先］〒113-0021　東京都文京区本駒込 3-10-4
　　　　東京図書出版